HOMENAJE
A
MIGUEL ÁNGEL ASTURIAS

Variaciones interpretativas en torno a su obra

EDITOR

HELMY F. GIACOMAN

HOMENAJE

A

MIGUEL ÁNGEL ASTURIAS

Variaciones interpretativas en torno a su obra

L. A. Publishing Company, Inc.
40-22, 23rd Street

Long Island City

New York, 11101

Producido por ANAYA

Depósito Legal: M. 27.565-1971

Printed in Spain
Gráficas E. M. A. Miguel Yuste, 31. Madrid

ÍNDICE

Prefacio

> «El escritor no es ni una Vestal ni un
> Ariel; haga lo que haga, 'está en el asunto,
> haga lo que haga', marcado, comprome-
> tido, hasta su retiro más recóndito... Ya
> que el escritor no tiene modo de evadirse,
> queremos se abrace estrechamente con su
> época; es su única oportunidad; su época
> está hecha para él y él está hecho para
> ella... Este es nuestro tiempo... no tene-
> mos más que *esta* vida para vivir, en me-
> dio de *esta* guerra, tal vez de *esta* revo-
> lución.»

La cita que encabeza estas líneas destaca, mejor que
nada, lo que yo entiendo ser la posición humana de Miguel
Ángel Asturias como escritor. Existen algunos críticos que
han calificado la obra de este autor como «comprometida»,
esto en el sentido negativo. Llaman a esa obra con nombres
ajenos a lo que ellos entienden —muy estrechamente— por
literatura. Nosotros también usamos ese adjetivo «comprometida», pero lo hacemos ontológicamente, tal como lo hace
J.-P. Sartre en su libro *Qué es la literatura*. Lo hacemos así
porque no es posible separar ambas posiciones humanas. No
recordamos ningún laureado con el Premio Nobel que me-
rezca tanto esa distinción desde ese punto de vista. La creación literaria de Miguel Ángel Asturias está sumergida en
todo concepto de responsabilidad humana: ontológica y
fenomenológicamente a la vez. En esa responsabilidad no
cabe la filosofía burguesa de la irresponsabilidad del escritor, como tampoco el mito de la destrucción del lenguaje
por el placer estético en sí. La riqueza expresiva existe a lo

largo de su obra como expresión fenomenológica de personajes que viven y se expresan en planos socio-metafísicos. En otras palabras, sus atormentados personajes hablan como deben, en el nivel que les corresponde, expresando su propia y a veces mísera realidad. Mirado desde ese auténtico punto de vista, ellos son más reales que aquellos creados por los llamados escritores realistas. Si algún crítico erró en su interpretación no fue por error del novelista, sino por faltarle criterio interpretativo. Lo que existe hoy en la novela actual hispanoamericana no es una crisis de la novela, sino una crisis de algunos críticos acostumbrados a clasificaciones generales y a comunes denominadores: se ha evolucionado verticalmente y, a pesar de que se han perdido generalizaciones, se han conquistado claves interpretativas no sospechadas hace algunos años.

En la obra de Asturias vemos constantes que trascienden una cosmovisión auténtica de la condición humana, todo ello dentro de una temporalidad mítico-existencial. Esa cosmovisión tiene su punto de arranque en un surgir subjetivo de modos expresivos: tensión del lenguaje y una honda angustia que palpita en sus poemas y en sus leyendas raigales. Prosigue esa visión cósmica describiendo —en su novelística especialmente— la verdadera realidad histórica, intrahistoria a la vez, y social de nuestros países: forma expresiva de la realidad mestiza, anclada en el indio primigenio y explotado. Para poder presentar esa clave humana había que renovar la forma literaria de la literatura regional. Sólo así se podía plantear la vida nueva en un amplio sentido. Es por eso que su obra nos presenta con un tiempo mítico y un tiempo existencial en relación con la estructura social de sus personajes: la prostituida sociedad política, tan magistralmente expuesta en *El señor Presidente;* luego el mundo mítico del indio —especialmente en *Hombres de maíz*—, que comprende el porcentaje más importante de su país; para terminar con el mundo que se mueve en la costa y es explotado miserablemente. En esas tres esferas socio-económicas, Asturias describe y presenta motivaciones de ambición y de sufrimientos de tal intensidad psicológica que trascienden un mundo formado del pasado, presente y futuro. Mundo envuelto en valores éticos y estéticos, todo ello circundando ideologías humanas, sistemas decadentes de una burocracia esbirra y esclava de los déspotas.

Pero no se vaya a creer que la novelística de **Miguel Ángel** Asturias presenta panoramas disasociados entre novela y novela. Muy al contrario, las estructuras míticas —radicadas en un tiempo lejano y presente a la vez— le sirven, en toda su novelística, para aunar complejísimas estructuras en torno al mundo vital de sus personajes. La violación de los mismos —ya sea en sus novelas orientadas a un pasado mítico o las que se refieren al presente— trae como consecuencias inevitables la destrucción humana, la degeneración social, la deshumanización de un mundo gobernado por los intereses de inseguridad, de impotencia y de miedo: desde presidentes hasta locos y degenerados humanos.

Así, pues, con un pie en una realidad mítica y con el otro en una degradación social, Asturias levanta en su novelística una cosmovisión humana que muestra en toda ella su compromiso ontológico a través de la fenomenología de sus personajes: ése es su tiempo, ésa es su vida y ése es su compromiso. Miguel Ángel Asturias no se ha evadido ni como hombre ni como escritor.

Helmy F. Giacoman

Nota preliminar

Estos ensayos intentan reflejar diferentes aspectos de la obra total de Miguel Ángel Asturias. La bibliografía crítica en torno a nuestro autor es enorme, de modo que aquí tenemos solamente una parte mínima. El criterio de selección ha sido cualitativo: he elegido entre los estudios publicados en varios países por diversos críticos aquellos que me parecieron los más destacados para el profesional como para el estudiante de literatura. En último término, la selección ha sido llevada a cabo por mí, y su criterio es parte de mi responsabilidad.

Quiero expresar mi más profundo agradecimiento a los editores de las siguientes revistas literarias: *Revista Iberoamericana*, por los estudios de Raúl Leiva (enero-abril de 1969); Fernando Alegría (leído en un Congreso de Literatura Iberoamericano); Enrique Anderson-Imbert (enero-abril de 1969); Carlos Navarro (enero-junio de 1966); Carlos Navarro (enero-abril de 1969); Adalbert Dessau (enero-abril de 1969); a la revista *Asomante*, por los estudios de Luis de Arrigoitia (julio-septiembre de 1968); Ángel Luis Morales (julio-septiembre de 1968); Adelaida Lorand de Olazagasti (julio-septiembre de 1968); a la revista *Ínsula*, por los estudios de Jorge Campos (diciembre de 1967); Jorge Campos (enero de 1968); a la revista *Cuadernos Americanos*, por los estudios de Alaide Foppa (enero-febrero de 1968); Manuel Maldonado Denis (mayo-junio de 1963); a la revista *Atenea*, por el estudio de Ariel Dorfman (abril-junio de 1968); al entusiasta Seymour Menton, por permitirme re-

producir el capítulo sobre Asturias de su libro *Historia crítica de la novela guatemalteca;* y a mi gran colega y amigo
Luis Leal, por su estudio incluido, publicado en *Comparative
Literature Studies,* V, 3 (septiembre de 1968). A todos ellos,
mil gracias.

Helmy F. Giacoman

La poesía de Miguel Ángel Asturias

Raúl Leiva

Aprehensión del espíritu indígena

Lo que caracteriza y define a la poesía guatemalteca contemporánea (observándola dentro del amplio panorama de la poesía escrita en lengua española) es, nos parece, su *aprehensión* del espíritu del mundo indígena: su forma es mediterránea, mas su acento más hondo está influido por la magia viva del *Popol-Vuh* y de otros libros indígenas nuestros como el *Memorial de Sololá* (Anales de los Xahil o Anales de los Cakchiqueles), el *Título de los Señores de Totonicapán* y el *Rabinal Achí*. Como lo ha afirmado Luis Cardoza y Aragón, el *Popol-Vuh* es el libro fundamental, la biblia de nosotros, hijos del maíz:

> Lo extraordinario en Guatemala y México, meollo indígena de América, es cómo el corte de la tizona española no nos ha separado del mundo antiguo, de la poesía primigenia y original, de nuestra carga explosiva y mágica. El mito se hizo carne. Al partir la tizona la Serpiente Emplumada, los trozos cobraron nueva y vieja existencia. Y se internaron en las selvas y se escondieron por todas partes. Hoy reptan y vuelan en palabras, sangre y sueños, tan vivos como en códices, leyendas, frescos y monolitos.

Más tarde señala el mismo LCyA (véase *Guatemala, las líneas de su mano*, «Fondo de Cultura Económica», México, 1955) que el carácter único del *Popol-Vuh* se realza por el hecho de ser una de las más puras formas que existen de la matinal palabra del hombre. Para este poeta y crítico de nuestro país, la pasión, la obsesión de eternidad, hace perdurable en el *Popol-Vuh* la vigencia poética. Y no sólo en los grandes libros mayas: los frescos, la escultura —añade—, son creaciones de la misma mentalidad de los tex tos sagrados: ilustraciones o concreciones tangibles de la poesía. Tanto LCyA, Miguel Ángel Asturias y el que escribe estas páginas, hemos nutrido nuestra poesía en el espíritu de esta tradición indígena. Por eso, hacemos nuestra la afirmación de LCyA:

> Las palabras llevan plumas de quetzal y orquídeas y arcilla roja de los ídolos. La supervivencia de lo indígena es tan grande por ello: estilo nacido en el propio ambiente natural en que vivimos. Nos apasiona el adorno, la voluta, el colorido. Una suntuosidad estival que nunca pierde su refinado vigor. Una sabiduría orgiástica y severa. (*Op. cit.*, p. 108.)

La poesía guatemalteca contemporánea nace con la generación de 1920 (Miguel Ángel Asturias, Luis Cardoza y Aragón y César Brañas). Estos poetas abandonaron definitivamente las orquestaciones coloristas y a menudo superficiales de la generación modernista anterior (de la que sobrevive un poeta importante, Rafael Arévalo Martínez) y comenzaron a construir una poesía que heredaba de los modernistas únicamente el rigor técnico, la maestría verbal, y que, a diferencia de ellos, ya se preocuparon en descubrir en dónde estaban los valores más hondos de nuestro mundo guatemalteco: en el hechizo potente y aún no destruido de la tradición precolombina.

El caso de Miguel Ángel Asturias

Miguel Ángel Asturias (nacido en la ciudad de Guatemala en 1899) parece ser el escritor de la generación de 1920 que, de manera más honda y esencial, ha sabido interpretar y expresar —tanto en su obra poética como en sus novelas— el modo de ser del ente guatemalteco: desde sus celebradas *Leyendas de Guatemala*, publicadas hace más de tres décadas en Francia [1], ya se manifiesta con plenitud, en su estilo original y denso, mucho del espíritu y modo de reaccionar del guatemalteco ante la realidad, ante el mundo. A eso se debió, pensamos, el éxito de ese libro: mostraba ante los ojos cultos y equilibrados de los europeos del siglo xx un mundo virgen y en permanente ebullición, un

---

[1] *Légendes du Guatémala,* traducción de Francis de Miomandre, con una carta-prólogo de Paul Valéry. Editions Cahier du Sud, París, 1932.

continente colmado de magia deslumbrante, de colorido y
fascinación. La prosa imantada y poética de Miguel Ángel
Asturias estaba nutrida de un aire salvaje y elemental, de
un calor animal y vegetal que dejaba en cada página un
vaho de tierras inholladas, de maderas respirantes, de minerales endurecidos de eternidad. Esta obra en prosa nos
parece, paradójicamente, el libro más poético del autor: las
palabras se ven cargadas de tensión y verdadera calidad
lírica: rebasan su contenido natural al hacerse materiales
de un lenguaje naciente, hasta ese momento desconocido.

Antes de hacer referencia a su obra poética propiamente dicha, aproximémonos a otra de sus novelas, *Hombres
de maíz* [2], la cual nos parece agitada por tempestades de
intenso lirismo. Es en el centro de nuestra tierra ardida y
con sueño, sedienta y húmeda, en donde desarróllanse con
no igualada intensidad los sucesivos actos de esta obra de
Asturias que es nuestra, guatemalteca, desde el pellejo, desde la periferia, hasta lo más hondo de la entraña. La suave
penumbra de este clima maravilloso de Guatemala, de oros
tropicales y guacamayos y loros y quetzales que encienden
soles en el aire intacto, es solamente alumbrada, de cuando
en cuando, por muchedumbres de ojos indígenas estreme-
cidos aún por los vientos iluminados del *Popol-Vuh*. Porque
son indios con ojos de agua llovida los que transitan como
sonámbulos por entre estas páginas ardidas de magia telúrica, de embriaguez de *chicha* que se derrama como un río,
humedeciendo la reseca costra de lo terrestre. Hombres y
animales elementales son los protagonistas de esta obra,
cruzando entre los valles de un tiempo mitológico, poético,
donde el aire mismo tiene olor a caballo mojado...

Y, en medio de un derroche de imantadas imágenes que
muestran en toda su pureza a esta luz nuestra, compacta y
diamantina, lo vegetal reinando sobre la tierra guatemalteca, dándole color y sentido, plasticidad viva a todo lo real.
Y ese ambiente alucinante sólo se ve más justo y concreto cuando asoman por entre las veredas seres con cara de
cáscara de palo viejo, indígenas en cuyas arrugas transcurre el tiempo sin prisa de la eternidad. Y otros, los mestizos,
aparecen de cuando en cuando con sus humanidades la-

[2] Editorial Losada, Buenos Aires, 1949.

cerantes, con sus complejos de seres que solamente han
sido untados de ladinos... Porque eso es en primera y última instancia el mestizaje: un unto, un barniz que todavía
no ha sido dilucidado o digerido, desde el momento que a
nuestros pueblos latinoamericanos les falta aún poseer una
conciencia madura y actuante de su mestizaje, del drama
de nuestro origen, del conflicto de las sangres indígena y
mediterránea.

El poeta que alienta en Miguel Ángel Asturias posee el
poder mágico, de tan real, de trastocar lo circundante, hu-
manizando hasta a los elementos. Por eso no es raro que
nos hallemos de pronto, frente a un barro que se arruga
año con año y pone cara de viejo; o ante el fastuoso es-
pectáculo del fuego de los guerreros (fuego de la guerra),
en donde lloran hasta las espinas... Y el silencio es un silencio de sangre seca en la boca. Y los hombres están tan
cargados de pasiones elementales, que no estallan, sí, no
estallan, pero están perennemente, sin decir palabras, de-
sangrándose por dentro. En el peruano Vallejo, en el chile-
no Neruda, en el mexicano Villaurrutia y en algunos otros
pocos, representativos de la poesía latinoamericana, hemos
observado, también, ese poder de alto lirismo que les permite transformar y humanizar la realidad.

Sien de alondra

En 1948, Miguel Ángel Asturias nos envió (desde Buenos
Aires, en donde residía) su libro *Sien de alondra* [3]. Ese volumen de doscientas cincuenta páginas contiene la obra
—contemplada desde un exigente plan antológico— de treinta años de persistente entrega a la poesía: 1918-1948. Cuatro ciclos de creación, cuatro estaciones perfectamente deli-
mitadas que alimentan el cuerpo todo de ese organismo
lírico.

Asturias es el poeta objetivo de Guatemala. En su poesía
predomina lo corpóreo, las formas clásicas depuradas; en
suma: el sentido de lo visual y aéreo. Descubre a la tierra
guatemalteca en su esencia más íntima y sabe elevarla a
la estatura de hecho lírico con su embriaguez tropical. Su

---

[3] *Sien de alondra* (poesía). Editorial Argos, Buenos Aires, 1948.

mundo imaginativo, su metaforismo exacerbado bucea insólitas correspondencias con lo real. Su sentido lírico se orienta hacia lo telúrico y vegetal y en esos reinos se mueve con el desenfado, con la soltura de un hijo verdadero de nuestra América indígena. Porque eso sigue siendo Miguel Ángel Asturias: un indio perfecto, pese a su cosmopolitismo.

Una segura vocación y una despierta sensibilidad le han permitido a este poeta afilar sus armas, llegar a ser dueño de un estilo poético que ha logrado salvar las marejadas del irracionalismo reciente, para organizar una obra que mantiene su gran temperatura y originalidad, sin hacer concesiones a lo trivial. Juego y rejuego de las formas. Rigor expresivo. Sentidos ávidos que extraen de su lucha con el mundo los materiales con los que edifica su orbe poético. Gran poeta de tono menor, lírico intransferible de una ciudad pequeña, a pesar de sus andanzas por el mundo, Miguel Ángel Asturias es dueño del matiz especial, de la nota fresca y vaporosa para dar la pincelada que nos descubre un recodo de su mundo, de su Guatemala natal, de su parentesco esencial con la tierra, con sus gentes, con sus sensaciones abandonadas; por eso, cuando retorna, como un hijo pródigo, ellas se le *abren* nuevamente con su sorpresa y virginidad.

En este volumen se muestra con claridad la lucha que ha librado el poeta, a través de los años, con la poesía. Sus poemas de juventud ya nos daban la medida de su fuerza: cantos minerales, nutridos de antiguo y clásico sabor, tanto por la forma rígida como por el acento oscuro que los sostenía. Esos cantos, al cabo de varias décadas de haber sido escritos, no han perdido su sabor térreo, su frescura: se ve que pertenecen al mundo más profundo del autor.

Luego, su experiencia europea. Poemas bien trabajados, pero a los que sentimos les faltaba *algo*. Acaso verdadera emoción. Se comprende que el poeta se enfrenta a un universo al que no domina bien. Poemas de experiencia, indudablemente. Pero experiencia un poco «turística», si se nos permite el término.

Año de 1940. Nuevamente, Asturias está en Guatemala. Regresa de su vuelta al mundo y ve a su tierra con esta nueva mirada. Los sentidos, antes ávidos, ahora saben de-

gustar y, por lo tanto, extraer de la realidad mayores secretos, perspectivas antes inesperadas. A esta época pertenecen los poemas «Mi ciudad», «Jubileo», «Claridad lunar».
Los cinco años de producción lírica comprendidos entre 1943
y 1948 son, indudablemente, los más intensos. De *Sien de
alondra*, medio volumen incluye los primeros veinticinco
años de su labor; la otra mitad está compuesta del 43 para
acá. Y ésta es, creemos, la mejor época. El poeta, ya más
dueño de sus instrumentos verbales, con un caudal mayor
de experiencia literaria, forja su altivo continente sonoro.
A este ciclo corresponde el poema «Tecún-Umán», animado
de secretas resonancias del mundo maya prehispánico. Re-
producimos unos fragmentos:

> Tecún-Umán, el de las torres verdes,
> el de las altas torres, verdes, verdes,
> el de las torres verdes, verdes, verdes
> y en fila india indios, indios, indios
> incontables como cien mil zompopos:
> diez mil de flecha en pie de nube, mil
> de honda en pie de chopo, siete mil
> cerbataneros y mil filos de hacha
> en cada cumbre ala de mariposa
> caída en hormiguero de guerreros.

El barroquismo misterioso y sagrado de los mayas antiguos que vivían inmersos en el tiempo, enamorados de la
eternidad, se muestra de nuevo en estos versos suntuosos
y plásticos del poema asturiano:

> Tecún-Umán, el de las plumas verdes,
> el de las largas plumas verdes, verdes,
> el de las plumas verdes, verdes, verdes,
> verdes, verdes, Quetzal de varios frentes
> y movibles alas en la batalla,
> en el aporreo de las mazorcas
> de hombres de maíz que se desgranan
> picoteados por pájaros de fuego,
> en red de muerte entre las piedras sueltas.

Y no podía faltar el tema de la muerte, humedeciendo,
como una ola trágica, los umbrales de la desesperación y
de la sombra. La muerte del gran guerrero indio alcanza,
en este poema, una grandiosidad conmovedora:

¡Tecún-Umán!
       Silencio en rama...
Máscara de la noche agujereada...
Tortilla de ceniza y plumas muertas
en los agarraderos de la sombra,
más allá de la tiniebla, en la tiniebla
y bajo la tiniebla sin curación.
El Gavilán de Extremadura, uñas,
armadura y longinada lanza...
¿A quién llamar sin agua en las pupilas?
En las orejas de los caracoles sin viento
a quién llamar... a quién llamar...
¡Tecún-Umán! ¡Quetzalumán!

La magia poética de Miguel Ángel Asturias también se muestra radiante en su variada producción sonetística. Los del ciclo último parecen ser los más acendrados. Ya no es solamente el conocimiento del idioma, la habilidad técnica: detrás de todo esto, alimentándolo entrañablemente, está el soplo demoniaco o sagrado de una pasión atormentada y atormentadora. El oscuro fuego del amor le hace dar las notas más altas de su lirismo. He aquí su soneto «Ulises», en donde utiliza la idea gideana del volver sin regresar:

Íntimo amigo del ensueño, Ulises
volvía a su destino de neblina,
un como regresar de otros países
a su país. Por ser de sal marina
su corazón surcó la mar meñique

y el gran mar del olvido por afán,
calafateando amores en el dique
de la sed que traía. Sed, imán,

aguja de marear entre quimeras
y Sirenas, la ruta presentida
por la carne y el alma ya extranjeras.

Su esposa le esperaba y son felices
en la leyenda, pero no en la vida,
porque volvió sin regresar Ulises.

En la parte final de *Sien de alondra* están los poemas más intensos: «Elegía», «El Bautista y Salomé» y «Ella misma». Son los cantos más íntimos y desgarrados; estamos

en presencia del hombre de carne y hueso, no ya guatemalteco, sino universal.

En su «Flecha poética», prólogo para esta colección de
poemas de Miguel Ángel Asturias, Alfonso Reyes escribió
(fragmento):

> Aquel sobresalto gustoso con que nos atraían y punzaban los
> poemas de Miguel Ángel Asturias, cuando los leíamos en orden
> disperso, uno aquí y otro allá, hoy éste y mañana aquél, ahora
> que leemos la obra organizada en libro y completada con
> tanto material inédito, se nos convierte en admiración y aun
> gratitud. Hay en este libro algo de hazaña, hazaña, de investi-
> gación poética, la cual no podría llegar a tal término de exce-
> lencia (dejémonos por ahora de estímulos, inspiraciones, fuen-
> tes y demás armas de la cultura), sin una consulta sincera de la
> propia naturaleza y de sus actuales reacciones ante el desafío
> del mundo; sin una vuelta 'cartesiana' a las evidencias poéticas.

«Bolívar» y «Alto es el Sur»

De la producción poética de Miguel Ángel Asturias posterior a *Sien de alondra*, señalamos aquí dos de sus mejores
poemas: «Bolívar» y «Alto es el Sur», que es un canto a
la Argentina, en donde el poeta vivió varios años. En el primero de los cantos mencionados, ese que es exaltación de
El Libertador, Asturias asciende a los climas épicos y forja
un poema en donde las palabras estallan al ser sometidas
a la gran temperatura heroica que el hacedor de mitos se
impone a sí mismo:

> ¡Las veces que dije que no era la playa de pecho de arena,
> sino su caballo!
> ¡Las veces que dije que no eran las olas de crines de espuma,
> sino su caballo!
> ¡Las veces que dije que no eran mareas de cascos oleantes,
> sino su caballo!
> ¡Las veces que dije que no era el tasquido del golfo en el freno,
> sino su caballo!
> (Fragmento.)

En el otro poema que hemos recordado, «Alto es el
Sur», el poeta guatemalteco asciende a los ámbitos del entusiasmo y la embriaguez para cantar a la República Argentina. He aquí un fragmento:

Alto es el Sur,
rayos de dioses con vetas de metales maduros,
sin novedad ni abriles, de sol y hielo estático, fecundo.
Techumbre de ceniza, de cielo azul ceniza.
Bóveda para aves de pico, garra y hambre,
por donde pasa el viento huracanado, tránsfuga,
y el agua sabe a sueño y a derrumbe.
Quietud de majestades en los lagos australes,
ojo de cristal tibio para ángeles de presa,
no giran en la tierra, ya están del otro lado,
tal vez en el satélite.

Otros críticos han llegado a entusiasmarse con algunos juegos poéticos de Miguel Ángel Asturias, como sus «fantomimas» y «jitanjáforas» que a nosotros no nos interesan, por considerarlas ejercicios instrascendentes de juglaría lírica. A este respecto, la escritora Alaíde Foppa, en su ensayo «Realidad e irrealidad en la obra de Miguel Ángel Asturias» [4] expresa:

> Supongo que Alfonso Reyes, al señalar la «hazaña de investigación poética», no se refería a la nitidez de algunos sonetos o a la sonoridad de ciertos versos, sino a algo nuevo, que aparece sobre todo en esas composiciones dialogadas, a las que Asturias llama «fantomimas», aludiendo a su forma hasta cierto punto teatral y al juego de fantasía o de fantasmas que se realiza en ellas. No es ajena la influencia del Romancero, especialmente en una de ellas, *El Rey de la Altanería*, escrita en octosílabos y en algunos otros poemas; pero tal influencia, percibida sobre todo a través de García Lorca por tantos poetas de la época, es más bien exterior, mientras lo nuevo, lo propio de Miguel Ángel Asturias, se manifiesta en un humorismo funambulesco donde se mezclan, con gracia y picardía, elementos infantiles, alocadas invenciones y fragmentos de la leyenda. Todo ello vivificado por el uso desenfadado de juegos de palabras, onomatopeyas, jitanjáforas, trabalenguas, aliteraciones y rimas internas.

«Clarivigilia primaveral»

En una bella edición bilingüe (la traducción al francés la hizo René L. F. Durand), Gallimard incluye, como título primero de su nueva colección *Poésie du monde entier* (apa-

---

[4] En *Cuadernos Americanos*, XXVII: 1 (México, enero-febrero de 1968).

recida a fines de 1966), un extenso poema de Miguel Ángel
Asturias, intitulado *Clarivigilia primaveral* [5]. A través de
diez cantos de encendido y barroco lirismo (influido indudablemente por el mundo mítico y deslumbrante del *Popol-
Vuh*), el poeta guatemalteco crea una atmósfera de pasmo
y fascinación, un nuevo canto de amor a Guatemala, a la
que no nombra directamente, pero que es dable reconocer
en su plástica magnificencia: tierra de miel, comarca de
la luz, latido en donde las Inmensas Viudas elementales
(la Noche, la Nada, la Vida) parecen resguardar la eternidad.

Dueño de un lenguaje que ha bebido lo popular en las
entrañas de la tradición, Asturias organiza sus palabras (ope-
rarias de la luz, las llama) y las hace volar, danzar, electri-
zadas con los copales milenarios de lo autóctono. La realidad, así, aparece situada o contemplada desde una *clarivigilia* en donde seres y cosas están humedecidos por los
sueños. En este continente mágico construido por la poesía,
la noche parece sangrar entre sus silencios, iluminada por
el resplandor de blancos colmillos de solsticios.

Imágenes frutales de mujeres, espumas petrificadas, cuchillos de pedernal calentados al rojo vivo del corazón, seres y cosas remojadas en agua de sueños cruzan por el
ámbito de este canto. Mílites que niegan la vida y siembran
la muerte son la paradojal mancha en una tierra exuberante y prodigiosa, nupcial vendimiadora del aire y de la luz.

La poesía —memoria con llanto—, al organizar su fuego (ese resplandor donde lo real y lo irreal llegan a herma-
narse), hace que él, el fuego, sea la risa de piedra, el «bál-
samo hirviente de los liquidámbares», «perfume de los tamarindos en llamas». Es una sensualidad desatada la que
conmueve a este poema: a través de chorros de agua se
lanza «al tigre del incendio» («pour enlacer le jaguar de
l'incendie», según la versión de Durand).

> La tierra se alimenta de huellas de maíz que da luz,
> un solo maíz y todo el sol radiante,
> de alas de quetzales que cambian el color del cielo,
> un solo quetzal y todo el cielo verde,
> de hilos de lluvia, de hilos de sangre,

---

[5] *Clarivigilia primaveral (Claireveillée de printemps)*. Poésie du monde
entier, *nrf*, Gallimard, París, 1966, 144 pp.

la tierra se alimenta de sangre...
la vida y la muerte en las huellas de los cazadores...
huellas... huellas... la vida y la muerte... huellas...
huellas... huellas de crepúsculo pechirrojo... huellas...
la vida y la muerte... huellas... huellas...
huellas de aurora cariamarilla... huellas... huellas...
la vida y la muerte... huellas... huellas...
huellas de joyel de pluma de garza... huellas...
la vida y la muerte... huellas... huellas...
huellas de polvareda de obsidiana... huellas... huellas.

Lo bárbaro y lo primitivo de una tierra en erupción permanente sacude a estos poemas de guerrear mítico: en ella cielo y tierra se han hecho la morada de guerreros impulsados por fuerzas satánicas y sagradas a la vez. En ella, el zenzontle es toda la música; la guacamaya, el grito de todos los colores ante los copales del esplendor:

Todo de cabeza en el lago inmóvil,
la alta comba del cielo convertida
en hamaca de estrellas titilantes,
los volcanes de cabeza, pirámides invertidas,
los árboles de plumaje lloroso,
todo de cabeza, menos los cazadores,
los Flechadores del Cielo,
Águilas-Horizonte que sustraían su imagen
al espejo robador de huellas,
al lago inmóvil, sin olas, sin uñas,
agua de azulejo oscuro en los hondones,
agua de guacamaya azul en las orillas lúcidas,
agua de perico verde a la sombra de los sauces,
agua de pato de níquel o espuma de paloma
en los playados donde detuvieron los cazadores,
antes del asalto, sus huellas en abanicos luminosos
que transformaban el lago,
refugio de los artistas únicos,
en espejo de cola de pavo real.

Con su arte de burbujas, con su palabra cristalizada por elementos decorativos que crean una dimensión de colorido sinfónico, Asturias ha escrito un extenso canto que es, nos parece, la glorificación mítica de Guatemala. Poeta visual por antonomasia, el reino de lo cromático es su dominio; lo barroco y suntuoso, su elemento. Los paralelismos y repeticiones característicos de la poesía indígena precolombina

son también su *leit motiv*, aunque a veces parezca abusar de
éstos. Por eso su dramatismo nos parece superficial. Sus
imágenes, algunas muy bellas, adolecen de la misma falla:
no constituyen una increada y recién nacida correspondencia entre elementos opuestos o desemejantes, sino que per-
sisten en ser comparaciones de uso corriente. Lo cual se
debe, pensamos, a que en Miguel Ángel Asturias son los instrumentos poéticos del modernismo —que fueron decisivos
en su formación literaria— los que aún se mantienen vi-
gentes. Ésa es la razón de que algunas veces, a lo largo de
este poema, se le sienta oratorio y super barroco, alejado de
las características de la poesía contemporánea, en donde
lo metafórico logra la concentración y transfiguración aguda
del lenguaje poético.

Digamos, pues, que este libro de Miguel Ángel Asturias
es, comparándolo con su producción anterior, su poema
más ambicioso y mejor estructurado. Recrea la atmósfera
mítica y fosforescente de su Guatemala natal y, pese a
algunas de sus limitaciones, continúa en la dirección mágica y sensual de sus famosas *Leyendas,* aquellas que entu-
siasmaron a Paul Valéry.

Editada por Gallimard (*nrf*), esta obra poética habrá de
actualizar aún más el ya candente tema de nuestro país, sumido, desdichadamente, en un clima de opresión político-
social enajenante. El combate que libran los antiguos dioses
diurnos y nocturnos de la mitología maya (tal como se canta en este poema), en la actualidad lo sostienen, cotidiana-
mente, las fuerzas de la libertad contra las de los sojuzga-
mientos; las que desean una Guatemala libre y las que han
propiciado la cada vez más pavorosa entrega de la sobera-
nía. Escrito desde su exilio europeo, Miguel Ángel Asturias
ha forjado un canto que, como el landivariano, se ha in-
corporado ya a las tradiciones del Nuevo Mundo.

La traducción de René L. F. Durand es prácticamente
literal, con muy ligeros cambios en algunos conceptos.

Nota final

Todo el ámbito de la lengua española (y no solamente
Guatemala, en donde nace, o la América Latina) está de

fiesta por el merecido triunfo literario mundial de Miguel
Ángel Asturias, al ganar el Premio Nobel de Literatura correspondiente al año 1967. Desde hace algunos años el nombre del gran escritor sonaba para conquistar ese galardón
(al lado de Pablo Neruda, Jorge Luis Borges, Alejo Carpentier y otros maestros del idioma) y, según lo anunció
oportunamente el cable, en 1966 había quedado de finalista
con el novelista soviético Sholojov, que le venció únicamente por un voto.

En 1967, pues, se le hizo justicia a Asturias por lo que
respecta al ámbito de occidente, que es en donde el Premio
Nobel ha tenido mayor vigencia. Es, digámoslo en términos
geográficos, la otra mitad del mundo la que le ha reconocido, pues la otra, la oriental, le había dado el Premio Lenin de la Paz en 1965. Señalamos aquí que tanto Oriente
como Occidente le han dado a Miguel Ángel Asturias los
dos mayores premios de que disponen. Primero, lo premió
el mundo socialista; luego, el capitalista. Esta rara unani-
midad es la primera vez que se da y testimonia, sin regateo
alguno, la vigencia universal del autor de las *Leyendas de
Guatemala* y de *El señor Presidente*.

A lo largo de casi tres décadas, nosotros hemos escrito
numerosas páginas sobre la obra de nuestro compatriota;
no es, pues, el impacto de sus éxitos mundiales recientes
lo que nos hace fijar la atención en sus libros. Es necesario
aclarar que el que esto escribe pertenece a la generación
literaria que surgió en Guatemala en 1940. Nuestro grupo
pugnó porque la función del intelectual se realizase fusio-
nando la labor política con la literaria. Tratamos así de
crear un arte directo, combatiente, que le revelara a nuestro pueblo la grandeza de nuestra tradición indígena y española, poniendo énfasis sobre lo precolombino. En ese sentido, continuamos y ensanchamos las directrices artísticas
señaladas por Miguel Ángel Asturias en sus *Leyendas de
Guatemala*. Lo indígena lo sentimos *desde dentro*, en el espíritu y la sangre, dominando en la vertiente de nuestro
mestizaje. Estas preocupaciones colman las páginas de algunos de nuestros libros: *Mundo indígena, Oda a Guatemala,
Danza para Cuauhtémoc, Memoria del tiempo* (de la que
existe una versión al francés), *La serpiente emplumada*, etc.

Con lo anterior queremos expresar que la obra literaria

de Miguel Ángel Asturias (tanto en prosa como en verso) supo influir poderosamente sobre nuestra generación. El que haya ganado varios premios internacionales ha venido a corroborar su indudable importancia. Escritor esencialmente guatemalteco y, por eso mismo universal, Asturias, siendo joven, pudo entusiasmar a Paul Valéry, quien en una carta a Francis de Miomandre, supo descubrir en sus *Leyendas de Guatemala,* lo siguiente:

> ...todas las edades de un pueblo de orden compuesto, todos los productos capitosos de una tierra poderosa y siempre convulsa, en quien los diversos órdenes de fuerzas que han engendrado la vida después de haber alcanzado el decorado de rocas y humus están aún amenazadores y fecundos, como dispuestos a crear, entre dos océanos, a golpes de catástrofes, nuevas combinaciones y nuevos temas de existencia. (Fragmento.)

Damos fin a estos textos sobre la obra poética de Miguel Ángel Asturias citando a un escritor argentino, Atilio Jorge Castelpoggi, quien ha dedicado un libro al estudio de su obra [6]:

> Si Heidegger define a la poesía como la fundación de ser por medio de la palabra, Asturias, en *Leyendas de Guatemala,* cumple intuitivamente esa premisa, es decir, se busca íntimamente él, su esencia misma, su herencia telúrica, y como además ésta se trasmite por el medio social en maravillosa identidad, *Asturias se funda en su pueblo.*

Ése ha sido el caso de Miguel Ángel Asturias: echó raíces en nuestra tierra, cantó su cielo y sus misterios, exaltó sus tradiciones, se mantuvo vivo junto al pueblo. Primero fue nuestro, americano esencial; hoy, su mensaje se traduce a numerosos idiomas y es de todos los hombres. Con él, la palabra mágica, sagrada y profundamente realista de nuestros abuelos mayas conquista todos los ámbitos culturales, comunicando su mensaje de libertad, de justicia y de esperanza.

---

[6] *Clásicos del siglo XX;* Miguel Ángel Asturias. Editorial «La Mandrágora», Buenos Aires, 1961, 224 pp.

«Leyendas de Guatemala»

Luis de Arrigoitia

Introducción

La concesión del Premio Nobel de Literatura de 1967 al novelista guatemalteco Miguel Ángel Asturias, al colocar su figura en lugar de preeminencia, ha movido a la lectura detenida de sus novelas, y ha provocado consideraciones sobre el valor de su persona y de su obra y la significación de este reconocimiento internacional. Para muchos es esta distinción la mejor forma de destacar y confirmar una vez más la alta calidad y originalidad de la narrativa hispanoamericana actual, que en muy poco tiempo se ha convertido en la vanguardia universal del género. Para los que aún creen en el hispanoamericanismo integral, es el premio a uno de nuestros hombres más representativos; porque en la obra de Miguel Ángel Asturias no sólo encarna el espíritu de su país natal —objeto central de su creación—, sino también la América hispana toda.

> Gran poeta lírico intransferible de una ciudad pequeña, a pesar de sus andanzas por varios continentes, siempre es dueño del matiz especial, de la nota fresca y vaporosa para la pincelada que nos descubre un recodo de su mundo, de su Guatemala natal, de su parentesco esencial con la tierra, con sus gentes, con sus sensaciones abandonadas para que, cuando vuelve como un hijo pródigo, se le abran nuevamente con su sorpresa y virginidad absolutas [1].

En su larga vida de desterrado y diplomático ha recorrido casi todo el territorio americano, pero siempre sus lugares de preferencia y en donde ha residido por más tiempo han sido los extremos del eje invisible que sostiene

---

[1] Raúl Leiva: *Miguel Ángel Asturias,* Casa de las Américas, 1961, II, n.º 8; página 65.

3

al continente sur: Guatemala y Argentina. Es, pues, por su
vida y por su obra, un hombre de medula nacional y continental, característico representante del «nacionalismo continental» hispanoamericano, como lo fuera Gabriela Mistral.
Lo que parece haber pretendido premiar la Academia sueca al detener nuevamente su atención sobre el suelo americano es la serie de cualidades que unen a Miguel Ángel
Asturias con la humilde maestra rural del extremo austral:
cualidades nacionales, virtudes raciales y ese principio innegable de solidaridad humana.

> Las exigencias históricas han marcado irremediablemente
> la obra de Miguel Ángel Asturias. Asturias es uno de los que
> viviendo su época la ha sufrido, y sufriéndola ha sabido ex-
> presar su dolor. Ha hecho de su obra una especie de tribunal
> de apelaciones, refugio de los humildes con sus penas anóni-
> mas, templo de piedad y justicia donde claman las voces de los
> desposeídos. Los pobres han dormido en su umbral, esperando
> audiencia. Aun faltándole patria y hogar, ha compartido con
> ellos su pan. «Mucho dinero en una sola mano siempre parece
> un poco deshonesto», dice el proverbial Asturias, que ha pre-
> gonado su causa en el foro y la plaza del mercado [2].

Guatemala, tierra de privilegio

Pero este reconocimiento internacional nos hace volver
los ojos no sólo al poeta-narrador galardonado, sino también al país que le dio vida. Para los hispanoamericanos
Guatemala representa un hito casi sobrenatural de nuestra
historia. Tierra de privilegio, Guatemala recibió dones particulares del creador de las tierras americanas en su geografía novedosa y dinámica. Es uno de los sectores en los
que la Cordillera, fragmentada y violenta, manifiesta en
todo su esplendor la conmoción genésica de su suelo y la
feracidad de sus virtudes vegetales: selvas, valles, ríos, volcanes y lagos maravillosos.

Su intensa vitalidad mineral, su rica variedad de fauna
y flora, la convierten en escenario de una de las culturas
más desarrolladas y refinadas de la época precolombina.
Toda esa exhuberante vitalidad hace eco en el fermento

---

[2] Luis Haars: *Miguel Ángel Asturias, o la tierra florida,* en *Los nuestros,*
Buenos Aires, Sudamericana, 1966, p. 87.

de una civilización sólo comparable con las más antiguas
del Oriente, de las que parece hermana. Alcanzó el pueblo
maya-quiché conocimientos superiores de arquitectura, escultura, religión, literatura; conocimientos que se dejan sentir en las elaboradas estelas de piedra, los antiguos templos
y el alto tono bíblico, cosmogónico del *Popol-Vuh*, el *Chilam Balam*, los *Anales de los Xahil* y de su pieza de teatro
el *Rabinal Achí*.

En los primeros años de la época colonial acogió los recuerdos veraces y evocadores de la épica conquista americana de manos de Bernal Díaz del Castillo y las protestas
y polémicas de Fray Bartolomé de las Casas, obispo de
Chiapas. Ha habido desde entonces en Guatemala un con-
movido estremecimiento de protesta y una voluntad utópica,
que funden en un mismo intento la protesta de derechos
de los *Anales de los Xahil* en lengua quiché, el apostolado
polémico y defensor de los indios de las Casas y la petición
de derechos, honra y justicia de Bernal Díaz.

En los años oscuros del siglo XVIII, cuando tocaba casi
a su fin la misma época colonial, un sacerdote jesuita de
Guatemala desterrado en Italia, evoca en hexámetros latinos la primacía de este territorio productor del añil y la
púrpura. Desde la nostalgia del exilio forzado, Rafael Landívar canta a su tierra en los versos horacianos de *Rusti-
catio mexicana*:

> Salve, patria querida, dulce Guatemala, salve; delicia, surti-
> dora de vida, manantial de la mía. Cuánto alienta, madre, re-
> pasar la riqueza de tu hermosura: moderado clima, fuentes,
> vías, templos y hogares. Ya paréceme vislumbrar tus selváti-
> cas montañas y tus verdes campos en don de inacabable pri-
> mavera. Mil veces acuden a mi mente los ríos que resbalan
> serpeantes por márgenes techados de umbrosas cabelleras; el
> interior de sus casas ornado de múltiple decoro; la muchedum-
> bre de tus jardines coloridos de rosas idalias. Y ¿qué decir
> recordando la áurea suntuosidad de tus sedas radiantes, y las
> púrpuras teñidas en el mar fenicio? Cosas, siempre para mí,
> todas ellas nutricias de patrio amor y alivio en la adver-
> sidad... [3]

En el momento de transición del romanticismo al modernismo —liberación literaria y cultural de Hispanoaméri-

---

[3] Rafael Landívar: *Por los campos de México,* México, Ediciones de la Universidad Nacional Autónoma, 1942, pp. 3-4.

ca— es Guatemala la que acoge en su regazo al que debió
de ser uno de sus quetzales de fuego: José Martí. A tal punto logró Martí, desterrado de su patria, la identificación
con esta tierra que no sólo le otorgó imagen mítico-legendaria de amor en *La niña de Guatemala,* igualmente le cantó
su agradecimiento, apuntando los males que su mano rei-
vindicadora quería curar para salvarla:

> Guatemala es una tierra hospitalaria, rica y franca: he de
> decirlo.
> Me da trabajo —que es fortaleza—, casa para mi esposa,
> cuna para mis hijos, campo vasto a mi inmensa impaciencia
> americana. Estudiaré a la falda de la eminencia histórica del
> Carmen, en medio de las ruinas de la Antigua, a la ribera de
> la laguna de Amitlán, las causas de nuestro estado mísero, los
> medios de renacer y de asombrar. Derribaré el *cacaxte* de los
> indios, el *mecapal* ominoso y pondré en sus manos el arado,
> y en su seno dormido la conciencia [4].

En el siglo xx, dos chilenos, Gabriela Mistral y Pablo
Neruda, destacan con semejante espíritu el valor racial americano de este territorio. Gabriela, movida por su entusiasmo hacia los pueblos americanos, hace de Guatemala reduc-
to inexpugnable de nuestra esencia cultural:

> Cualquier americano que aspire a hacerse una conciencia
> de tal, cualquier hombre o mujer del Sur que se decida a to-
> mar posesión de la raza en totalidad, aquí ha de venir, como
> yo he venido, a la Guatemala de Quiriguá, a hacer en sus pie-
> dras santas la turbadora averiguación del alma maya, y a
> rematar en la bella ciudad colonial que es la vuestra, su co-
> lección de las ciudades españolas próceres de la América, co-
> menzada en la Lima y el México monumentales [5].

En años más recientes, Pablo Neruda, al cantar a las
tierras americanas de maravilla y desgracia, enumera en
una *Oda a Guatemala* la belleza vegetal y lacustre de su
geografía, la antigüedad digna y culta de los mayas, el pasado colonial, el indio que ha logrado sobrevivir todos los
males, conservando sus artesanías y su agricultura anti-

---

[4] José Martí: *Guatemala,* Guatemala, Biblioteca de Cultura Popular, 1952,
página 1.

[5] Gabriela Mistral: *La unidad de la cultura,* Puerto Rico Ilustrado, San
Juan de Puerto Rico, 28 noviembre 1931.

guas, los esfuerzos de Arévalo y Arbenz y los bombardeos norteamericanos a Guatemala. De ahí nace su mensaje de consuelo y esperanza al pueblo guatemalteco:

> ... Pero
> tú, Guatemala, eres
> un puño y un puñado
> de polvo americano con semillas,
> un pequeño puñado
> de esperanza.
> Defiéndelo, defiéndenos,
> nosotros
> hoy sólo con mi canto,
> mañana con mi pueblo y con mi canto,
> acudiremos a decirte «aquí estamos»,
> pequeña hermana,
> corazón caluroso,
> aquí estamos dispuestos
> a desangrarnos para
> defenderte,
> porque en la hora oscura
> tu fuiste
> el honor, el orgullo
> la dignidad de América [6].

Todo ese privilegio de tierra e historia, estelas y hombres, maíz y letras, selva y ciudad, maya y castellano, pasado y presente, naturaleza y arte, parece estar unido en una eterna y sostenida oscilación que hace a Guatemala antigua y actual, tradicional y futura, permanente. Esa pequeña y privilegiada Guatemala ha logrado encarnar y surgir rediviva en la obra de un poeta-narrador, tradicional y moderno, folklórico y surrealista, natural y barroco, el más representativo exponente de la literatura de su país [7]: Miguel Ángel Asturias.

El poeta-narrador

La obra de Miguel Ángel Asturias, el poeta-narrador, como lo ha llamado Atilio Jorge Castelpoggi [8], no es fácil.

[6] Pablo Neruda: *Odas elementales*, 2.ª ed., Buenos Aires, Losada, 1967, página 86.
[7] Raúl Leiva: *Op. cit.*
[8] Atilio Jorge Castelpoggi: *Miguel Ángel Asturias*, Buenos Aires, La Mandrágora, 1961, 222 pp.

El señor Presidente, la trilogía bananera —*Viento fuerte,*
El Papa Verde, Los ojos de los enterrados— y *Week-end en*
Guatemala parecen más asequibles al lector común por
plantear o exponer problemas socio-económicos y político-
culturales muy concretos. Pero un examen cuidadoso de
sus recursos narrativos y estilísticos nos lleva a confron-
tarnos con un mundo densamente poético en que la fusión
barroca de elementos se convierte en laberíntico surrealismo: sueño y realidad, muertos y vivos, animales y hombres,
fenómenos naturales y dioses, seres sobrenaturales y objetos
inanimados, naturaleza y cultura guatemalteca. Sin embargo, pocos autores hispanoamericanos poseen tal unidad de
elementos y un mundo tan constante y definido. Su eclec-
ticismo, que tan de lleno entra en el surrealismo, es sin embargo una de las características tradicionales y más vivas
y dinámicas de las letras hispanoamericanas. El vitalismo
sintetizador y armonizador de corrientes opuestas hace de
Miguel Ángel Asturias uno de los ejemplos más fidedignos
de esa virtud hispánica y americana. Su creación no es de
pureza absoluta —huye de ella— y aunque funde los elementos más diversos por su origen, orden y sentido, no
muestra, sin embargo, parte alguna muerta, ni en estado
de descomposición, sino que toda ella es sensitiva, hermosa,
raramente armónica, prodigiosamente americana. Es un
producto digno de las especies vegetales y animales que
produce el trópico o de la elaboración barroca de las estelas mayas.

A la luz de una división inicial —magia y realidad, mito
e historia— la obra de Miguel Ángel Asturias parece sepa-
rarse en dos aspectos esenciales o tendencias paralelas y
simultáneas:

> Existen dos vertientes en su obra. Una telúrica, esotérica,
> mágica. Otra, que viene a ser una confrontación de ese mundo
> con la vida industrial y los sistemas de «destrucción» que di-
> cha vida y el desarrollo industrial aportan [9].

Según esta división, al primer aspecto corresponderían
Leyendas de Guatemala (1930), *Hombres de maíz* (1949),

[9] Luis López Álvarez: *Magia y política: Conversación con M. A. Asturias,*
Índice; Madrid, 1967, n.º 226.

Mulata de Tal (1963), *El Espejo de Lida Sal* (1967); mientras que al segundo entrarían de lleno *El señor Presidente* (1946), *Viento fuerte* (1950), *El Papa Verde* (1954), *Los ojos de los enterrados* (1960) y *Week-end en Guatemala* (1956). Sin embargo, Miguel Ángel Asturias no ha sufrido un desarrollo lineal en que los géneros que aparecieron confundidos y amorfos en una obra primigenia o primeriza —tómese por ejemplo las *Leyendas de Guatemala*— vayan deslindándose o definiéndose progresivamente. Por el contrario, su obra toda responde a un movimiento de círculos concéntricos, que al igual que el sonido, logra conmover, desde la onda inicial, todo lo que lo rodea; al final aparece ampliado y evidente lo que en un principio no lograba verse por estar en menor escala.

La revisión detenida de las *Leyendas de Guatemala* nos las revela como la fuente o punto de partida de toda la obra posterior de Asturias. Fue un ensayo inicial de toda su obra; de su poesía, su novela y su teatro. Todos estos géneros ya se encuentran allí en etapa embrionaria, pero también es esta obra una primera manifestación, ya lograda, de lo que ha de ser su mundo poético, su inventiva narrativa, su genio creador y su estilo originalísimo.

El género —leyenda—, sin embargo, nos obliga a cuestionarnos el porqué de su cultivo anacrónico y la virtud que posee que le permite trascender los límites de la geografía, la cultura y la lengua. Una rápida ojeada a la literatura guatemalteca nos revela que entre los géneros narrativos preferidos de este pueblo se encuentra la leyenda. Desde los tiempos inmemoriales de sus antepasados mayas, desde las antiguas narraciones del *Popol-Vuh* y el *Chilam Balam*, ya nos encontramos con este género en el que se funde un hecho o una realidad histórica con una interpretación fantástica o sobrenatural. Este tipo de especulación mítico-legendaria ha logrado sobrevivir en la literatura popular guatemalteca como uno de los más altos valores de su folklore y ha entrado de lleno en la literatura culta.

En su *Antología de prosistas guatemaltecos* (*Leyenda, tradición y novela*), R. Amílcar Echeverría B., al intentar definir el género tan popular y esencial de la literatura de su país, nos afirma lo siguiente:

> La Leyenda —dice Cejador— es una epopeya corta con asunto folklórico tradicional, arrimado a un lugar, edificio, ruina o personaje y que el pueblo ha forjado, tomando como fundamento algún hecho histórico.
>
> Podemos decir, concretando, que la leyenda guatemalteca, tiene en la mayoría de los casos una gran robustez folklórica y un «maravilloso» también muy nuestro. Elementos ambos que le dan a nuestra leyenda un gran sentido popular [10].

Añade también que la leyenda original era en verso. Esto explica algunos recursos poéticos utilizados por Asturias y a su vez justifica la inclusión de figuras como el poeta Pepe Batres y el Martí de *La Niña de Guatemala* entre los autores de leyendas.

Pero lo tradicional del género no nos explica la trascendencia alcanzada por Asturias con sus *Leyendas de Guatemala*. La aceptación y difusión de esta obra se ha debido mayormente a que en el arte literario de ese momento —el surrealismo— las leyendas entran con gran facilidad por su fusión de magia y realidad, sueño y creación, pasado y presente. La cualidad esencialmente poética de este arte le permite, asimismo, mayor universalidad y lo lleva a acercarse a la tendencia posterior y más actual del llamado «realismo mágico».

> ...A eso se debe el éxito de ese libro extraordinario: a que mostraba ante los ojos cultos y equilibrados de los europeos un mundo virgen y en perpetua ebullición, un continente de magia, de descubrimiento, de colorido y de fascinación pasmosos. La prosa imantada y poética de Miguel Ángel Asturias estaba nimbada de un aire salvaje, de un calor animal que dejaba en cada página un vaho de tierra virgen, a vegetales respirantes, a minerales endurecidos de eternidad [11].

Asturias logra con su obra ser esencialmente guatemalteco y universalmente aceptado, porque según él mismo afirma:

> En la vida guatemalteca, que es la que invade mis novelas, están mezclados la realidad y lo fantástico, que es imposible separarlos. Por eso creo que cabría dar como explicación

---

[10] R. Amílcar Echeverría B.: *Antología de prosistas guatemaltecos (Leyenda, tradición y novela)*, Guatemala, Universitaria, 1957, p. 67.
[11] Raúl Leiva: *Ibid.*

lo que podría llamarse el «realismo mágico americano», en el que lo real va acompañado de una realidad soñada con tantos detalles que se transforma en algo más que la realidad, como en los textos indígenas *(Popol-Vuh, Anales de los Xahil, El Guerrero de Rabinal)*. Es en esta mezcla de magia y realidad en la que mis personajes se mueven. La magia es algo así como un segundo idioma, como una lengua complementaria para penetrar el universo que los rodea. Viven, vivimos, porque el novelista vive con sus personajes, en un mundo en que no hay fronteras entre lo real y lo fantástico, en el que un hecho cualquiera, contado, se torna parte de un algo extraterreno, y lo que es hijo de la fantasía cobra realidad en la mentalidad de las gentes... [12]

«Leyendas de Guatemala»

Las *Leyendas de Guatemala*, escritas desde el destierro de Asturias en París y al contacto diario con los documentos mayas y las obras del Profesor Raynaud, son toma de conciencia de su identidad a través de los recuerdos de la infancia y los testimonios del pasado. El trato frecuente con los textos que traduce al castellano —*Anales de los Xahil*— despierta en él asociaciones con la realidad distante de la patria, la familia, y son piedra de toque para la evocación. El lector, al adentrarse en estas leyendas, siente la tentación de trazar la presencia en ellas de los textos precolombinos, de desentrañarlo todo a la luz de las referencias documentales. Pero eso es inútil, porque las claves de esta relación se encuentran descritas y especificadas en las notas finales, en el *Índice alfabético de modismos y frases alegóricas*, donde está vaciado en su totalidad el producto de estudios e investigaciones hechos por Asturias junto al Profesor Raynaud. Lo que para nosotros no pasaría de ser pura erudición, en Miguel Ángel Asturias es, sin embargo, evocación emotiva de los cuentos escuchados en la infancia de boca de su madre, de arrieros en la tienda de su padre, nostalgia de los lugares entonces vividos y ahora distantes, y descubrimiento del espíritu ancestral de su pueblo, aún vivo y actualizado en las costumbres, tradiciones y habla de indios y mestizos guatemaltecos. El mundo descubierto a través

---

[12] *Quince preguntas a Miguel Ángel Asturias*, Revolución, La Habana, 17 de agosto de 1959.

de las clases, estudios y traducciones se convierte así en
«país de la ausencia» de este poeta; las frases ceremoniales
y hieráticas de los textos quichés son el idioma particular
y entrañable con el que se adormece y se canta; mundo
particular perdido y encontrado, de evocación elegíaca y
de oda esperanzada.

De ahí que lo que en apariencias no pasa de ser un ejercicio arqueológico de especialista, es en lo más profundo
una experiencia única, personal, lírica, subjetiva, irrepetible.
Lo colectivo y épico de esos documentos referentes a la
cultura precolombina se convierte para Miguel Ángel Asturias en un testimonio íntimo y a la vez en el acertado
descubrimiento de la identidad patria.

Compuestas más que escritas durante los años de 1923
a 1928, las *Leyendas de Guatemala* se publican por vez primera en España en 1930. Su traducción al francés por Francis de Miomandre le valen el premio Sylla Monsegur y una
carta-prólogo de Paul Valéry. No es de admirar la extrañeza
que este tipo de obra tuvo que producir en la mente del
poeta francés, que sin embargo cedió al impulso fascinante
de la poesía, misterio, magia, que ella traía consigo.

> ...Nada me ha parecido más extraño —quiero decir más extra-
> ño a mi espíritu, a mi facultad de alcanzar lo inesperado— que
> estas historias-sueños-poemas donde se confunden tan gracio-
> samente las creencias, los cuentos y todas las edades de un
> pueblo de orden compuesto, todos los productos capitosos de
> una tierra poderosa siempre convulsa, en quien los diversos
> órdenes de fuerzas que han engendrado la vida después de
> haber alcanzado el decorado de roca y humus están aún ame-
> nazadores y fecundos como dispuestos a crear, entre dos océa-
> nos, a golpe de catástrofe, nuevas combinaciones y nuevos te-
> mas de existencia [13].

El paladar clásico del autor del *Cementerio marino* se
resiente un poco lastimado de tanto filtro hechizante, de
tanto fruto capitoso, de imágenes en torbellino de luz, color y movimiento. Sin embargo, vale apuntar la reacción de
un autor español ante las *Leyendas*:

---

[13] Paul Valéry: *Carta a Francis de Miomandre*, en *Leyendas de Guatemala*,
de Miguel Ángel Asturias, Buenos Aires, Losada, 1967, p. 9.

La unión de esas dos imaginaciones —maya y española—, como la de los cuerpos de razas distintas, produce frutos de verdadera belleza. El fuerte sol tropical de los mayas pasa por los vidrios castellanos colorados —la adoración de los Reyes, la huida a Egipto... y produce luces y formas extraordinarias. Esa apariencia de vidriera —catedral o sinagoga— es lo que da al libro de Miguel Ángel Asturias su singular y característico don. Si un afán preciosista recarga tal o cual matiz, o siembra de estrellas ociosas un manto, no importa. La justeza matemática suele ser en el arte un amaneramiento, y el único que se puede tolerar es el que surge ingenua y naturalmente, sin leyes, rompiendo la armonía de proporciones de manera consciente y al mismo tiempo sin saber por qué. Los primitivos tienen en pintura ese defecto, que no se atrevería nadie a dejar de considerar como una gracia [14].

Este libro, denso de poesía, se inicia con una selección —Guatemala— en la que se nos ofrece el friso geográfico-histórico-cultural de Guatemala y a la vez se nos ejercita en la comprensión del método de narración y mundo poético de este poeta-narrador. La primera oración nos coloca dentro de la magia de la narración oral: «La carreta llega al pueblo un paso hoy y otro mañana»... Comienza la descripción del pueblo: «Como se cuenta en las historias que ahora nadie cree —ni las abuelas ni los niños—, esta ciudad fue construida sobre ciudades enterradas en el centro de América»... Y gracias al influjo maravilloso del Cuco de los Sueños se evoca la vida de las diferentes poblaciones indígenas y coloniales, aportando cada una los atributos esenciales de su vida histórica y legendaria: Palenque, Copán, Quiriguá, Tikal... «¡Ciudades sonoras como mares abiertos!» Pero todo eso concluye en la evocación no de la gran ciudad cargada de historia y leyenda, sino de su pueblo:

> —¡Mi pueblo! ¡Mi pueblo, repito, para creer que estoy llegando! Su llanura feliz. La cabellera espesa de sus selvas. Sus montañas inacabables que al redor de la ciudad forman la Rosca de San Blas. Sus lagos. La boca y espalda de sus cuarenta volcanes. El patrón Santiago. Mi casa y las casas. La plaza y la iglesia. El puente. Los ranchos escondidos en las encrucijadas de las calles arenosas. Las calles enredadas entre

[14] Ramón J. Sender: Un poeta de Guatemala, «El Sol», Madrid, 13 junio 1930.

los cercos de yerba-mala y chichicaste. El río que arrastra continuamente la pena de los sauces. Las flores de izote. ¡Mi pueblo! ¡Mi pueblo! [15]

En *Ahora que recuerdo* el autor se identifica con un personaje de ficción llamado Cuero de Oro que, luego de contar alegóricamente su vida y su abandono del lar nativo, recoge de boca de los güegüechos —tontos o hechizados— las leyendas por él olvidadas y que le dan título al libro: *Leyenda del volcán, Leyenda del Cadejo, Leyenda de la Tatuana, Leyenda del Sombrerón, Leyenda del tesoro del Lugar Florido.* En el suelo de Guatemala se levantan las ciudades coloniales sobre ciudades indígenas, las ciudades modernas sobre las ruinas de las coloniales: todas ellas rodeadas, amenazadas o vencidas por la agreste vegetación tropical o la ingente presencia de un volcán. De igual modo en la obra de Asturias, a las leyendas de origen quiché se suman las leyendas coloniales que recuerdan las tradiciones de Ricardo Palma, se yuxtaponen las leyendas populares tradicionales que el poeta ha escuchado en su niñez de boca del pueblo y las que él a su vez crea con materiales antiguos e inventados.

Los brujos de la tormenta primaveral es una composición en la que presenciamos la formación o gestación del universo desde visiones y mitología guatemaltecas; gesta que en ocasiones parece confundírsenos con la maravilla experimentada por los conquistadores ante el encuentro con el trópico americano. Este trabajo, que no sabemos si llamarlo cuento, leyenda o poema en prosa, se ha de continuar años más tarde en el poema en verso libre *Clarivigilia primaveral* (1966). El poeta narrador que es Asturias parece recoger en este poema lo que es y lo que ha sido la tierra guatemalteca desde el génesis, a través de la prehistoria y la historia colonial y contemporánea. Es una especie de hervidero vital, de cegadoras imágenes de movimiento, luz y color y simbólicos mensajes.

Culmina y concluye el libro con *Cuculkán (Serpiente-envuelta-en-plumas)* especie de drama dividido no en cuadros ni escenas, sino en cortinas. En forma directa y a tra-

---

[15] Miguel Ángel Asturias: *Leyendas de Guatemala*, 2.ª ed., Buenos Aires, Losada, 1967, pp. 20-21.

vés de escenas dramáticas que recuerdan antiguos textos mayas, se nos presenta la variada transformación del universo. Es un nuevo intento artístico de explicarse el mundo, sus orígenes y variaciones.

En su totalidad, y a pesar de la heterogeneidad de los materiales —arqueología, lírica elegía del destierro; pasado indígena, colonial y contemporáneo, leyendas precolombinas, coloniales, populares y originales; creación genésica de la nada y maravilla espejeante y deslumbradora de la percepción de la naturaleza— todo el libro no es otra cosa que la toma de conciencia de un pueblo americano, la identidad descubierta y decantada desde la ausencia por uno de sus hombres más representativos.

«El Espejo de Lida Sal»

Esta nueva colección de leyendas guatemaltecas, a cuarenta años de distancia, podría considerarse hermana de las *Leyendas de Guatemala,* y viene a reafirmar el valor permanente de este género en la obra del novelista guatemalteco. Aunque es un poco más amplio que el primero, el libro está igualmente estructurado y conserva el mismo aliento, la misma densidad poética y la misma mezcla de tiempos históricos y fuentes legendarias: textos mayas, folklore y creación.

> He comenzado a escribir una serie de cuentos como los de *Week-end en Guatemala,* nos dice —entrevistado por Luis Haars— solo que estos se llamarán *Los Juanes.* Tengo a un Juan Girador, Juan Hormiguero y Juan el Encadenado. Son cuentos populares que relata la gente y que no he podido incluir en ninguna de mis novelas. Al mismo tiempo quiero publicar una serie de cinco novelas sobre Guatemala, compuestas con cuentos que recuerdo, como los de Leyendas...[16]

Esa descripción parece coincidir con esta segunda colección, pues el libro contiene un *Pórtico, El Espejo de Lida Sal, Juanantes el Encadenado, Juan Hormiguero, Juan Girador, Quincajú, Leyenda de las tablillas que cantan, Leyen-*

---

[16] Luis Haars: *Los nuestros,* p. 126.

da de la máscara de cristal, Leyenda de la campana difunta,
Leyenda de Matachines.

El *Pórtico*, hermoso poema en prosa, es semejante a
Guatemala y *Ahora que recuerdo* de *Leyendas*, sin embargo
ya aquí el aire aparece más esclarecido y la densa confusión
lírica de aquellas piezas queda aquí superada en un lirismo
cósmico y visionario que recuerda el verso suelto de *Clarivigilia primaveral:*

> Y esto ocurre en un país de paisajes dormidos. Luz de en-
> cantamiento y esplendor. País verde. País de árboles verdes, va-
> lles, colinas, selvas, volcanes, lagos verdes, verdes, bajo el
> cielo azul sin una mancha. Y todas las combinaciones de los
> colores florales, frutales, y pasajeros en el enjambre de las
> anilinas. Memoria del temblor de la luz. Anexiones de agua y
> cielo, cielo y tierra. Anexiones. Modificaciones. Hasta el infini-
> to dorado por el sol. Pero rompamos, rompamos ya este es-
> pacio de colores de fuego, tratando de alcanzar al tacto la
> dulzura de la piedra tierna que se corta para edificar ciudades,
> torres, dioses, monstruos, la dureza de las obsidianas, gote-
> rones de las noches más profundas, y el verde perfecto de las
> jadeítas. Otro tacto para las frutas. Dedos de navegación que
> rodean la redondez de cada poma enloquecida de perfume y
> derramada de miel. El paisaje cambia, la luz cambia, cambia
> el mundo de la piedra junto a las frutas tropicales, vecindad
> que traslada lo real, visible, palpable, a la región del oler y
> gustar. Nueva delicia. Para qué explicarse...
> ...Entre el grano de maíz y el sol empieza la realidad carboni-
> zada del sueño [17].

Luego viene *El Espejo de Lida Sal*, hermosa leyenda de
amor en que recoge una leyenda contemporánea y una tradición guatemalteca. Nos narra la historia de una muchacha
pobre que se vale de un ciego tercero para ponerse el traje
de «perfectante» que ha de llevar su amado en las fiestas
del Carmen y así conquistarlo; pero a falta de un espejo
busca un lago y al mirar su cuerpo completo reflejado en
el agua, rompe su propia figura al precipitarse. Recuerda
las partes más poéticas de *Hombres de maíz* por presentar historias de arrieros, comederías, mulatas enamoradas,
ciegos alcahuetes y viejas supersticiones. Encontramos en
ellas el decantado estilo de Miguel Ángel Asturias después

---

[17] Miguel Ángel Asturias: *El Espejo de Lida Sal,* México, Siglo XXI, 1967,
páginas 3-6.

de haberse experimentado en su segunda novela. Por eso, si hay algo en *Leyendas de Guatemala* que recuerda el sentido oscuro y difícil de *El señor Presidente*, en las leyendas de *El Espejo de Lida Sal* hay muchas cosas que evocan a *Hombres de maíz*. Las imágenes densas, oníricas, cargadas de la vegetación y el aire pesado de la selva han dado paso a otras más luminosas, decantadas y puras semejantes a un paisaje de constelaciones y lagos altos. En vez del surrealismo encontramos algo que nos recuerda el cubismo; como si pasáramos de la poesía de Pablo Neruda a las creaciones de César Vallejo.

> En una de esas desesperadas horas de calor y escasez de aire, volvió a casa doña Petronila Ángela, a quien unos apelaban así y otros Petrángela, esposa de don Felipe Alvizures, madre de varón y encinta de meses. Doña Petronila Ángela hace como que no hace nada para que su marido no la regañe por hacer cosas en el estado en que está, y con ese como no hacer nada mantiene la casa en orden, todas las cosas derechas: ropa limpia en las camas, aseo en las habitaciones, patios y corredores, ojos en la cocina, manos en la costura y en el horno, y pies por todas partes: por el gallinero, por el cuarto de moler maíz o cacao, por el cuarto de guardar cosas viejas, por el corral, por la huerta, por el cuarto de aplanchar, por la despensa, por todas partes [18].

En líneas generales, *El Espejo de Lida Sal*, aun dentro del mismo género de las *Leyendas de Guatemala*, evidencia un cambio en la sensibilidad del autor, que siendo esencialmente la misma, ha logrado, sin embargo, una decantación y una pureza que la hacen superior a la anterior. La poesía de las *Leyendas* ha sido depurada y los juegos de palabras, onomatopeyas y jitanjáforas han dado paso a un modo lírico de alta poesía, sugeridora de sentidos, con reiteraciones y variantes.

Reflexiones finales

El arte poético-narrativo de Miguel Ángel Asturias es intenso en su significado, denso de poesía y elementos y de difícil intelección. Su fusión de los elementos más va-

---

[18] *Ibid.*, pp. 9-10.

riados y contradictorios no es lógico, sino vital; fusión característica de los modelos ejemplares de la literatura española y de la mejor literatura hispanoamericana. Por eso
su arte, que ha sido aceptado en Europa por vía del surrealismo, es un arte de siempre en nuestra tradición; no es
sueño, ni arte, ni magia, a secas, sino una fusión de todo
tal y como se da en la vida, que no puede ser explicado por
la razón y alcanza por lo tanto en ocasiones lo sobrenatural, lo desconocido y misterioso.

Miguel Ángel Asturias hace pensar en el barroquismo
hispanoamericano, producto directo del tropicalismo de
estas tierras. No es un barroquismo de puras apariencias,
de ornamentación, es un barroquismo de contenido intenso
y abigarrado. Lleva a pensar en lastres ancestrales de cultura maya, de pervivencias orientales en tierras americanas,
que se funden a barroquismo y orientalismos que nos llegan desde España.

Él responde a una tradición centroamericana que podríamos rastrear en la literatura del siglo xx. Tres poetas
del radio de acción de la cultura maya —Rubén Darío, Arévalo Martínez y Miguel Ángel Asturias— evidencian el orien-
talismo mítico y preciosista de esta cultura, pero de maneras muy diversas. Rubén Darío se proyecta hacia mitologías
greco-latinas, lujo versallesco y medieval; Arévalo Martínez
logró expresarlo en el budismo oriental de *Las rosas de
Engaddi* y en la zoología psicológica de muchas de sus
novelas; Miguel Ángel Asturias atrapa su presa y logra ex-
ponerla por primera vez a las miradas de los cultos europeos: mitología maya, exuberancia tropical, preciosismo
expresivo y suntuario del oriente americano. Es una incli-
nación ancestral en ellos el gusto por las complicaciones
preciosistas del contenido y la forma, pero que no afinca
verdaderamente en lo autóctono hasta llegar al surrealismo. Hasta entonces había sido una búsqueda y a la vez un
tour de force frente a la sensibilidad europea. Cuando con
el surrealismo la cultura europea se abre a las expresiones
primitivas por considerarlas más auténticas, entonces aflora plenamente la América indígena, la América mágica que
había estado dormida durante siglos de imitación y de in-
hibición pueril frente a los esquemas, cánones y preceptos
europeos.

Por eso la figura nostálgica e indígena de Miguel Ángel Asturias nos recuerda a otro antiguo criollo, mestizo de América, que logró introducir en cánones europeos las esencias americanas: Garcilaso de la Vega, el Inca. En ambos se da el destierro y la nostalgia de lo autóctono; nostalgia que se hace inefable y que por eso se vale de lo convencional europeo para expresarse. Por eso utilizan claves o misteriosas explicaciones y alcanzan la originalidad bajo la aparente armonía, y por medio de la súplica y la apelación. Lo que les permite utilizar los cánones europeos para expresar su ser más íntimo y novedoso es en el Inca las ideas del renacimiento con sus principios armónicos y en Asturias el surrealismo, con su aceptación de lo oscuramente misterioso y primitivo. La obra de ambos mestizos, nostálgicos de América en suelo europeo, se convierte en el canto épico de reivindicación; la afirmación del yo en el ente colectivo que es cada uno de sus pueblos; la salvación por el todo, incomprensible, pero vital, en donde se funde lo religioso, lo humano, lo artístico de siempre.

Miguel Ángel Asturias, novelista del Viejo y del Nuevo Mundo

Fernando Alegría

En una ciudad extraña Miguel Ángel Asturias forja la materia de sus cuentos y poesía; en una ciudad que luce, como trenza alrededor de su cabeza, un cordón de montañas y, en la altura, una aureola de aire celeste, fino y vibrante. Clavada a un muro de piedra hay una placa de sol candente, con su nombre grabado; y a sus pies, un valle sumergido en temblores, en sudor y en plumas azules y doradas.

«Es una ciudad formada de ciudades enterradas —dice Asturias en *Leyendas de Guatemala* (Madrid, 1930)— superpuestas, como los pisos de una casa de altos. Piso sobre piso. Ciudad sobre ciudad... Dentro de esta ciudad de altos se conservan intactas las ciudades antiguas. Por las escaleras suben imágenes de sueño sin dejar huellas, sin hacer ruido. De puerta en puerta van cambiando los siglos.

La memoria gana la escalera que conduce a las ciudades españolas. Escalera arriba se abren a cada cierto espacio, en lo más estrecho del caracol, ventanas borradas en la sombra o pasillos formados con el grosor del muro, como los que comunican a los coros en las iglesias católicas. Los pasillos dejan ver otras ciudades. La memoria es una ciega que en los bultos va encontrando el camino. Vamos subiendo la escalera de una ciudad de altos: Xibalbá, Tulán, ciudades mitológicas, lejanas, arropadas en la niebla. Iximache, en cuyo blasón el águila cautiva corona el galibal de los señores cakchiqueles. Utatlán, ciudad de señoríos. Y Atitlán, mirador engastado en una roca sobre un lago azul» (pp. 17-18, 31-32).

Subiendo y bajando, de piso en piso, de ciudad en ciudad, de siglo en siglo, con su ancha vestimenta oscura de hombre guatemalteco, las manos extendidas, desbrozando los helechos y apartando las momias sangrientas de dioses convertidos en árboles, la cara plana y contundente como flanco de machete, nariz de ídolo de greda, Asturias busca desde hace años el cordón umbilical que une ese fantástico edificio. Perdido, a veces, en la penumbra subterránea, sigue por el corredor de piedra que conduce al lago fúnebre de los mayas, y se encuentra en medio de locuaces príncipes y sacerdotes, de guerreros y doncellas, de tacuazines y poetas, de zorros y escultores, de jaguares e ingenieros, de músicos y venados, de chuchos y pintores, doblados todos en su Nahual, observando y comentando la evolución del mundo estático hacia la actividad sobrenatural. Aparta con el pie las orejas, las narices, los dedos y corazones de distinguidos hidalgos españoles, descuartizados en atardeceres, discierne los signos de las paredes, distingue entre el códice de amatle y la espúrea traducción colonial. Recoge en los cofres fiscales la estadística de la Bolsa de Comercio para llegar, por fin, a la ecuación entre el banano, el ferrocarril, el *jeep* y el contrato de cien años.

Comenzó su tarea alrededor de 1930, es decir, a los treinta y un años de edad. Empezó por el último plano de las ciudades enterradas, sin imaginar, quizá, que a través de los años su obra literaria iba a constituir una ascensión desde el subterráneo maya y la subconsciencia primitiva hasta la consciente valoración del destino de su patria en la época moderna. Su primer libro, *Leyendas de Guatemala*, es un bello y equilibrado ejercicio poético en que se evoca un paisaje característico de Centroamérica. De las *Leyendas* dijo Paul Valéry en el prólogo de una traducción francesa:

> «La lectura de esta obra me hizo el efecto de un filtro, pues es una obra que se bebe más que se lee. Fue también para mí como una pesadilla tropical, vivida con una singular delicia.»

Las ciudades, «sonoras como mares abiertos», son: Guatemala, Palenque, Copán, Quiricúa, Tikal, Antigua; y las leyendas: la del Volcán, la del Cadejo, la de Tatuana, la del Sombrerón y la del Tesoro del Lugar Florido. Hay en este libro una controlada pureza de la fantasía tropical. Asturias modela como orfebre educado en academias españolas y francesas, para quien la materia indígena, sin ser del todo exótica, no es aún íntima. Fluye de sus dedos en fina filigrana, a punto siempre de escaparse enredada, pero sujeta a tiempo, dispuesta en nítido diseño, con toques de provinciana cursilería, que no llegan a disipar la magia del filtro selvático a que aludió Valéry. De improviso se interrumpe la engolada voz, y de los ojos asombrados del poeta cae el paisaje como una fruta madura:

«Nubes, cielo, tamarindos... Ni una alma en la pereza del camino. De vez en cuando, el paso celeroso de bandadas de pericas domingueras comiéndose el silencio. El día salía de las narices de los bueyes, blanco, caliente, perfumado» (p. 135).

En libro tan plácido y luminoso se advierte, sin embargo, un roce de culturas que más tarde provocará una conflagración. El paisaje mismo es, en una página, la evocación nostálgica del estudiante centroamericano suspendido en las Cortes de Europa: cosa de almendros en flor, de mangos y nances, de madre-cacao y de yuca. Suave provincialismo tropical, urbanamente lírico. Una especie de Azorín con un Quetzal parado en el hombro. En otra página, el romanticismo chateaubriandesco se estremece con torpe sensualidad:

«El aire tropical deshoja la felicidad indefinible de los besos de amor. Bálsamos que desmayan. Bocas húmedas, anchas y calientes. Aguas tibias donde duermen los lagartos sobre las hembras vírgenes» (p. 25).

Y en otra parte es Asturias un modernista, abrumado por el peso en oro y plata del Rubén decadentemente exótico:

«En la ciudad de Copán el Rey pasea sus venados de piel de plata por los jardines de palacio. Adorna el real hombro la enjoyada pluma del nahual. Lleva en el pecho conchas de embrujar, tejidas sobre hilos de oro. Guardan sus antebrazos brazaletes de caña tan pulida que puede competir con el marfil más fino. Y en la frente lleva suelta insigne pluma de garza. En el crepúsculo romántico el Rey fuma tabaco en una caña de bambú» (p. 23).

El lector presiente en estas leyendas una elaboración incompleta. Asturias no está satisfecho ni con el balbuceo folklórico que le viene de su tierra, ni con las manipulaciones simbolistas de moda en Francia. Se debate entre las dos

corrientes sin descubrir todavía la orientación que le guia-
rá más tarde en su reconquista del mundo maya. Conoce
el *Popol-Vuh*, naturalmente, y mejor aún conoce la obra de
Georges Raynaud *Los dioses, los héroes y los hombres de
Guatemala*, que él mismo tradujo al español, en colaboración con J. M. González de Mendoza. Ha estudiado las religiones y mitos de la América indígena en la Sorbona, entre
los años de 1923 y 1926, y allí, seguramente, afianzó su conocimiento de la literatura histórica de la Conquista y la
Colonia. Su explicación del nahualismo en el glosario de
las *Leyendas de Guatemala* está tomada del *Tratado de las
supersticiones de los naturales de Nueva España*, de Ruiz
de Alarcón, obra que data de 1629; y en este glosario cita
también la *Recordación Florida* del capitán Francisco Antonio de Fuentes y Guzmán (*Discurso histórico, natural, material, militar y político del Reyno de Goathemala*, 1690).

De todas estas fuentes, el *Popol-Vuh* es, por cierto, la
más importante. En el libro sagrado de los quichés se ins-
pira Asturias, por ejemplo, para escribir la oración inserta
en el capítulo *Ahora que me acuerdo*, en la cual los primeros hombres, al ver levantarse el sol, ruegan a los dioses
que les den fecunda descendencia. La paráfrasis de Asturias es, en realidad, una síntesis de dos tradiciones del *Popol-Vuh*: la séptima y la undécima. La leyenda del árbol que
crece indefinidamente con los humanos en sus ramas —pariente de *Jack and the Bean-Stalk*— está en la tradición
cuarta del *Popol-Vuh*, y a ella alude Asturias en «El árbol
que anda» (p. 167). Asimismo, los árboles que sangran (página 55), el baile del disloque (p. 56), los cuatro caminos
que «se cruzan antes de Xibalbá» (p. 58), la rebelión de las
piedras, de las aguas, del aire (p. 82), son todas alusiones
a la mitología del *Popol-Vuh*.

La imaginación poética de Asturias se ejercita con un
regocijado aquilatar de sus poderes, con una conciencia de
sí misma que, en el punto culminante de su actividad, nos
hace pensar en una serpiente a punto de tragarse su propia
cola. No hay que olvidar que en su elaboración de esta materia mitológica Asturias se somete aún a una tabla de valores convencionales. Sólo un poeta como Valéry pudo sentir la presencia de un mundo frenéticamente primitivo en
el fondo de las leyendas. El lector acostumbrado al exotis-

mo modernista —heredero del seudoindianismo romántico— pudiera ver en las leyendas de Asturias una pintoresca e inofensiva evocación de materia muerta. Tanto la percepción del poeta francés como la ilusión óptica del lector
común son el resultado de fenómenos reales, y parcialmen-
te explican la contradicción en que se mueve Asturias al
escribir sus *Leyendas de Guatemala*.

Entre la publicación de esa obra primeriza y su novela
El señor Presidente hay un lapso de dieciséis años. Pero
estas fechas son, claro está, engañosas, pues, a juzgar por
el testimonio del mismo Asturias, la novela apareció quince
años después de haber sido escrita. En todo caso, si no
en un plano temporal, por lo menos en un sentido literario,
ha ocurrido una conmoción profunda en su espíritu, conmoción que acaba para siempre con su lírica fiesta de motivos mayas y su refinada estilización de paisajes centroamericanos. Una mano pesada bota de un golpe el altar de
ídolos y ensucia la mañana guatemalteca con un vaho de
sangre y putrefacción. Asturias regresó de Europa a Guatemala en 1933. Él, que vivió la tiranía de Estrada Cabrera
en sus años de infancia, vuelve a la dictadura de Ubico.
El señor Presidente ya está escrita. No queda más que revivir la fábula. Caerá Ubico; una vez más volverá el escritor a su patria, recibirá honores del Gobierno democrático
de Arévalo y Arbena, y su pueblo le va a aclamar con el viejo acento de las leyendas y la nueva voz de la libertad; y
partirá nuevamente al exilio, porque la fábula insiste en
repetirse. *El señor Presidente* pudo haber sido escrita en
cualquiera de esas tres circunstancias; se gestó en el ambiente característico de la tiranía hispanoamericana, nutriéndo-
se de anécdotas, rebeldías, destierros, amargas injusticias,
impotencia y esperanza; pero, por encima de todo, de una
emoción que, convertida en el *leit motiv* de la novela, es
nueva en la literatura hispanoamericana: el miedo. Crueldad despótica e ignorancia nos dio Sarmiento en el *Facundo*;
ferocidad política rayana en lo bestial, Echeverría en *El
Matadero*; lances de capa y espada, Mármol en *Amalia*; Asturias crea en *El señor Presidente* la epopeya del miedo y
la impotencia, la radiografía de la nación hispana crucifi-
cada en los clavos de la traición, de la hipocresía y el oportunismo. Oigámosle explicar el origen de su novela:

«Más que una novela escrita, *El señor Presidente* fue una novela conversada. En París nos reuníamos un grupo de amigos centroamericanos a contarnos anécdotas de nuestros respectivos países, que en aquella época vivían bajo dictaduras similares. Cada cual contribuía con su propia experiencia o la ajena. Por mi parte, yo recordaba mi propia infancia pasada bajo la dictadura de Estrada Cabrera. El miedo que se le comunica a un niño pasó al libro. No como una fórmula literaria, sino como algo psicológico. La novela no es en realidad, como muchos han creído, una biografía de Estrada Cabrera, sino el símbolo de un dictador, común a todos los países. La enfermedad era la misma, pero los enfermos variaban. Por eso *El señor Presidente* tiene aplicación en todos los países latinoamericanos. Es una especie de compendio de un dictador» [1].

En una entrevista publicada por el «Repertorio Americano» agrega otros detalles igualmente significativos:

«La novela fue escrita sin un plan literario determinado. Los capítulos se fueron sucediendo uno a otro, como si obedecieran al engranaje de un mundo interno del cual era yo simple expositor. Cuando la terminé me di cuenta que había llevado al libro —no por medios literarios conocidos, de esos que se pueden expresar didácticamente, sino por esa obediencia a las imposiciones de un mundo interno, como dije antes— la realidad de un país americano, en este caso el mío, tal como es cuando se somete a la voluntad de un hombre.

Durante la época de la dictadura a que se refiere el libro yo era un niño, un adolescente, y alcancé en ella la primera juventud. Por eso considero que, sin haber tomado parte alguna en los acontecimientos, a través de mi piel se filtró el ambiente de miedo, de inseguridad, de pánico telúrico que se respira en la obra» [2].

En estas declaraciones Asturias sugiere ciertos elementos de un credo literario que explica no sólo *El señor Presidente*, sino también la trilogía novelística sobre la explotación bananera, que había de comenzar a publicar en 1949 con *Viento fuerte*. Dejemos que Asturias defina sus puntos de vista:

«En la obra a realizar en América —dice— el escritor debe buscar, de preferencia, el tema americano y llevarlo a su obra

---

[1] Entrevista concedida a la revista *Ercilla*, Santiago de Chile, 5 de octubre de 1954.
[2] *Repertorio Americano*, año XXX, n.º 6, 1 de marzo de 1950.

literaria con lenguaje americano. Este lenguaje no es el uso del modismo, simplemente. Es la interpretación que la gente de la calle hace de la realidad que vive: desde la tradición hasta sus propias aspiraciones populares.

Frente a la literatura europeizante, el escritor americano, poeta o prosista, tiene que tomar actitud en favor del crecimiento de la literatura americana. Esta literatura ha sido negada sistemáticamente, pero esa negación no tiene valor, ya que la influencia americana gravita desde mucho tiempo en las obras que nos han legado tanto la tradición indígena como la hispánica de la época colonial.

Los temas americanos deben ser llevados a lo universal. Pero sólo se universaliza aquello que tiene honda raíz en la tierra misma...

Yo divido, para distinguir los valores, los escritores que llamaríamos preciosistas, que forman un grupo y los que tienen una marcada tendencia por lo social. Estos últimos dieron origen a una literatura americana que dio una guantada a lo lírico para poner por delante los problemas del continente. Sus representativos son bien conocidos: Martín Luis Guzmán, Mariano Azuela, Rómulo Gallegos, José Eustasio Rivera, Jorge Icaza.

Esta literatura social —hay que señalar esto muy bien— es la más netamente americana. Su aparición en este siglo no es sino la reaparición de una corriente que viene de muy antiguo. Los indígenas, a quienes los frailes enseñaron los caracteres latinos, escribieron sus primeras obras con un carácter marcadamente social, y denunciaron en ellas el trato de que eran víctimas por parte de los conquistadores. Entre estas obras pueden citarse los libros llamados de Chilam-Balam aparecidos en distintos sitios del área geográfica maya, y en los cuales vibra la queja del aborigen atropellado y oprimido por el imperialismo que lo sometió a la condición de esclavo. Muchas obras de esta literatura desaparecieron, pero los vestigios que quedan de ellas demuestran que, como reacción del indígena culto ante la barbarie de la conquista, nació una literatura americana de tendencia social.

Pasan los siglos; la literatura durante la Colonia corre por cauces hispanoamericanos, pero desde entonces apuntan brotes de aquella literatura criolla preocupada por problemas de orden social. Y cuando nuevas formas imperialistas dominan las fuentes de riqueza de América esclavizando democráticamente al trabajador campesino y al obrero, surgen los libros que tanto escandalizan por su crudeza...

Sin embargo, hay que hacer notar que esta nueva literatura que denuncia hechos y muestra llagas no boga hacia la desesperanza, ni participa de pesimismo alguno. Por el contrario; a través de estas obras valientes se deja entrever la esperanza de una América más americana, y, por lo tanto, mejor» (*Rep. Ame.*, pp. 82-83).

Estas declaraciones, hechas en 1950, son reafirmadas en 1954 con las siguientes palabras:

> «El escritor actual ha vuelto a tener conciencia de su América, como en la época que va de 1800 a 1830, cuando la pluma y la espada se convirtieron en armas de la libertad. Ahora se combate por la libertad económica. Y allí está el escritor americano cantando y contanto como en la gran poesía de otros tiempos. Desde los rapsodas del *Popol-Vuh* hasta los líricos de los himnos patrióticos, los auténticos poetas de América más cuentan que cantan (Neruda, en su *Cuento General*, que él llama *Canto*) y los novelistas encuentran temas en la explotación chiclera, el hondón de la mina, la explotación del indio, los cauchales, las plantaciones bananeras, azucareras, los quebrachales, los yerbatales, los campos petrolíferos. Y de nuevo, como en los días de la emancipación política, el indio, el mestizo, el negro, el mulato, el zambo, cara adentro y cara afuera, aparecen en las páginas de esta lucha en medio de la noche de América, porque en gran parte de América todavía es de noche» (*Ercilla*, oct. 1954).

Asturias ha preferido no intentar una definición estricta del fenómeno estético a que alude en su concepto de «americanismo». Su realismo social, a pesar de sus declaraciones, no es optimista. Esto se debe, acaso, a que en sus novelas, en *El señor Presidente* en forma especial, no trasciende los límites de la representación objetiva de un mal político; ni ofrece una definición propia de este mal, y, por lo tanto, no propone solución alguna que pudiese cargar su obra de un dinamismo revolucionario. Por otra parte, esta posición analítica le salva de los defectos comunes a la literatura puramente propagandística. *El señor Presidente* no es un panfleto; pudiera haberlo sido y su mérito literario, de distinta naturaleza, no fuera menor. Su significado radica en la elaboración artística que ha debido llevar a cabo el autor para encarnar un símbolo valiéndose de una realidad que en sí no pasa de ser un fenómeno local. Que el modelo del antihéroe haya sido Estrada Cabrera carece de importancia desde el punto de vista literario. Es un hecho éste que el historiador y el sociólogo aprecian, pero que en el terreno del arte no es sino circunstancial. El crítico se entretiene, a veces, en el juego biográfico, y supongo que no le faltarían claves para identificar personajes como el general Canales, el Cara de Ángel, el Auditor de

Guerra y algunos otros. Creo que puede afirmarse que estos caracteres viven en tres planos: pueden representar figuras verdaderas de la política de su época, pueden ser considerados prototipos y pueden, en última instancia, asumir el complejo y misterioso sentido de mitos que no pierden, en el fondo, su dramática humanidad. Sólo en este último aspecto me interesan.

Las criaturas de Asturias se mueven trabajosamente hacia la consecución de un destino que no pueden cumplir sino por medio de la transfiguración mitológica. En vida les atormenta la diabólica fatalidad de las almas perdidas de Dostoievski. A los buenos, es decir, a las víctimas, les toca la gracia divina, también dostoievskiana, que va con los pobres de espíritu. Las víctimas llevan la aureola del santo, ya sea en forma de corona de sangre o en forma de lazo, la soga del ahorcado maya que vuela al paraíso desde el árbol donde cuelga. Seres como el idiota llamado Pelele, como la Mazacuata, el Cara de Ángel, Vázquez y las numerosas prostitutas y presidiarios, son seres de una primitividad esencial y básica, en la cual Asturias parece ver la condición indispensable de la salvación en un sentido metafísico. En este plano se explican y resuelven sus terrores, sus cóleras, sus claudicaciones y su crueldad animal.

¿Cómo evitar el recuerdo de don Benito Pérez Galdós ante ese racimo de mendigos podridos en los portales de la catedral guatemalteca? Igual peripecia espiritual les come el alma a los desamparados de Asturias y a los tristes pícaros de una historia como *Misericordia,* por ejemplo. Pero aun cuando ni Pérez Galdós ni Dostoievski fueran esos santos mayores, escondidos entre sombras y ruinas de burgueses altares, aun cuando Asturias —solo y sorprendido en la corte de milagros de su patria— pareciese estar descubriendo una llaga cristiana en el costado indio de Guatemala, su mundo literario y el espíritu que en él palpita son, en esta época de su obra, una floración americana del denso despertar revolucionario de la Europa acongojada por las contradicciones económicas y los monstruosos errores políticos que desencadenó la segunda mitad del siglo XIX.

En este hecho descansa gran parte de la significación universal de una novela como *El señor Presidente.* Nuestra América representa, en tal caso, una especie de caricatura

de la organización y desorganización social europea. Los
detalles se agigantan: el despotismo se transforma en sa-
dismo; el derroche de los bienes públicos, en desfalco; la
miseria de las clases populares, en apestosa degeneración
física y moral. La dorada tabla de valores de la sociedad
burguesa sufre un descalabro grotesco. Se confunden las
excelencias con los desechos; un remedo de aristocracia
pretende levantar, al margen de la ciudad privilegiada, muros de riqueza, pero en cada muro se abre el gran agujero
por donde se cuela la rata que lleva la pestilencia en sus
colmillos. La sociedad pierde la noción de sus derechos y
deberes. Dominados por el terror, los hombres dejan de
reconocer sus lazos familiares y huyen de la responsabilidad social. *El señor Presidente* se convierte en una rata
vestida de negro, de sombrero de copa, guantes y bastón;
una rata mesiánica, condecorada, festejada, divinizada, per-
petuada en nombres de ciudades, en efigies de monedas, en
monumentos y edificios; rata que roe impunemente la moral de los hogares tanto como el honor de las convenciones
internacionales. El hombre, enterrado vivo en una cueva
de topo, muere lentamente, oliendo la descomposición de
su cuerpo y entregando el alma a los demonios menores.

Desbordado en palabras, melodramático a veces, ingenuo, con la ingenuidad de Dickens en ciertas inexplicables
coincidencias, Asturias produce un documento humano que
es asimismo una de las novelas de mayor integridad artística que se han escrito en Centroamérica. Rafael Arévalo
Martínez le preparó el camino, y por esa huella de desen-
frenada fantasía y pesadillesco realismo que el autor siente
como una herida en su propia carne, con la perspectiva de
una cultura europea y la intuición de un ojo maya, Asturias encontró un elemento más, que el modernista pareció
desdeñar: la consciencia de la nacionalidad y un deber político revolucionario.

En su obra siguiente, esta consciencia de la nacionalidad
se va a transformar en identificación con el mundo mitológico de los mayas, y el deber político, en denuncia antiimperialista. Firmemente enraizado en esta dualidad histórica —la precolombina y la actual guatemalteca—, Asturias
entra en el fascinante mundo de los *Hombres de maíz* (1949).
Esta novela es, a mi juicio, su obra de mayor envergadura,

aunque no la más lograda. Historia o, mejor dicho, poema sinfónico en prosa, de compleja estructura, de estilo difícil, recargado de símbolos, sujeto a variadas y contradictorias interpretaciones. Nadie, que yo sepa, ha sometido este libro a un análisis crítico y sistemático [3]. Mi interpretación se basa en una reorganización lógica y cronológica de los elementos principales de la trama y en una explicación de sus leyendas más notables. Asturias mismo ha definido el tema fundamental de *Hombres de maíz:*

> «Se inspira —ha dicho— en la lucha sostenida entre el indígena del campo que entiende que el maíz debe sembrarse sólo para alimento y el hombre criollo, que lo siembra para negocio, quemando bosques de maderas preciosas y empobreciendo la tierra para enriquecerse» (*Rep. Ame.*, p. 83).

Esta frase, tan sencilla y tan clara, fue recogida con entusiasmo por los editores, que la reprodujeron en la solapa del libro, y de allí la tomaron los críticos, repitiéndola hasta el cansancio. Desgraciadamente, esta frase no desentraña el misterio de los *Hombres de maíz* y no nos indica sino un motivo entre los numerosos que Asturias maneja en su obra.

En un esquema cronológico de la novela, el lector descubre cinco episodios centrales y una especie de epílogo. Alrededor de estos episodios Asturias arma el argumento de su historia sin lógica aparente, acercándose a su órbita y alejándose de ella, ya sea en armoniosos círculos o en audaces evocaciones y visiones. Estos episodios y el mundo circunstancial que les rodea son como los budas que se esconden adentro de otros budas. Es preciso pelar uno como un banano para que el otro asome su irónica sonrisa. He aquí un resumen de tales episodios:

1. La historia de Gaspar Ilóm y la lucha entre los indios y los maiceros profesionales. Gaspar, el líder, es víctima de un intento de asesinato; se salva, milagrosamente curado por las aguas del río. Su éxito es efímero: cercado por traidores, como la Vaca Manuela Machojón y su marido, y por la Policía Montada, al mando del coronel Chalo Godoy,

---

[3] Esta afirmación vale para la fecha en que di a conocer este trabajo: VIII Congreso del Instituto Internacional de Literatura Iberoamericana, agosto 1957, San Juan de Puerto Rico.

ve aniquiladas sus fuerzas, y se arroja al río para morir ahogado. Los detalles de este episodio se narran esporádicamente a través de la novela, y en forma particular en las páginas 54, 61, 72, 80 y 258 (cito de la edición de Losada, 1949). Ciertos detalles nos indican que esta parte de la historia ocurre a comienzos de este siglo.

2. La leyenda de Machojón, el Macho o don Macho, hijo de don Tomás Machojón, el traidor, e hijastro de la Vaca Manuela. Machojón va en busca de su novia, y en el camino desaparece envuelto en una *manga de luciérnagas*, metáfora que en el lenguaje esotérico de Asturias parece indicar las chispas de un maizal en llamas. Circula la creencia de que el Machojón se ha convertido en fantasma, y que, resplandeciente de pies a cabeza, se aparece donde incendian los maizales. Don Tomás trata de verificar la leyenda, y sale una noche a quemar los maizales secos. Muere cabalgando entre las llamas, como una reencarnación del fantasma de su hijo. El incendio es incontrolable. En medio de una lucha bestial, mueren los maiceros.

3. Leyenda de los Tecunes y su venganza contra la familia Zacatón. Esta venganza está narrada desde un punto de vista mitológico, e involucra varias metamorfosis. Los Tecunes acaban también con el coronel Godoy, cuya muerte por el fuego estaba predestinada. Existen dos narraciones del mismo episodio en la novela; la segunda, dos años después de ocurrido el hecho, está en las páginas 210 y siguientes.

4. La leyenda del ciego Goyo Yic y su mujer, María Tecún, que le abandona. Asimismo, esta historia se convierte en mito (pp. 148, 151 y 153). Para buscar a su mujer, Goyo se somete a una salvaje operación, por medio de la cual recupera la vista. De poco le sirve la curación, pues ¿cómo ha de reconocer a María Tecún, si nunca la ha visto? Buscando la voz o el contacto con la mujer, se va por los caminos como vendedor ambulante. Se asocia con Mingo Revoltorio para contrabandear aguardiente. En el camino se venden uno a otro toda la mercancía, y, borrachos, van a parar a la cárcel.

5. La leyenda del Correo-Coyote: especie de variante de la leyenda de María Tecún y el ejemplo más claro en la novela de la metamorfosis nahualista. Ahora es Nicho Aqui-

no, el correo, quien pierde a su mujer. Durante la búsqueda se extravía en las montañas, y el arriero Hilario Sacarrón, que le busca, mandado por las gentes del pueblo, cree encontrarle convertido en coyote, su nahual. Este mismo Hilario echa a correr otra leyenda: la de los amores de Míguelita de Acatán con el gringo O'Neill, personaje en el cual Asturias retrata al famoso dramaturgo norteamericano Eugenio O'Neill en la época de sus viajes por Hispanoamérica como agente vendedor de las máquinas de coser Singer (páginas 168-170). Siguiendo las aventuras de Nicho Aquino, llegamos a Xibalbá, el mundo subterráneo del *Popol-Vuh*, donde todos los episodios de la historia reciben explicación como en una especie de síntesis final.

El epílogo podría ser el episodio del Castillo del Puerto, prisión en la que se van reuniendo los personajes principales que quedaron para contar el cuento y atar los cabos que pudieran aún intrigar al lector. Es allí donde Goyo Yic encuentra, finalmente, a María Tecún.

Este esquema no atañe, por supuesto, sino a la significación anecdótica del libro de Asturias. En un plano más hondo, *Hombres de maíz* representa un intento épico de dar forma artística a ese mundo mágico del *Popol-Vuh*, que vive aún en la subconsciencia de la población campesina de Guatemala. En esta novela, Asturias ha descartado el organismo de defensa intelectual que es el principio ordenador de las *Leyendas de Guatemala*, y entra al mundo mitológico de sus antepasados buscando su propia identificación. Escribe desde una conciencia y subconsciencia colectivas para contar el mito literalmente y dar testimonio de la injusticia social con el grito de protesta de los desamparados, sin hacer uso de teorizaciones.

Surgen así los grandes temas de su obra: el nahualismo, la tradición divina del maíz, la venganza, el amor y la muerte. Ya lo hemos dicho: sus criaturas no se realizan sino en la metamorfosis mitológica, y en la transformación final de la muerte cumplen su destino. De ahí entonces que fatalmente la historia de los *Hombres de maíz* no llegue a resolverse sino en el Xibalbá. Cada ser, encarnado en su nahual, comprende, al fin, el designio superior de sus andanzas. Nacidos del maíz —Tradición Séptima del *Popol-Vuh*—, defienden con su sangre el concepto sagrado de su cultivo. Obsesionados por el impulso religioso de vengar la muerte del jefe, asesinan, desatando una cadena de hombres y nahuales. Cuando cae el curandero —primer episodio aludido—, cae el ciervo que es su doble, y cuando cae el coyote, cae Nicho Aquino. El hombre pierde el maíz al mismo tiempo que le abandona la mujer, y la mujer, a su vez, se convierte en piedra, como los dioses se convirtieron en piedra al nacer el sol (*Popol-Vuh*, Tradición Séptima). Asturias parece decir, como D. H. Lawrence, que el hombre no está completo hasta que encuentra su armonía con la Naturaleza y la mujer. Ninguna leyenda ilustra mejor la verdad escondida del mundo mitológico a que se refiere Asturias que la de María Tecún: el que la pierde es un ciego, quien al recuperar la vista vive buscando algo que sólo pudo ver sin ojos.

Asturias no escatima las claves que ayudarán a la comprensión de su libro. Para ilustrar el proceso mitológico dice:

> «Desaparecieron los dioses, pero quedaron las leyendas, y éstas, como aquéllos, exigen sacrificios; desaparecieron los cuchillos de obsidiana para arrancar del pecho el corazón del sacrificado, pero quedaron los cuchillos de la ausencia que hiere y enloquece» (p. 184).

Y en otra parte añade:

> «Uno cree inventar muchas veces lo que otros han olvidado. Cuando uno cuenta lo que ya no se cuenta, dice uno, yo lo inventé, es mío, esto es mío. Pero lo que uno efectivamente está haciendo es recordar, vos recordaste en tu borrachera lo que la memoria de tus antepasados dejó en tu sangre, porque tomé en cuenta que formás parte no de Hilario Sacayón solamente, sino de todos los Sacayón que ha habido, y por el lado de tu señora madre, de los Arriaza, gente que fue toda de estos lugares... En tu caletre estaba la historia de la Miguelita de Acatán, como en un libro, y allí la leyeron tus ojos, y vos la fuiste repitiendo con el badajo de tu lengua borracha, y si no hubieras sido vos, habría sido otro, pero alguien la hubiera contado pa que no por olvidada, se perdiera del todo, porque su existencia, ficticia o real, forma parte de la vida, de la naturaleza de estos lugares, y la vida no puede perderse, es un riesgo eterno, pero eternamente no se pierde» (p. 188).

Una lectura cuidadosa del *Popol-Vuh* arroja nuevas claves, que ayudan a la interpretación de símbolos mayores y menores, desde el nahualismo hasta el uso de nombres, como, por ejemplo, el de los Tacunes, que, según la Undécima Tradición del *Popol-Vuh*, figura en el origen de la novena generación los Cagüek-Quichés. La peculiaridad del lenguaje de Asturias, sus múltiples y monótonas repeticiones, su obsesión metafórica, sus figuras aparentemente retóricas en que se mezcla el animal, la planta, el árbol y el hombre, todo tiene su raíz en la literatura sagrada quiché [4].

¿Habrá que aceptar entonces el libro de Asturias como un documento folklórico, una floración moderna de la vieja civilización maya? No lo creo. La novela de Asturias es el resultado de un curioso fenómeno de culturas superpuestas. Los especialistas en arquitectura y escultura barroca americana pueden distinguir con facilidad entre dos motivos iguales en apariencia, pero debidos uno a la mano de un indígena y el otro a la mano de un europeo. Algo similar ocurre con el barroco de *Hombres de maíz:* es una opulencia híbrida, desequilibrada, bella pero monstruosa. Porque en toda la extensión de este poema en prosa sobra algo, sobra poesía, sobran metáforas, exclamaciones, alegorías. Tal derroche de ornamentación y contenido es, sin embargo, algo nuevo en la literatura auténticamente indianista hispanoamericana, y en esto radica su actualidad.

El concepto del deber político y la conciencia nacionalista, pilares básicos en el credo literario de Asturias, han conferido a sus novelas posteriores un marcado tono propagandístico. No hay ambigüedad ninguna en la función social que se propone llevar a cabo: su trilogía sobre la explotación bananera en Centroamérica tiene por objeto denunciar los abusos e incongruencias de una organización económica semicolonial e inspirar en las repúblicas centroamericanas un dinamismo revolucionario, una responsabilidad política y un entendimiento profundo de la democracia que produzcan, a la postre, su completa liberación del imperialismo extranjero y del oportunismo y venalidad de la política criolla. La trilogía se compone de *Viento fuerte*

---

[4] La bibliografía sobre el *Popol-Vuh* es abundante. Para el estudiante de literatura bastará el libro de Raphael Girard: *Le Popol-Vuh. Histoire Culturelle des Maya-Quichés*, Payot, París, 1954.

(Guatemala, 1950), *El Papa Verde* (Buenos Aires, 1954) y
Los ojos de los enterrados (Buenos Aires, 1960) [5].

> «La acción de la primera de estas novelas, *Viento fuerte*
> —afirma Asturias—, abarca la penetración de las compañías
> fruteras en las costas del Pacífico y relata la lucha entre los
> pequeños sembradores de bananos y la gran compañía que
> no quiere comprarles sus productos. En *El Papa Verde*, los
> personajes se mueven en la costa atlántica, con la primera
> incursión de la United Fruit en Guatemala. Al final se alude
> al intento de la compañía de provocar un conflicto entre Hon-
> duras y Guatemala por asunto de límites, que fue resuelto
> por el arbitraje. En *Los ojos de los enterrados* prosigue el
> mismo tema, siempre sobre la base de hechos reales, pero
> con personajes ficticios» (*Erc.*, oct. 1954).

Asturias concentra su ataque antiimperialista en una
compañía yanqui que pronto se convierte en símbolo de
toda la penetración económica extranjera en Hispanoamérica. Le sigue sus pasos desde su aparecimiento en la zona
del Caribe hasta su consolidación económica y política en
las actuales repúblicas bananeras. Durante la época a que
se refiere Asturias en *El Papa Verde* la compañía inicia el
proceso de gestación de su imperio político y económico.
El héroe de la novela, Geo Maker Thompson, podría representar al capitán Lorenzo D. Baker, quien inició en 1870 el
comercio del banano entre la zona del Caribe y los Estados
Unidos con una escuálida goleta de 85 toneladas. Quince
años más tarde, él y otros nueve individuos formaron un
consorcio, aportando 2.000 dólares cada uno como capital. Después de cinco años de actividad, es decir, en 1890,
el consorcio se transformó en sociedad, y su capital de
20.000 dólares apareció aumentado a 531.000 dólares.

En 1871, y en otra región de Centroamérica, los hermanos Keith, Henry y Minor Cooper construyeron un ferrocarril, que costó 8 millones de dólares y cuatro mil víctimas. Este ferrocarril fue la línea inicial de una compleja
red de transportes y compañías bananeras, que cubrieron el
Caribe como una densa y apretada tela de araña. En 1900
dos de los grupos bananeros más poderosos se unieron para
formar la célebre United Fruit Co. A la sazón, controlaban

---

[5] Asturias ha anunciado un cuarto volumen del ciclo bananero: *El bastar-do* o *Dos veces bastardo.*

el 80 por 100 del comercio frutero. La United le pagó más de 5 millones de dólares a la Boston Fruit Co. por sus pertenencias y alrededor de 4 millones de dólares a los hermanos Keith por las suyas. Pronto llegó a poseer 112 millas de ferrocarril y más de doscientos mil acres de tierra. En 1906 la compañía entró a Guatemala, y en 1912, a Honduras. En 1900 su capital era de más de 11 millones de dólares; en 1930 llegaba a cerca de 206 millones de dólares, y a mitad de siglo asciende a 560 millones de dólares.

En el ciclo bananero Asturias describe el problema de los pequeños agricultores, que se niegan a vender sus tierras a la compañía; ésta deja de entenderse con ellos y pone sus demandas en manos del Gobierno. El drama que sigue es materia de cuento y de leyenda; los resultados, de estadísticas. Éstas, las estadísticas, muestran que, de acuerdo con ciertas concesiones, el Gobierno entregó entre 250 y 500 hectáreas a cambio de cada kilómetro de ferrocarril construido por la empresa extranjera. En 1927 Guatemala arrendó a la United Fruit toda la tierra no ocupada que desease a lo largo de 60 millas del valle del río Montagua, por una renta anual de 14.000 dólares. Algunos de los contratos firmados por las naciones centroamericanas con la compañía frutera son ya piezas de antología en la historia del derecho internacional; como, por ejemplo, el contrato Soto-Keith, firmado el 21 de abril de 1884 en Costa Rica, y los contratos de 1904, 1930 y 1936, firmados por Estrada Cabrera y Ubico en Guatemala [6].

Refirámonos en forma más detallada a las novelas bananeras. Ninguna de ellas resiste un estricto análisis literario. El tema es ambicioso, y pudo haber dado origen a una gran novela antiimperialista. Asturias presenta el problema desde el punto de vista hispanoamericano, y a través de tres o cuatro personajes revela también las ideas de un sec-

---

[6] Detalles sobre estos contratos e incidentes a que se refiere Asturias en *Viento fuerte* y *El Papa Verde* aparecen en la obra de Ch. D. Kepner Jr. y J. H. Soothill *El imperio del banano* (México, 1949). Un capítulo de este libro, especialmente, el titulado «Los apuros de los agricultores particulares», constituye una referencia indispensable para la debida comprensión de estas novelas. El punto de vista de Asturias con respecto a la United Fruit Co. ha sido planteado también por Luis Cardoza y Aragón en *La revolución guatemalteca* (México, 1955).

tor importante del mundo financiero de los Estados Unidos. Descartemos el hecho de que la Tropical Platanera es un símbolo convencional de toda compañía imperialista. Consideremos a los hombres que toman parte en el drama.

Lester, el héroe de *Viento fuerte*, es un vagabundo norteamericano excéntrico, visionario, quien reúne a un grupo de campesinos guatemaltecos para formar una compañía que ha de competir con el gran consorcio internacional. Allí donde Lester y sus compañeros venden fruta, la compañía la regala. Si desean transportarla, no hay ferrocarril que se las acepte. Lester sale de apuros pagando coimas fabulosas con dinero de origen desconocido. Igualmente derrocha en sus caprichos personales; en cierta ocasión le paga 5.000 dólares a una bailarina española que lo desprecia. De pronto Lester hace un viaje a los Estados Unidos, y el autor revela la verdadera identidad de su personaje: se trata de un millonario, miembro de la Tropical, que ha querido hacer por su propia cuenta una investigación de las malas artes de la compañía. Tan increíble resulta el ardid literario que la novela, desde ese punto, pierde toda consistencia. Lester es la caricatura de un norteamericano. El problema, real y dramático como es, se torna trivial.

En *El Papa Verde* Asturias ensaya un tema semejante, pero desde un punto de vista distinto. Se repite la figura del misterioso investigador, ahora en la persona del joven Ray Salcedo, quien se hace pasar por arqueólogo y seduce a la hija del aventurero yanqui Geo Maker Thompson. Éste no es más que una variación de Lester. La compañía es la misma, pero ahora comienza la invasión de Guatemala. Sus métodos ya son familiares: viola derechos, arrasa con la población nativa, se gana el apoyo de los oportunistas criollos y triunfa por el terror. Geo Maker simboliza el poder del imperialismo avasallador. Asturias lo presenta a través de varias épocas, saltando del anonimato a la fama, de la pobreza a la fortuna, rey de selvas y ciudades, invencible con el machete, el dólar o el contrato. Para dar una nueva dimensión a su personalidad, Asturias profundiza en su vida íntima, dando especial realce al carácter de su hija, Aurelia. El éxito de la novela dependía del grado en que Asturias pudiera convertir a Geo Maker en una representación simbólica de la siniestra compañía imperialista sin privarlo de su consistencia humana. Si no lo consigue se debe más bien a un fenómeno de lenguaje: en ninguna de sus novelas antiimperialistas Asturias da con el estilo que corresponde a su tema. Estas novelas semejan brillantes borradores de una obra que está por escribirse. Asturias insiste en usar en ellas la prosa lírica de *Hombres de maíz*. Sin fondo folklórico, esa prosa se desmenuza y acaba en lujuria verbal. Ciertos procedimientos se repiten, de modo que el lector los reconoce y pierde interés en ellos; por ejemplo, al relatar un incidente especialmente dramático, Asturias cree necesario establecer primero una nebulosa de metáforas surrealistas, aproximándose al asunto con indirectas y sugerencias que, a la larga y por el vocabulario romántico en que las envuelve, pierden su efecto. Asturias no parece advertir que el lenguaje lírico y la técnica de un realismo mágico que en *Hombres de maíz* realzan los aspectos más profundos de la historia, en su trilogía bananera resultan contraproducentes. Las metáforas viven por sí solas, desprendidas de la violencia que las origina.

¿Por qué no llegó Asturias a interpretar la querella social de su pueblo en el mundo moderno con la eficacia de su recreación artística del mundo quiché? Era necesario que se produjera un cambio decisivo en su estilo, un cambio tan radical como el que separa a las *Leyendas de Guatemala* de *El señor Presidente*. Su ideología parecía formada, su posición era clara; nadie mejor que él conocía los detalles del drama social y económico de Centroamérica. Creo que Asturias, el mago de un rito maya-quiché, obró su milagro mientras pudo divagar en el ámbito lírico de una historia que se alimentaba de recuerdos, visiones, intuiciones, eso que Valéry llamaba *filtros*, y mientras movió los paisajes del trópico como un tramoyista desorbitado y brujo, cuyos telones se afirmaban en pesos de una realidad incomprensible, pero activa, una cosmogonía reactualizada.

Su expresión poética —un surrealismo adaptado a una visión regional, verídica— se trizó al entrar en contacto con la crisis social que ha seguido al medio siglo: despidió algunos resplandores de generosidad, los que le valieron el Premio Nobel en 1967, pero ha ido perdiendo eco, quedándose desnuda en su opulencia barroca, haciéndose *exótica*, cuando su destino era ser real y revolucionaria. Tal vez Asturias fue cerrando un ciclo: partió en años en que el *retinue* posmodernista soltaba la cola de Rubén y aventurábase en vuelos solos, a ras de tierra. Algo no se desprendió nunca de sus alas: una tendencia a empolvarse, a dorarse, a brillar, es decir, a quemarse bajo un sol que no respeta más que el cuero vivo, o muerto.

Miguel Ángel Asturias: Realidad y Fantasía

Seymour Menton

En la obra de Miguel Ángel Asturias (1899-   ) se combina la experimentación vanguardista aprendida en Europa con una gran penetración en la esencia cósmica del pueblo guatemalteco y una clara visión de sus problemas contemporáneos.

De sus cinco novelas, la primera, *El señor Presidente*, es, sin duda alguna, la mejor. Firmada en 1922 en Guatemala, y en 1925 y en 1932 en París, esta obra no se publicó sino hasta 1946, después de la caída del dictador Jorge Ubico. Aunque el dictador de la novela no es Ubico, sino Manuel Estrada Cabrera, el libro constituía un ataque demasiado fuerte contra todos los dictadores para que Ubico permitiera su publicación. No se menciona ni el nombre ni el país del dictador, pero su identidad es innegable. Muchos de los mismos episodios se encuentran en *Ecce Pericles,* la biografía bien documentada que escribió Rafael Arévalo Martínez acerca de Estrada Cabrera y la mención de la batalla de Verdún (1916) confirma cronológicamente el intento del autor.

El señor Presidente es una presentación realista y fantástica a la vez de una dictadura latinoamericana. El protagonista no es el dictador, sino la dictadura. Aunque se siente la sombra del señor Presidente a través de todo el libro, en realidad lo vemos muy poco. Su poca participación directa en el sistema que él ha creado lo rodea de un misterio sobrenatural y al mismo tiempo comprueba que la dictadura, una vez iniciada, corre por su propia cuenta sin la intervención personal del dictador. Es decir, que si el señor Presidente no fuera Manuel Estrada Cabrera, sería otro que ejerciera igual despotismo.

En todos los distintos aspectos de la dictadura, predomina una emoción: el terror. Toda la novela está empapada del terror que determina la conducta de todos los personajes, desde los mendigos desgraciados hasta el tan exaltado Presidente. El Auditor de Guerra es el agente principal del señor Presidente, en infundir el terror. Aterra a los mendigos torturándolos hasta que confirman su denuncia falsa contra el general Eusebio Canales y el licenciado Miguel Carvajal por el asesinato del coronel José Parrales Sonriente. Todos acaban por aceptar la mentira, menos el más desgraciado de todos, el *Mosco*. Ciego y sin piernas, muere recalcando la verdad, que el coronel Parrales fue asesinado por el idiota Pelele. Es una de las muy pocas ocasiones en que un personaje logra resistir las torturas diabólicas de la dictadura. Fedina Rodas, al oír el llanto de su criatura hambrienta, ya no puede resistir más y le admite al Auditor que Lucio Vásquez, el amigo de su marido, fue cómplice de Miguel Cara de Ángel en el rapto de Camila, la hija del general Canales. Todo, pero absolutamente todo lo que ocurre en todas parte del país llega a los oídos del dictador. Los espías hasta se espían unos a otros para conseguir los favores que otorga el señor Presidente. Este terror no se limita a los pobres. Por miedo a los espías omnipresentes, don Juan Canales, ayudado por su esposa Judith, niega a su propio hermano y no quiere admitir en su casa a su sobrina. Hasta telefonea a otros dos hermanos, Juan Antonio y Luis, para advertirles que no deben recibir en su casa a Camila. El licenciado Abel Carvajal asiste a su propio juicio aturdido y preso de terror. No puede menos de verlo todo como una pesadilla. El terror que se apodera de Miguel Cara de Ángel crece rápidamente tan pronto como se da cuenta de que el señor Presidente está jugando con él como una araña con una mosca. Sin embargo, el terror engendra más terror y el mismo dictador se contagia. Vive rodeado de guardias día y noche. Sólo ellos saben en cuál de sus varias casas de campo va a pasar la noche. Los amigos del dictador afirman que jamás duerme de verdad; se acuesta en la cama, pero queda despierto con un látigo en la mano y un teléfono a su alcance. Uno de los muy contados momentos cómicos marca la celebración del aniversario del fracaso de un atentado contra la vida del Señor Presidente. De repente, se oye una serie de explosiones que espanta a medio mundo. Después de describir muy bien la confusión consiguiente, el autor menciona muy lacónicamente la salida misteriosa del dictador: «Lo que ninguno pudo decir fue por dónde y a qué hora desapareció el Presidente.» [1] El capítulo termina con la revelación de que las explosiones fueron producidas por el primer bombo que fue botando escalera abajo.

Es el miedo del mismo dictador lo que ha impuesto la tiranía sobre el país. Se encarcela a la gente sin ningún procedimiento legal. En su primera descripción de la Plaza de Armas, Asturias se sirve del tiempo imperfecto para indicar la frecuencia de los abusos: «A veces, los pasos de una patrulla que a golpes arrastraba a un prisionero político, seguido de mujeres que limpiaban las huellas de sangre con los pañuelos empapados en llanto.» [2] Al doctor Barreño lo llevaron preso porque descubrió que en el hospital se moría la gente con el estómago agujereado por una dosis de sulfato de sosa que los otros médicos le recetaban. Hay dos presos cuyos diálogos aparecen de cuando en cuando para contribuir al refuerzo de la estructura. Descuellan aún más en la novela precisamente por su falta de heroísmo. Son anónimos y los conocemos por la posición que ocupan en la sociedad. El sacristán es un hombre inculto e insignificante que tuvo la desgracia de quitarle al cancel de su iglesia un anuncio sobre la celebración del cumpleaños de la madre del dictador. Su compañero en el calabozo es un estudiante. Puesto que el autor nunca nos ofrece una explicación del encarcelamiento del estudiante, crea la impresión de que el dictador considera que el solo hecho de ser estudiante constituye un crimen. Éste llega a ser el portavoz del autor en el epílogo después de ser restaurado a la vida sin más explicación que cuando se le quitó la libertad.

Con tantas escenas que se desenvuelven en la prisión, el autor no puede menos de pintarnos un cuadro espeluznante. Sin embargo, a diferencia de Dostoyevski en *Casa de los muertos* y Federico Gamboa en *La llaga*, Asturias no lo crea en seguida. En cambio, mediante las experiencias de distintos personajes, poco a poco los prismas poligonales se juntan para representar el horror de la prisión. Los que han perdido la gracia tienen que enfrentarse al frío, a la humedad, a la oscuridad y a las inmundicias de los calabozos. El

[1] Miguel Ángel Asturias: *El señor Presidente* (Buenos Aires, Editorial Losada, 1952), p. 103.
[2] *Ibid.*, p. 10.

del licenciado Carvajal mide tres metros cuadrados y contiene otros doce reos condenados a morir. El calabozo más subterráneo y más oscuro de todos se reserva para Cara de Ángel. Allí se usa el mismo bote de lata para bajarles la comida a varios presos como para subir su excremento. Para las mujeres no hay mayor consideración, salvo la posibilidad de salir de la prisión vendidas por el Auditor de Guerra a la Niña Chon, dueña de un prostíbulo.

Tanto en la prisión como en todo el país, la dictadura se caracteriza por su afición a la fuerza brutal. El señor Presidente condena a un viejo a recibir doscientos golpes por haber tenido la desgracia de volcar una botella de tinta en la oficina. El autor jamás critica el régimen que pinta. Los mismos sucesos bastan para impresionar al lector con la barbarie de la dictadura. En efecto, el autor logra mayor impresión al dar muy poco énfasis a los episodios más brutales. La muerte del viejo apaleado, aunque ocurre casi imperceptiblemente en la novela, no puede menos de enardecer al lector. El asesinato oficial del idiota Pelele es sólo un ejemplo más de un castigo excesivo aplicado a seres indefensos. La brutalidad ejercida por el mayor Farfán y sus soldados contra Cara de Ángel en un puerto anónimo constituye una de las experiencias más horripilantes de la novela. Aunque éste se dio cuenta de que ya no era el favorito del dictador, creía que lo iban a castigar alejándolo del país y mandándolo contra su voluntad como enviado a Wáshington. Después del viaje largo y cansado al puerto, la desilusión de Miguel se intensifica más por ser el mayor Farfán quien le administra el castigo diabólico. Ese mismo mayor Farfán fue prevenido por Cara de Ángel contra el señor Presidente, quien le tenía vigilado por los discursos revolucionarios que lanzaba al emborracharse.

Al parecer, el dictador prefiere la tortura mental a la física por sus efectos mayores. La carta anónima se usa como instrumento para hacer dudar a la gente de su propia familia. Una descripción larga, pero falsa de la boda de Camila y Cara de Ángel se publica en los periódicos y tiene el efecto previsto por el señor Presidente. Mientras comía, el general Canales, que encabezaba las fuerzas revolucionarias, leyó que su gran enemigo apadrinó la boda de su hija Camila y Cara de Ángel, conocido por todos como el favorito del dictador. Sin emitir ni un quejido, el general Canales muere. Sin embargo, esta desesperanza del general Canales, aunque lo mata, no se compara con la muerte de Cara de Ángel. Ni la brutalidad ingrata del mayor Farfán; ni la vuelta por tren a Guatemala; ni la oscuridad eterna de su calabozo inmundo puede anonadar a Miguel. A pesar de todo, lo sostiene el recuerdo de su esposa Camila. El autor llega a crear el colmo de la desesperanza cuando otro preso, Vich, se insinúa en la amistad de Miguel para mentirle después, que Camila ha llegado a ser la amante predilecta del señor Presidente. Por este servicio rendido al gobierno, Vich recibe ochenta y siete pesos y el permiso de salir para Vladivostok.

La oscuridad de la prisión se hace más sombría por el contraste con el falso brillo que rodea al señor Presidente. Las injusticias perpetradas contra los seres inocentes y la brutalidad de los que abusan de su poder resaltan aún más por algunas alusiones periódicas a los extensos preparativos para celebrar el fracaso del atentado contra la vida del dictador. Durante la ceremonia pública, lo exaltan de una manera ridícula. En la cantina el *Tus-Tep*, Cara de Ángel mira un retrato del dictador de joven, con ferrocarriles como charreteras en los hombros y un angelito en actitud de colocarle en la cabeza una corona de laurel. Recordando las pretensiones culturales de Estrada Cabrera —hizo construir templos de Minerva por todo el país para celebrar su cumpleaños—, Asturias le da al poeta oficial un lugar de honor en el banquete dedicado al señor Presidente.

No hay límite a la degradación humana que practican los aduladores del dictador. En una escena, éste, borracho, goza burlándose de Cara de Ángel por su matrimonio tal como una araña juega con una mosca atrapada en su tela. Se llega al colmo de la ignominia cuando el dictador vomita sobre Cara de Ángel y éste tiene que ayudar al subsecretario a acostarlo antes de comenzar a limpiarse a sí mismo. Por tiránico que sea el dictador latinoamericano, casi siempre trata de justificar su mando con un respeto fingido de la constitución. El mismo título de la novela indica la insistencia del dictador en llamarse Presidente. Como tal, tiene que administrar las elecciones que autorizan su permanencia en el cargo. La campaña política con todos sus cartelones y sus

discursotes sería ridícula si no fuera tan trágica. Mientras
que el pueblo se va convenciendo de que su bienestar depende de la reelección del Presidente, el terror engendrado
por la dictadura sigue penetrando en la vida de todos los
ciudadanos, desde el más humilde hasta el más elevado.

Aunque Miguel Ángel Asturias se esfuerza por hacer sobresalir las manifestaciones de la dictadura, no ignora las
bases de ese gobierno. Convencido de la influencia maléfica
que los Estados Unidos y sus grandes empresas han ejercido
en Guatemala, Asturias ha dedicado tres novelas enteras al
tema del antiimperialismo: *Viento fuerte* (1950), *El Papa
Verde* (1954) y *Week-end en Guatemala* (1956). Por eso sorprende que *El señor Presidente* contenga solamente una
alusión al papel importante desempeñado por los Estados
Unidos en las dictaduras latinoamericanas. La viuda del
licenciado Carvajal recibe una carta de pésame anónima que
elogia a su marido por haber matado al coronel Parrales,
«uno de los muchos bandidos con galones que la [nación]
tienen reducida, apoyados en el oro norteamericano, a por-
quería y sangre» [3]. Sin indicar una alianza entre la Iglesia y
el señor Presidente, Asturias critica con amargura la función
de la religión en la sociedad guatemalteca. El Auditor de Guerra, patológicamente cruel, toca el órgano en la iglesia de
Nuestra Señora del Carmen y nunca deja de asistir a la primera misa de la mañana. Después de rechazar a Camila,
Judith Canales se dirige a la iglesia para rezar. Asturias se
ríe del ritualismo de la extremaunción, contrastándolo con
el verdadero candor e inocencia de Camila. Describe la catedral como un «refugio de mendigos y basurero de gente
sin religión» [4]. Su cinismo llega al punto de transformar a
Jesucristo en Jesupisto en boca del *Mosco*. Sin embargo, el
hecho de que este juego de palabras proceda de la boca del
Mosco indica que Asturias no está atacando la religión en
general, sino la forma corrompida que ha asumido en Latinoamérica. El mismo *Mosco*, ciego y sin piernas, llega a
transformarse en una especie de Cristo cuando lo cuelgan
de los dedos y lo vapulean brutalmente. Su integridad se
aprecia aún más si se pone en contraste con la actitud del
Auditor de Guerra, quien, además de todas las barbaridades

---

[3] *Ibid.*, p. 238.
[4] *Ibid.*, p. 299.

que comete, se vale de su oficio para ganar dinero. Por diez mil pesos vende la prisionera Fedina Rodas a la Niña Chon para su prostíbulo, y después acude a muchas trampas para no devolverle el dinero cuando Fedina enferma gravemente. Mientras que el Auditor y los otros amigos del dictador explotan al país sin compasión, los pobres maestros ni siquiera reciben sus sueldos. Asturias describe a los amigos del primer mandatario como «propietarios de casas —cuarenta casas, cincuenta casas—, prestamistas de dinero al nueve, nueve y medio y diez por ciento mensual, funcionarios con siete y ocho empleos públicos, explotadores de concesiones, montepíos, títulos profesionales, casas de juego, patios de gallos, indios, fábricas de aguardiente, prostíbulos, tabernas y periódicos subvencionados» [5]. Al mismo tiempo, los profesores venden a la mitad de su valor los recibos de sus sueldos todavía no pagados.

El terror, las injusticias y los abusos de la dictadura latinoamericana no se limitan a la capital. El señor Presidente recibe informes de sus espías colocados estratégicamente por todo el país. Cuando el general Canales llega a un pueblo cerca de la frontera, que podría ser Asunción Mita, pronto se entera de que el cacique local y el médico están sirviéndose de los mismos medios que el jefe supremo para explotar a la gente. El poder del cacique se extiende al campo donde la víctima es el indio. En solamente dos páginas, el indio que le sirve de guía al general Canales presenta en su propio dialecto una serie de desgracias que le han acaecido personalmente, pero que son casi exactamente iguales a las que ocurren con frecuencia en las muy conocidas novelas indigenistas del siglo XX de México y de los países andinos. El cacique manda al indio que le «ofrezca» el uso de sus mulas para cargar leña. Se las quitan desde luego y lo echan en la cárcel *incommunicato*. Cuando protesta, lo apalean tanto que tienen que llevarlo al hospital. Al reponerse y salir del hospital, el indio sabe que sus dos hijos están presos y que no los soltarán hasta que él pague al cacique tres mil pesos. Va a la capital y recibe los tres mil pesos por hipotecar su terreno. Aunque le da el dinero al cacique, sus hijos son mandados de reclutas al ejército. Uno de ellos muere vigilando la frontera; y el otro se pone zapatos y abandona la

---

[5] *Ibid.*, p. 20.

cultura de sus padres. La esposa del indio muere de palu-
dismo. Para colmo, descubre que el documento que firmó en
la capital no fue una hipoteca, sino una venta de su terreno
a un extranjero. Privado de su tierra y de su familia, el
indio se ha hecho bandolero, sin considerarse ladrón. Esta
historia, más la narración de lo que han sufrido las tres
hermanas pobres a causa de la avaricia del médico, refuerzan las propias experiencias del general Canales con el dictador. Ya no puede contenerse. Se lanza a la revolución con
el fin de derribar todo ese sistema malévolo. «Y volvió el
puño —platos, cubiertos y vasos tintineaban—, abriendo y
cerrando los dedos como para estrangular no sólo a aquel
bandido con título, sino a todo un sistema social que le traía
de vergüenza en vergüenza. Por eso —pensaba— se les pro-
mete a los humildes el reino de los cielos —jesucristerías—,
para que aguanten a todos esos pícaros. ¡Pues no! ¡Basta ya
de Reino de Camelos! Yo juro hacer la revolución completa,
total, de abajo arriba y de arriba abajo; el pueblo debe al-
zarse contra tanto zángano, vividores con título, haraganes
que estarían mejor trabajando la tierra. Todos tienen que
demoler algo; demoler, demoler... Que no quede Dios ni títe-
re con cabeza...»[6]
    El programa definitivo de la revolución indica algunos
abusos que no se habían mencionado antes; una reforma
agraria; división justa de las aguas; eliminar el castigo del
cepo; creación de cooperativas agrícolas para importar maquinaria, buenas semillas, animales de sangre pura, abonos
y técnicos; mejores y más baratos medios de transporte;
facilidades para llevar las cosechas a los mercados; entregar
la prensa a personas electas por el pueblo, las cuales se
sentirán responsables a sus electores; abolir las escuelas
particulares; fijar impuestos proporcionales; rebajar los
precios de las medicinas; eliminar el exceso de médicos y
abogados; libertad de cultos, inclusive el derecho de los indios de adorar sus dioses y reconstruir sus templos.
    La revolución del general Canales fracasa porque él mue-
re. De este modo, el autor promulga su idea de que la verdadera revolución no debe ser inspirada por los militares.
Sólo así se explica la importancia que Asturias le concede al

---

[6] *Ibid.*, p. 202.

estudiante anónimo. En el epílogo, éste sale de la prisión y se dirige a su casa que está situada al final de una calle sin salida. Su madre, todavía confiando en el poder de las oraciones, ruega por las almas benditas que sufren en el santo purgatorio. Sin embargo, el hecho de que el estudiante siga viviendo representa una pequeña esperanza para el futuro. En efecto, las revoluciones guatemaltecas de 1920 y de 1944, lo mismo que varias otras revoluciones latinoamericanas, han sido realizadas en gran parte por los estudiantes.

El señor Presidente, ya lo hemos dicho, es la historia del gobierno de Manuel Estrada Cabrera. Aunque el autor no identifica ni los personajes ni los lugares, los describe tan bien que son inconfundiblemente guatemaltecos. No obstante, el cuadro de la dictadura trasciende las fronteras de Guatemala y abarca toda Latinoamérica. Esa extensión de lo particular a lo general se logra mediante la transformación del mundo verdadero en un mundo dantesco.

A través de todo el libro, el autor se empeña en crear un infierno-purgatorio. El párrafo inicial es una representación onomatopéyica de las campanas en medio de las sombras. El nombre de Luzbel tiene que referirse al señor Presidente, el príncipe de las tinieblas:

> ¡...Alumbra, lumbre de alumbre, Luzbel de piedralumbre! Como zumbido de oído persistía el rumor de las campanas a la oración, maldoblestar de la luz en la sombra, de la sombra en la luz. ¡Alumbra, lumbre de alumbre, Luzbel de piedralumbre, sobre la podredumbre! ¡Alumbra, lumbre de alumbre, sobre la podredumbre, Luzbel de piedralumbre! ¡Alumbra, alumbra, lumbre de alumbre..., alumbre..., alumbra..., alumbra, lumbre de alumbre..., alumbra, alumbre... [7]

Conforme a los retratos consagrados de Lucifer, el señor Presidente viste rigurosamente de luto. Su vestido, sus zapatos, su sombrero y su corbata son negros. Se asocia no sólo con el Lucifer cristiano, sino también con Tohil, el dios maya del fuego. El capítulo «El baile de Tohil» presenta una visión durante la cual se ofrecen a Tohil sacrificios humanos en cambio por el fuego. Los efectos onomatopéyicos de los tambores indios y la alusión al purgatorio refuerzan la impresión de oscuridad y terror de la primera página a la vez

---

[7] *Ibid.*, p. 9.

que atestiguan la coexistencia del paganismo y el catolicismo en Guatemala:

«¡Estoy contento!», dijo Tohil. ¡Re-tún-tún! ¡Re-tún-tún!, retumbó bajo la tierra.

«¡Estoy contento! Sobre hombres cazadores de hombres puedo asentar mi gobierno. No habrá ni verdadera muerte ni verdadera vida. ¡Que se me baile la jícara!»

Y cada cazador-guerrero tomó una jícara, sin despegársela del aliento que le repellaba la cara, al compás del tún, del retumbo y el tún de los tumbos y el tún de las tumbas, que le bailaban los ojos a Tohil [8].

Mientras que el nombre Lucifer indica que el señor Presidente es todavía el dueño todopoderoso de la luz, el nombre Satán se aplica generalmente a Miguel Cara de Ángel como el ángel caído. Su nombre basta para revelar el intento del autor, pero se refuerza con la repetición de la frase «era bello y malo como Satán» [9]. Al final del libro, Cara de Ángel baja literalmente a las entrañas de la tierra cuando lo encierran en el calabozo más oscuro y más profundo de toda la prisión. Aunque Asturias trata de deshumanizar a sus personajes, su propio conocimiento del mundo que describe no se lo permite. Varios personajes revelan de cuando en cuando emociones humanas muy sinceras y Miguel Cara de Ángel hasta cambia de carácter durante la novela. En la primera parte, es el más servil de todos los aduladores, pero su amor por Camila lo redime. Nótese las alusiones religiosas. Cuando Camila se siente rechazada por todos sus tíos, Cara de Ángel llora por primera vez desde la muerte de su madre. Más tarde, cuando la muchacha está gravemente enferma, el ángel caído espera salvarle la vida haciendo buenas obras. Intercede en favor de una mujer que pregunta por su hijo en la puerta del cuartel y arriesga la propia vida para decirle al mayor Farfán que es *persona non grata* con el señor Presidente. Se asombra tanto de su propia conducta que apenas puede creerlo. «Al marcharse el mayor, Cara de Ángel se tocó para saber si era el mismo que a tantos había empujado hacia la muerte, el que ahora, ante el azul

---

[8] *Ibid.*, p. 272.
[9] *Ibid.*, pp. 41, 254.

infrangible de la mañana, empujaba a un hombre hacia la vida.» [10]

Mientras que Lucifer domina el mundo infernal, Cristo tiene que sufrir horriblemente. Transformado en Pelele el idiota, vaga por la ciudad como si estuviera en una pesadilla. Un zopilote le muerde en el labio y sus gritos, que se parecen a los aullidos de un perro herido, se van cambiando de «erre, erre, ere» a «I-N-R-Idiota!» [11] El episodio en que Juan Canales niega a su propio hermano y a su sobrina se inspiró en el episodio de Pedro y Jesús, en tanto que la esposa de Juan Canales se llama Judith, igual que la heroína bíblica, quien causa por su traición la muerte de un general.

No sólo los protagonistas, sino todos los personajes contribuyen a la impresión infernal. Abundan los diablitos representados por los mendigos, las prostitutas, los centinelas —«fantasmas envueltos en ponchos a rayas» [12]— y los policías antropófagos. Además de éstos, aún hay otros cuya actuación en algunas escenas particulares aumenta el carácter grotesco de las regiones subterráneas. En el proceso del licenciado Carvajal, el abogado del gobierno tiene una cabeza chiquita y un cuello largo. El cartero borracho que va tirando las cartas por la calle es un hombre bajo y cabezudo, así es que el uniforme le viene muy grande y la gorra muy pequeña. El tamaño físico también es importante en la presentación del titiritero enano, don Benjamín, y su mujer grandota, doña Venjamón. La insinuación del autor de que todos los personajes son títeres, ofrece un interludio humorístico en la primera parte. Sin embargo, el titiritero no vuelve a aparecer hasta el epílogo, donde su visión de la destrucción de toda la ciudad tiene un gran valor profético.

La relación de los procesos biológicos de la vida y de la muerte añade a lo grotesco del mundo subterráneo. Entre los mendigos torturados por el Auditor de Guerra, se encuentra la sordomuda encinta. Fedina Rodas, después de que la torturan con el llanto de su criatura hambrienta, abraza su cadáver y, completamente anonadada, lo tiene escondido entre los pechos por unas horas, hasta que se lo arrancan. Gracias a la teoría grotesca de los injertos, pro-

[10] *Ibid.*, p. 185.
[11] *Ibid.*, p. 22.
[12] *Ibid.*, p. 13.

pagada por el profesor de inglés, Camila escapa de la muerte casándose con Cara de Ángel.

Para crear el ambiente del purgatorio-infierno, Asturias es muy aficionado al uso de las pesadillas. La más horrenda es la de Genaro Rodas en que él se siente perseguido por un ojo de vidrio.

Los ruidos proporcionan a los personajes demoníacos una sinfonía análoga. Durante el rapto de Camila, su criada es empujada contra la cómoda y se le enreda el pelo en el agarrador de la gaveta, se produce una explosión plateada que retumba por toda la casa. En la misma escena, los ladrones golpean el teclado del piano mientras saquean la casa. La novela comienza con el doblar de las campanas. Las explosiones ensordecedoras producidas por el primer bombo interrumpen la celebración del señor Presidente. El capítulo «Toquidos» es una pieza musical elaborada sobre el tema repetido de los toquidos. A pesar del estruendo, las puertas que permitirían a Camila una salida del infierno quedan cerradas. La única respuesta a su desesperación son los ladridos del perro. Una parte de otro capítulo comienza y termina con los gritos destemplados de un perico. Estos efectos auditivos son *crescendos* de lo que podría llamarse la composición musical de toda la novela.

La música surge principalmente de monólogos sinfónicos, hablados y pensados a la vez por Cara de Ángel en cuatro ocasiones distintas; por Camila en dos ocasiones, y en una ocasión, por Pelele, el general Canales, la Chabelona, don Juan Canales, Fedina Rodas y la señora de Carvajal. Estos largos movimientos sinfónicos se contrastan con los cortos diálogos esticomíticos presentados por el sacristán, el estudiante y el licenciado Carvajal mientras sufren en la oscuridad de su prisión. Otro ejemplo exagerado de ese artificio se observa en la escena de la cantina.

> —Los señores, ¿qué toman?...
> —Cerveza...
> —Para mí, no; para mí, «whiskey»...
> —Y para mí, coñac...
> —Entonces son...
> —Una cerveza...
> —Un «whiskey» y un coñac...
> —¡Y unas boquitas!

—Entonces son una cerveza, un «whiskey», un «coñá» y unas bocas...
—Y a mí...go que me coma el chucho! —se oyó la voz de Cara de Angel, que volvía abrochándose la bragueta con cierta prisa.
—¿Qué va a tomar?
—Cualquier cosa; tráeme una chibola...
—¡Ah, pues... entonces son una cerveza, un «whiskey», un «coñá» y una chibola [13].

La presencia o la ausencia de la luz, lo mismo que de los sonidos desempeña un papel muy importante en la creación del purgatorio-infierno. A través de toda la novela, la mayor parte de la acción se desenvuelve en la oscuridad o de la noche o de los calabozos. La palabra *lumbre* y otras palabras derivadas de la misma raíz se usan muchísimo para dar énfasis a la inmensidad de la oscuridad. Varios capítulos terminan con el amanecer. Muchas veces la luz o la sombra tienen un sentido simbólico bastante claro. El único capítulo inundado de luz se llama «Luz para ciegos» y presenta una bella escena amorosa completamente platónica entre Camila y Cara de Ángel bajo un sol brillante. ¡Qué contraste con la vela que se apaga cuando esas dos personas salen para buscar ayuda de los hermanos Canales! «La fondera salió con la candela que ardía ante la Virgen para seguirles los primeros pasos. El viento se la apagó. La llamita hizo movimiento de santiguada.» [14]

En sus contrastes *chiaroscuros*, Miguel Ángel Asturias se preocupa mucho con la marcha del tiempo. Durante algunas de las pesadillas, el movimiento del reloj es inexorable en tanto que en otras ocasiones el tiempo parece pararse: «se llevó el reloj de pulsera al oído para saber si estaba andando» [15]. La eternidad de su mundo se realiza con una combinación de tiempo parado con tiempo acelerado. La primera parte del libro transcurre el 21, 22 y 23 de abril. De la misma manera, la portada de la segunda parte lleva las fechas 24, 25, 26 y 27 de abril. Para reducir la acción de una gran variedad de gente en unos cuantos días, Asturias presenta una serie de capítulos que no siguen un orden crono-

[13] *Ibid.*, p. 263.
[14] *Ibid.*, p. 128.
[15] *Ibid.*, p. 46.

lógico. El bosquejo siguiente de la primera parte indica
cómo algunos capítulos representan un retroceso cronológico, mientras que otros ocurren simultáneamente:

TIEMPO CRONOLÓGICO — — — — — — — — — — —

```
C       I              II
A
P            III   IV
Í
T             V         VI   VII   VIII
U
L                                  IX
O
S                                  X
                                   XI
```

En contraste con el tiempo muy limitado de la primera
y segunda partes, la portada de la tercera parte lleva las
palabras «semanas, meses, años...» [16]. En la prisión, el guardia chino pasa «de siglo en siglo» [17]. Para la viuda del licenciado Carvajal, «el tiempo se le hacía eterno» [18], mientras
hace antesala para hablar con el señor Presidente. El vacío
temporal, los efectos que se logran con la luz, la oscuridad
y los sonidos, y los personajes demoníacos, todos contribuyen a crear el mundo dantesco, pero sólo en la última frase
del libro revela el autor el secreto de su composición. La madre del estudiante anónimo termina su oración, pidiendo
intervención divina «por las benditas ánimas del Santo Purgatorio...» [19].

La idea del tiempo inmóvil y eterno a la vez es una característica del cubismo, que en la década entre 1920 y 1930,
cuando Asturias comenzó a escribir esta novela, estaba muy
de moda entre los vanguardistas tanto en la pintura como
en la literatura. Otro rasgo cubista es la multiplicidad de
puntos de vista. En un retrato de Picasso vemos a la persona desde distintos ángulos. En *El señor Presidente* la
narración se proyecta en la pantalla alternando entre el

[16] *Ibid.*, p. 205.
[17] *Ibid.*, p. 218.
[18] *Ibid.*, p. 278.
[19] *Ibid.*, p. 300.

punto de vista de unos diez personajes. La precisión que emplea Asturias para construir su novela se parece a la que se exige a un arquitecto. Por medio del concepto cubista del tiempo, los capítulos se entrelazan estrechamente. La estructura de toda la novela en general se refuerza con alusiones a episodios o situaciones anteriores. En el capítulo veinte, Genaro Rodas recuerda la mirada de Pelele cuando lo asesinaron en el capítulo nueve. El proceso del licenciado Carvajal en el capítulo veintinueve depende del asesinato del coronel Parrales en el primer capítulo. La importancia del cartero borracho del capítulo dieciocho. La trama básica de toda la novela se repasa en el capítulo treinta y nueve —hay cuarenta y un capítulos en el libro— mediante una conversación inconsecuente entre el mayor Farfán y Genaro Rodas en el tren que los lleva de vuelta a la capital después de que los dos han colaborado en la paliza propinada a Cara de Ángel. Genaro divaga aludiendo a su amistad con Lucio Vásquez; a la muerte de su niño y a la desgracia de su mujer Fedina en el prostíbulo de Chon; a la complicidad de Vásquez en el escape del general Canales y en el rapto de Camila, y por fin, a la importancia del *Tus-Tep*. Además de la estructura trenzada, la construcción de la novela se refuerza y se hace más rítmica con el paralelismo entre las dos primeras partes. El equilibrio entre los personajes y los episodios da un sentido de orden a ese mundo caótico. Sin embargo, se van introduciendo nuevos temas que mantienen el movimiento dinámico del libro sin romper su arquitectura básica.

Dentro del concepto cubista del arte no sólo la obra entera, sino también cada parte debe constituirse en una unidad precisamente forjada. En *El señor Presidente*, cada capítulo es una unidad artística en sí. A menudo el capítulo se encierra en un marco cronológico, comenzando durante la noche y terminando con el amanecer. Varios capítulos se refuerzan internamente con la repetición sinfónica del mismo *leit motiv*. El capítulo dieciséis, que presenta a Fedina Rodas martirizada en la prisión, se hace mucho más eficaz, con tres alusiones, muy bien colocadas, a la fiesta presidencia, que seguía afuera en todo su esplendor. La pesadilla de Genaro Rodas en el capítulo nueve se interrumpe repetidas veces con la pregunta de su mujer: «—Genaro:

¿qué te pasa?»[20]. El trágico calabozo del capítulo veinti-
ocho se reviste de patetismo con los ruegos constantes del
licenciado Carvajal: «¡Hablen, sigan hablando, sigan hablando!»[21].

Aunque la mayor parte de los capítulos constan de una
sola escena, los que tienen dos o más no pierden su unidad.
Dentro del capítulo quinto, la transición entre la casa del
doctor Barreño y el palacio presidencial se logra con el
anuncio: «—Ya está servida la comida!»[22], que se aplica
a ambas escenas en exactamente el mismo instante. El capítulo diez incluye un monólogo sinfónico del general Canales lo mismo que una carta, dirigida al dictador por uno
de sus espías, que describe las actividades recientes del general. El rapto de Camila se presenta en tres escenas distintas que abarcan, en un solo capítulo, los tres puntos de
vista de Lucio Vásquez, Camila y Cara de Ángel. El capítulo
siguiente comienza con un retroceso cronológico por medio
del cual Camila recuerda su niñez mirando un álbum de
fotografías de sus familiares. Este retroceso está en una
posición anómala, porque, al parecer, interrumpe sin razón el relato del rapto, que se completa al final del capítulo
Éste parece estar compuesto de dos escenas independientes
sin más nexo que Camila, protagonista de las dos. Sin embargo, se reconoce más adelante la importancia del retroceso en la construcción de la novela, en los capítulos quince y dieciocho, que señalan la ingratitud egoísta de los tíos
A pesar de la esmerada construcción del libro, en ninguna
parte parece demasiado obvia. El sentido fresco y espontá-
neo se mantiene por la variedad entre los capítulos. Uno
de los más originales del libro consta de dieciséis informes
de distintos espías, los cuales se presentan al lector sin in·
troducción, transición ni conclusión y unidos por el personaje del señor Presidente, el destinatario, y por alusiones a
casi todos los personajes ya conocidos.

Además de armar una estructura poligonal reforzada
por contrafuertes horizontales, verticales y diagonales, Asturias se sirve de varios artificios estilísticos que contribuyen notablemente a la creación del panorama infernal.

---

[20] *Ibid.*, pp. 61, 62.
[21] *Ibid.*, pp. 208, 209, 211, 212.
[22] *Ibid.*, p. 36.

Como sus compatriotas Antonio José de Irisarri, José Milla y Rafael Arévalo Martínez, Asturias tiene un gran sentido lingüístico. Es muy aficionado a la repetición rápida de frases breves, palabras y aun sílabas, no tanto para estrechar la construcción del capítulo o del libro como para crear efectos acústicos propios del mundo subterráneo. El doctor Barreño, al explicarle sus desgracias al secretario presidencial, se sirve de la muletilla «yo le diré» [23] once veces dentro de página y media, lo que contribuye a acentuar la frustración patética de ese hombre. El idiota Pelele, huyendo locamente por la ciudad, ve pasar puertas y ventanas: «A sus costados pasaban puertas y puertas y puertas y ventanas y puertas y ventanas» [24]. Su risa idiota se recalca repitiendo la primera sílaba de la palabra *carcajada:* «El idiota se despertaba riendo, parecía que a él también le daba risa su pena, hambre, corazón y lágrimas saltándole los dientes, mientras los pordioseros arrebataban del aire la car-car-car-car-carcajada, del aire, del aire... la car-car-car-car-cajada...» [25]. En la descripción del viaje en tren de Cara de Ángel hacia la costa, Asturias se vale de la repetición para efectos acústicos, visuales, dinámicos y aun de presagio en la semejanza entre *cada ver* y *cadáver:*

> Cara de Ángel abandonó la cabeza en el respaldo del asiento de junco. Seguía la tierra baja, plana, caliente, inalterable de la costa con los ojos perdidos de sueño y la sensación confusa de ir en el tren, de no ir en el tren, de irse quedando atrás del tren, cada vez más atrás del tren, más atrás del tren, más atrás del tren, más atrás del tren, cada vez más atrás, cada vez más atrás, cada vez más atrás, más y más cada vez, cada ver cada vez, cada ver cada vez, cada ver cada vez, cada ver cada vez, cada ver cada ver cada ver cada ver cada ver... [26]

Para describir a un hombre mediocre que está pegando cartelones a las paredes, Asturias combina la reptición del adverbio *medio* con la enumeración de una serie de adjetivos: «¡Silencio!, dijo un medio bajito, medio viejo, medio calvo, medio sano, medio loco, medio ronco, medio sucio,

[23] *Ibid.*, pp. 32, 33.
[24] *Ibid.*, p. 21.
[25] *Ibid.*, p. 11.
[26] *Ibid.*, p. 277.

extendiendo un cartelón impreso...»²⁷. La enumeración se
emplea no tanto para darnos una descripción precisa y detallada como para crear un efecto total. De la misma manera, Asturias logra una impresión total de montones de basura enumerando los artículos individuales: «Cubierto de
papeles, cueros, trapos, esqueletos de paraguas, alas de
sombreros de paja, trastos de peltre agujereados, fragmentos de porcelana, cajas de cartón, pastas de libros, vidrios
rotos, zapatos de lenguas abarquilladas al sol, cuellos, cás-
caras de huevo, algodones, sobras de comidas..., el Pelele
seguía soñando»²⁸. La brevedad de la parte principal de la
oración y su colocación al final ayudan a hacer inolvidable
el cuadro de montones de basura oprimiendo el trapo
humano.

A veces, estas series de palabras parecen interminables,
e indican un cultivo de la asociación libre explotada con
tanto éxito por James Joyce. Asturias se divierte sobrema-
nera jugando con derivaciones de la misma palabra. El
juego puede consistir en señalar una palabra y luego elaborarla: «lógico, ilógico, relógico, recontralógico, ilolololó-
gico, requetecontralógico»²⁹ «luego, lueguito, relueguito»³⁰.
El contraste entre dos formas de la misma palabra constituye un motivo humorístico en el caso de Benjamín y su
esposa Venjamón. A Asturias le intrigan las etimologías falsas: «lío, lión»³¹ y «Murga de mugrientos»³². Se divierte
enormemente despedazando las palabras y transformando
las sílabas:

> —Decían ustedes... Les corté su conversación. Perdonen...
> —¡De...!
> —¡Sí...!
> —¡Han...!
> Los tres hablaron al mismo tiempo³³.

Los nombres se transforman mediante errores hechos a

---

²⁷ *Ibid.*, p. 265.
²⁸ *Ibid.*, p. 25.
²⁹ *Ibid.*, p. 58.
³⁰ *Ibid.*, p. 93.
³¹ *Ibid.*, p. 53.
³² *Ibid.*, p. 27.
³³ *Ibid.*, p. 108.

propósito. La Mazacuata cambia el nombre de Lucio Vásquez por Sucio Bascas para indicar su disgusto por su condición sucia tanto en lo moral como en lo físico. El *Mosco* convierte Jesucristo en Jesupisto. Asturias observa que *rapto* y *parto* [34] tienen las mismas letras. Este anagrama no sólo es un juego de palabras, sino también nos prepara para el matrimonio de Camila y Cara de Ángel y el nacimiento de su hijo. Hasta los mismos personajes, Lucio Vásquez y Genaro Rodas, por incultos que sean, juegan a la poesía rimando alternativamente «importa, torta, corta, aborta» [35].

Aunque Asturias describe y alude a muchos lugares particulares de Guatemala, insiste en omitir cualquier nombre que tuviera el efecto de localizar la acción. No obstante, se sirve de muchos guatemaltequismos para fortalecer el realismo del libro. El glosario de la edición de 1952 incluye las siguientes palabras: bolo (borracho), caula (engaño), cuque (soldado), chamarra (frazada), chirís (niño), chumpipe (pavo), castilla (lengua castellana), estar de goma (malestar que sigue a la borrachera), hacer campaña (favorecer), ishtos (indios), chucho (perro), torcidura (desgracia), traido (novio), y zope (zopilote).

Como ya se ha notado, la conciencia lingüística es una característica netamente guatemalteca. Más en consonancia con la literatura mundial de esa época, está la experimentación de Asturias con símiles y metáforas novedosos. Los símiles que siguen dan forma, color, sustancia, movimiento y significado especial al objeto comparado: «...la voz se perdía como sangre chorreada en el oído del infeliz» [36]; «...carcajada se le endureció en la boca, como el yeso que emplean los dentistas» [37]. «En el mar entraban los ríos como bigotes de gato en taza de leche» [38]. Las metáforas que siguen atestiguan la imaginación original del autor lo mismo que su conciencia lingüística. En «...el silencio ordeñaba el eco espeso de los pasos» [39], la frecuencia de la ese produce el efecto de silencio, mientras que la palabra *espeso* refuerza

---

[34] *Ibid.*, p. 44.
[35] *Ibid.*, pp. 50-51.
[36] *Ibid.*, p. 18.
[37] *Ibid.*, p. 54.
[38] *Ibid.*, p. 281.
[39] *Ibid.*, p. 48.

el uso distinto de *ordeñaba*. El uso de la doble metáfora de fuego y agua no es tan atrevido, pero vale la pena observar como buen ejemplo del sentido humorístico de Asturias: «Los vivas de la *Lengua de vaca* se perdieron en un incendio de vítores que un mar de aplausos fue apagando» [40].

La experimentación que emplea Asturias en esta obra lo sitúa dentro del movimiento vanguardista de los 1920. Aunque no se publicó *El señor Presidente* sino hasta 1946, fue escrita principalmente en esa década de la posguerra en Guatemala así como en París. Seguramente fue entonces cuando Asturias llegó a conocer *Tirano Banderas* (1926) del polígrafo español Ramón María del Valle-Inclán. El parecido entre los dos libros salta a la vista. La trama, el concepto cubista del tiempo y los personajes esperpentescos son casi iguales en las dos novelas. No obstante, *El señor Presidente* es un estudio más vasto, más sensible y más auténtico de la dictadura típica de Latinoamérica. En tanto que Valle-Inclán se preocupa más por su destreza en manejar los localismos de todos los países hispanoamericanos, a través de la obra de Asturias se trasluce el dolor sincero que siente el autor al describir las condiciones increíblemente infernales de su patria, y en realidad, de toda Latinoamérica. Precisamente allí descuella Asturias por encima de su contemporáneo español. Aunque Valle-Inclán se esfuerza por crear el efecto panorámico con un país inventado, compuesto de elementos geográficos, raciales y lingüísticos de distintos países latinoamericanos, Asturias logra mayor efecto panorámico, limitándose a la dictadura de Manuel Estrada Cabrera y convirtiéndola en el reinado de Lucifer. *El señor Presidente* no sólo es la mejor novela de Miguel Ángel Asturias, sino también tiene que figurar entre las novelas cumbres de toda Hispanoamérica.

Las otras novelas de Miguel Ángel Asturias revelan la aplicación del mismo estilo vanguardista a otros aspectos de la vida guatemalteca. *Hombres de maíz* (1949) es un estudio penetrante de la vida de los indios, en la cual se funden la fantasía y la leyenda con la realidad. Las seis divisiones de la novela representan los seis temas principales que se entretejen desde el principio hasta el final. En cada

---

[40] *Ibid.*, p. 103.

una de esas partes los personajes viven en un mundo poblado de los descendientes desgraciados de los mayas y de los brujos de la fantasía heredados de sus antepasados gloriosos.

El personaje más heroico de la novela es Gaspar Ilóm. En su aspecto terrestre, es el jefe de los indios que están en pugna con la civilización moderna. En la primera parte, la montada acaba con los suyos, después de que una traidora lo envenena a él. Al darse cuenta de la catástrofe, Gaspar Ilóm se ahoga en el río. En cuanto a la fantasía, Gaspar Ilóm podría ser un personaje del *Popol-Vuh*. Tiene que pelear contra los maiceros de Pisigüilito, porque así se lo mandan los brujos que sienten los dolores que sufre la tierra personificada al ser explotada por los que buscan ganancias. Las palabras de los brujos, que inician la novela, establecen el espíritu legendario desde el principio.

> —El Gaspar Ilóm deja que a la tierra de Ilóm le roben el sueño de los ojos.
> —El Gaspar Ilóm deja que a la tierra de Ilóm le boten los párpados con hacha...
> —El Gaspar Ilóm deja que a la tierra de Ilóm le chamusquen la ramazón de las pestañas con las quemas que ponen la luna color de hormiga vieja...[41]

Gaspar y los suyos son los descendientes de los primeros hombres creados por los dioses. Por eso se identifican con el maíz y con los conejos. Gaspar no vuelve a aparecer en toda la novela, pero hay una gran variedad de comentarios sobre su fin trágico, los cuales poco a poco van transformándolo en una figura legendaria.

En la segunda parte, los brujos decretan el castigo de todos los que participaron en la matanza de los indios. La luz de su prole será apagada y ya no podrán tener hijos. La primera víctima es Tomás Machojón, ex indio convertido en ladino por su mujer la Vaca Manuela, quien le dio el veneno a Gaspar. Su hijo, llamado Machojón a secas, va a otro pueblo para pedir la mano de Candelaria Reinosa. Cargado de regalos, se encuentra con el diablo y desaparece, convertido en una luminaria del cielo.

---

[41] Miguel Ángel Asturias: *Hombres de maíz* (Buenos Aires, Editorial Losada, 1949), p. 9.

El Venado de las Siete-Rozas es un curandero cuyo nahual es el venado. Cuando uno de los hermanos Tecún mata un venado, el curandero cae muerto. Antes curó el hipo de la madre de los Tecún mediante una escena de horror, en la cual los hermanos Tecún, impulsados por el curandero, degüellan de noche a toda la familia Zacatón.

El coronel Chalo Godoy es el protagonista de la cuarta parte. La fantasía envuelve su caminata con el subteniente Musús por la oscuridad de la montaña en medio de una tempestad. Se les aparece la Sierpe de Castilla, una de las formas que asume el diablo en Guatemala, pariente del Sombrerón y de la Llorona. Poco después ven un cajón de muerto en medio del camino y huyen. Cuando llegan los demás soldados de la patrulla, la fantasía se convierte en realidad. Dentro del ataúd descubren a un indio acostado que estaba descansando. Mientras que el subteniente va al pueblo con un grupo de soldados para averiguar la historia del indio, el coronel Godoy y los que quedan con él son acechados y quemados por los hermanos Tecún, cumpliendo la profecía que había anunciado siete años antes la Vaca Manuela. Otra nota sobrenatural en esta parte es que Benito Ramos, uno de los soldados que acompañan a Musús, tiene un pacto con el diablo y puede ver el futuro.

La quinta parte, titulada *María Tecún*, también funde la realidad y la fantasía. Un ciego, Goyo Yic, se da cuenta de que su mujer lo ha abandonado. Acude al herbolario, quien le cura su ceguera para que pueda vagar por todas partes en busca de la ingrata pero todavía querida María Tecún. Piensa en ella tanto que se sugestiona y se le aparecen visiones. Aunque esta parte termina de una manera muy realista —a Goyo Yic lo condenan a tres años en la prisión de la costa atlántica—, la historia de María Tecún y el ciego se convierte en leyenda. En la última parte del libro se cuenta varias veces que el ciego, al encontrarse con María Tecún en una cumbre, la vio transformada en un pilastre de sal. La leyenda se ha divulgado tanto que a cualquier mujer que abandona a su hombre la llaman María Tecún. En el último capítulo del libro, los personajes legendarios se humanizan. María Tecún y Goyo Yic vuelven a encontrarse en la prisión, y en el epílogo van juntos a vivir en Pisigüilito otra vez.

La última parte, *Correo-coyote*, es la más larga de todo el libro, quizás un reflejo de la ruta larguísima que recorre a pie el correo Nicho Aquino desde el pueblo de San Miguel Acatán, en el departamento de Huehuetenango, hasta la capital. Como Goyo Yic, su mujer lo abandona y él se desespera. Cuando sale con el correo otra vez, se desvía del camino y quema la correspondencia. Nicho, convertido en coyote, entra en el mundo sobrenatural en busca de su mujer. Igual que María Tecún, al final del libro, Nicho abandona el mundo fantástico para esconderse en la costa atlántica, cerca de la prisión.

A medida que avanza el libro, esos seis temas principales se van entrelazando, no sólo unos con otros, sino también con muchos temas secundarios que, por su gran realismo, constituyen otro mundo que sirve para hacer sobresalir los elementos fantásticos de los temas principales. Hay algunas escenas o episodios que podrían sacarse íntegros en tanto que otros están relacionados, grado más grado menos, a los personajes principales. Esas escenas se multiplican en la segunda mitad de la novela. En la primera parte, la montada del coronel Godoy espera en Pisiligüito antes de atacar a Gaspar Ilóm. La escena se construye a base de tres temas: una serenata que se le ofrece al Coronel; un perro rabioso que matan con veneno conseguido en la botica; y el diálogo de dos soldados sobre el sentido de la vida, diálogo provocado por los movimientos del perro:

> —Entuavía se medio mueve. ¡Cuesta que se acabe el ajigolón de la vida! Bueno, Dios nos hizo perecederos sin más cuentos... pa que nos hubiera hecho eternos! De sólo pensarlo me basquea el sentido.
> —Por eso digo yo que no es pior castigo el que lo afusilen a uno —adujo el del chajazo en la ceja.
> —No es castigo, es remedio. Castigo sería que lo pudieran dejar a uno vivo para toda la vida, pa muestra...
> —Esa sería pura condenación.[42]

Toda esa escena tiene una gran unidad, al parecer independiente, pero en realidad, está firmemente ligada al resto del libro. Los centarios de los soldados, que evocan escenas parecidas en *Campamento* del mexicano Gregorio López y

---

[42] *Ibid.*, p. 18.

Fuentes, captan la filosofía de la vida que determina las acciones de los hombres de maíz. El perro envenenado es el anuncio del envenenamiento de Gaspar Ilóm, en tanto que durante la serenata, el Coronel baila con la Vaca Manuela y le da el veneno que ella ha de hacer tragar a Gaspar Ilóm.

Tanto como la primera parte presenta de una manera indirecta la vida del soldado, la segunda presenta la del campesino. Después de la desaparición de Machojón, los medieros inventan la historia de que su fantasma regresa durante la quema de los campos. Tomás Machojón, para ver a su hijo, les da muchos terrenos. A uno de los maiceros, Tuburcio Mena, le da pena y quiere desengañar al viejo, pero otro, Pablo Pirir, lo amenaza con un machete para que no los delate. Una gran sequía provoca sentimientos de culpa, pero la lluvia llega a tiempo. El viejo Tomás Machojón, enloquecido, se identifica con los espantajos e incendia todo el milperío, matándose a sí mismo, sin que los maiceros puedan apagar el fuego.

A medida que el autor se aleja de la matanza de los indios de Gaspar Ilóm, se ensancha el horizonte del libro. Las últimas dos partes son mucho más largas que las anteriores, y están enriquecidas con más escenas realistas.

El protagonista de la quinta parte no es María Tecún, según reza el título, sino el ciego Goyo Yic. Aunque después se convierte en leyenda, Goyo Yic interviene activamente en algunas de las escenas más inolvidables del libro. El pasaje de la operación sobre las cataratas —no importa que haya un herbolario de por medio— es digno de incluirse en una revista de medicina. Asturias describe con gran realismo todos los detalles de la operación, lo mismo que las preparaciones folklóricas y las reacciones psicológicas de Goyo Yic al darse cuenta de que puede ver por primera vez. Su busca de María Tecún lo lleva a las fiestas de Santa Cruz de las Cruces. El autor las describe con tanto realismo que se pueden identificar como las fiestas de Santa Elena de la ciudad de Santa Cruz del Quiché. Están presentes en el convite los enmascarados, los cohetes, la cofradía, la procesión con la patrona en andas y la marimba inevitable. Durante la feria, Goyo Yic se enreda con una mujer anónima y se acuesta con ella pero no puede echar fuera a María Tecún. Cuando la mujer le reclama su dinero, Goyo Yic le descarga encima toda la caja de madera que tenía los tiliches que él iba vendiendo. Todavía en la feria, Goyo Yic se junta con Domingo Revolorio para hacerse una fortuna vendiendo aguardiente. Tienen que ir bastante lejos para conseguirlo y hacen un pacto solemne de que no van a soltar ni un trago si no es al contado. La resolución de ese negocio tiene que figurar entre los mayores aciertos de la novela. Con los únicos seis pesos que les quedan, Goyo y Mingo se van comprando tragos uno al otro hasta que, bien borrachos, se acaban todo el garrafón. Cuando vuelven en sí no pueden recordar lo que pasó con todo el dinero reunido en la venta mutua del aguardiente. Asturias logra captar el humorismo patético de la situación narrando el episodio trago por trago, notando por medio del diálogo los distintos pasos de la borrachera.

Para captar el ambiente y el espíritu de la última parte, Asturias se sirve de los arrieros que abarcan una gran extensión de tierra, lo mismo que una rica variedad de temas realistas. Hilarión Sacayón, el más importante de ellos, es obligado a seguir al correo Nicho Aquino. El episodio del chal tiene algo del humorismo patético de la borrachera de Goyo y Mingo. Nicho compró un chal en la capital para su mujer, pero al llegar a San Miguel Acatán, descubre que ella lo ha abandonado. Trata de vender el chal primero al chino y después al alemán don Deféric, pero no lo quieren. Más tarde Nicho entra en la fonda de Aleja Cuevas, a quien se le antoja el chal. Nicho comienza a beber, pero de ninguna manera quiere soltar el chal. Cuando ya está tambaleando, la Aleja lo tumba y a la fuerza le mete un embudo en la boca y lo llena del peor aguardiente, de modo que por poco lo mata. Tan obsesionada está la Aleja con el chal que no se da cuenta de que se rompe mientras ella está emborrachando a Nicho. Esa escena se cierra con la entrada de los arrieros, que introducen nuevos temas. Los amores secretos entre la Aleja e Hilario asocian a éste con San Miguel Acatán a pesar de todos sus viajes. Después de que desaparece el correo Nicho, Hilario llega hasta la capital buscándolo. La descripción del amanecer en la ciudad es una magnífica creación en sí misma, independiente de la novela. Hilario comienza la escena pidiendo café en un puesto, quizás en el barrio del Guarda Viejo, pero después se opaca mientras que el autor describe a todos los otros tipos que acuden a pedir café. Hilario vuelve a participar en la descripción de la ciudad viendo de una manera impresionista la multiplicidad de automóviles, bicicletas, tiendas, plazas y estatuas. El ritmo acelerado de la ciudad es interrumpido por el episodio de Mincho Lobos, un conocido de Hilario. En otro ejemplo de humorismo patético, encerrando una gran realidad, Mincho se dirige al santero para reclamar que la Virgen que él había comprado para su pueblo tiene los ojos muy fieros. Durante la discusión, entra el aprendiz, y con mucha indiscreción le dice al maestro que le trae los ojos de venado. La Virgen con ojos de animal recuerda a Hilario al coyote que vio con ojos humanos en la cumbre de María Tecún. Averiguada la desaparición del correo Nicho Aquino en la capital, Hilario se pone en camino para San Miguel Acatán. Se encuentra con sus amigos arrieros y se paran en la casa de un español, don Casualidón. Antes de referir la historia de éste, Asturias mete a sus arrieros en un juego de dados con el cuto Melgar, lo que constituye una escena folklórica con el mismo sabor realista que se encuentra en *Arrieros*, de López y Fuentes. Después del juego, don Casualidón acompaña a los caminantes, lo que da ocasión al autor de presentar su historia, que está ligada con la novela en general sólo por su humorismo patético y por su crítica de la Iglesia. Don Casualidón había sido cura párroco de un pueblo rico poblado de ladinos pobres. Aceptó la oferta de otro cura de cambiar por la parroquia de un pueblo pobre donde vivían indios ricos. Al darse cuenta de la imposibilidad de sacarles dinero a los indios para la iglesia, abandonó el pueblo infeliz, regresó a la civilización y colgó la sotana.

Hasta en el último capítulo del libro, Asturias introduce un nuevo personaje, que ayuda a sacar de la fantasía a algunos de los protagonistas. Se llama la Doña, y es la dueña del Hotel King en la costa atlántica donde se refugia Nicho Aquino después de escapar del mundo sobrenatural que lo tenía convertido en coyote. Ella también le compra a los reos Goyo Yic y Mingo Revolorio los sombreros que tejen. Aunque la Doña tiene un papel casi insignificante si se considera toda la novela, llega a individualizarse mediante unas

escenas bastante realistas. Además de Nicho, quien le sirve de criado, el único huésped del hotel es un belga misterioso que se mete en el mar y regresa sólo una vez a la
semana. Durante un temporal, se hunde su embarcación
Nicho descubre a la Doña borracha, histérica y medio desnuda. Asturias describe con acierto la reacción de una mujer fuerte que se siente desesperada al perder a su amante.
Al día siguiente amanece repuesta e instruye a Nicho en la
manera de vender a los reos cocos llenos de ron y de gua-
ro. El tiempo pasa, y la conversión del correo-coyote en
Nicho Aquino se completa. Éste llega a ser el amante de
la Doña y cuando ella muere de una fiebre perniciosa, él
hereda el «Hotel King y sus diez y seis mil ratas» [43]
Por medio de todos esos episodios y escenas realistas,
Asturias ensancha su enfoque. No quiere retratar sólo a los
indios, sino toda la nación guatemalteca. Desde luego, predominan los indios y su cosmogonía maya; pero cuando se
juntan todos los mosaicos que forman parte de este cuadro, aparece todo el mundo realista de Guatemala que rodea al indio. Los militares, los burócratas y muchos de los
capitalinos son ladinos. Los negros pelean con los tiburones
en la costa atlántica. El español don Casualidón fracasa en
su intento de explotar la sotana. Don Deféric, el alemán, es
de los que cuentan en San Miguel Acatán. El chino representa a todos los chinos de Guatemala que se ganan la vida
y algo más con sus tiendas. El gringo O'Neill es un ser misterioso que vende máquinas de coser, pero que nunca se
presenta en la novela. Los extranjeros viven en Guatemala,
pero nunca echan raíces. El belga, aunque es el amante de
la Doña, sale al mar para hacer no se sabe qué cosa. Un
italiano cruza la escena en menos de un segundo. Tanto
como esos tipos representan la población de Guatemala, algunos lugares fijos dan una idea amplia de su geografía.
Aunque la mayor parte de la acción se desenvuelve en la
sierra o en el pueblo desconocido de Pisigüilito, la inclusión
de algunos lugares fijos sirve de contrapeso al mundo sobrenatural que prevalece en varias escenas. San Miguel Acatán es un pueblo en el departamento de Huehuetenango,
en el extremo del noroeste. Hay descripciones inconfundi-

[43] *Ibid.*, p. 279.

bles del lago de Atilán y probablemente de Chichicastenango y de Santa Cruz del Quiché sin ninguna mención de su nombre. Asturias nos presenta un cuadro impresionista de la capital y hasta se extiende a la costa atlántica. También trata de abarcar la totalidad histórica de Guatemala por medio del ambiente legendario, aunque se fija la fecha actual después de 191?, fecha grabada así por O'Neill en el tronco de un árbol. A diferencia de *El señor Presidente*, hay poca protesta social, y lo que hay se relaciona con la administración de la justicia. A Goyo Yic y a Mingo Revolorio, por emborracharse y por haberse perdido su «guía», los mandan a la cárcel donde «no hay malo, todo es peor» [44], y luego los destierran a la costa atlántica. Allí se encuentran con Goyo Yic hijo, quien fue condenado porque no quería trabajar sin paga. El trato que recibe Nicho a manos de los administradores del Correo también merece queja. Sin embargo, el autor nunca interviene para apostrofar a los abusivos, lo que fortalece la protesta.

A pesar del intento del autor de fundir todas las tramas individuales, a esta novela le falta la gran unidad de *El señor Presidente*. La culpa no está en la ejecución, sino en la concepción de la obra. Asturias intenta romper con el concepto tradicional de la novela. No hay protagonistas de toda la novela. No hay conflictos que queden por resolver. No hay desarrollo de acción. Al contrario, por regla general, se presenta un acontecimiento envuelto en misterio, que se va aclarando con explicaciones intercaladas en capítulos posteriores. Si no fuera por la estructura de la novela, enlazada con mucho cuidado, *Hombres de maíz* sería una magnífica antología de cuentos y de folklore maya. Desgraciadamente, Asturias insistió en revestir el libro de la forma novelesca. Las seis partes del libro no están fundidas, sino entrelazadas, por cierto, de una manera bastante complicada. La segunda parte se explica por lo que pasó en la primera parte y también contiene anuncios de la tercera y cuarta partes. El episodio principal de la desaparición de Machojón se atribuye a una maldición que echaron los brujos a la estirpe de todos los que participaron en la matanza de los indios. Tanto en esta segunda parte como en todas las que siguen, distin-

---

[44] *Ibid.*, p. 140.

tos personajes añaden detalles a la narración de lo que pasó a Gaspar Ilóm. Los Machojón reciben una carta del coronel Godoy en que menciona brevemente la continuación de la guerra, que se presentará en la cuarta parte. Manuela la Vaca profetiza que antes de la séptima roza (año), el Coronel será tizón. El episodio principal de la tercera parte es el asesinato sangriento de toda la familia Zacatón. Hasta la última parte del libro se sabe que la decapitación de los Zacatón fue mandada por los brujos porque uno de sus antepasados era el boticario que le proporcionó el veneno al coronel Godoy, veneno que éste utilizó para reducir las fuerzas de Gaspar Ilóm. La muerte del coronel Chalo Godoy marca el fin de la cuarta parte, pero sólo leyendo detenidamente la quinta y sexta partes, descubrimos algunos de los detalles de la emboscada. Como ya se ha dicho, las últimas dos partes del libro son las más amplias y están relacionadas con el resto del libro de una manera muy artificial. El episodio principal es la busca que emprende el ex ciego Goyo Yic para encontrar a su mujer María Tecún. En realidad, ella se apellida Zacatón y de niña fue salvada por el ciego cuando los hermanos Tecún acabaron con toda su familia. Ese artificio es la única justificación que ofrece Asturias para la existencia de la quinta parte en el mismo libro con los otros relatos. El artificio se hace aún más ridículo al final de la novela cuando el curandero Venado de las Siete-Rozas le informa a Nicho Aquino que María Tecún ni es María Tecún ni María Zacatón, sino María la Lluvia, o sea la Piojosa Grande, la mujer de Gaspar Ilóm! En el caso de Nicho Aquino, protagonista de la sexta parte, ni existe esa relación dudosa para justificar casi la mitad del libro. Asturias, dándose cuenta del carácter disperso del libro, trató de reforzar su estructura en la última parte, pero siempre de una manera artificial. La huida de la mujer de Nicho va paralela a la huida de María Tecún de la quinta parte. Un brujo, disfrazado de viejo, explica a Nicho por qué es un crimen vender el maíz, lo que recuerda inmediatamente el primer capítulo del libro. Entonces se sientan bajo un amate «que tiene la flor escondida en el fruto, flor que sólo ven los ciegos» [45], alusión obvia a Goyo Yic y a María Tecún. Por casualidad, Secundino

---

[45] *Ibid.*, p. 178.

Musús, que fue subteniente del coronel Gonzalo Godoy, es el mayor de plaza de San Miguel Acatán. Hilario el arriero, al pasar por la Cumbre de María Tecún, «creyó ver luciérnagas, tan presente llevaba el recuerdo de aquel jinete, Machojón, que se volvió luminaria del cielo cuando iba a la pedimenta de la futura» [46]. Rumbo a San Miguel Acatán, Hilario, también por casualidad, se para en la casa de la Candelaria Reinosa. Benito Ramos, un personaje completamente secundario, le sirve al autor de argamasa entre varias partes. Por medio de sus conversaciones con Hilario sabemos que participó en la matanza de los indios de Gaspar Ilóm. Andaba con Secundino Musús cuando los Tecún mataron al Coronel. Para curarse de una hernia, consultó al Chigüichón Culebro, el herbolario que curó la ceguera de Goyo Yic y se casó con María Tecún varios años después de que ella abandonó al ciego. Nicho se encuentra con el curandero Venado de las Siete-Rozas en el mundo sobrenatural, y éste, personaje importante de la tercera parte, repasa todo el libro. Por fin, en la prisión de la costa atlántica, Nicho llega a conocer a Goyo Yic, a Mingo Revolorio y a María Tecún.

Todas esas muletillas artificiales, por muchas que sean, no logran dar una unidad básica al libro. Debilitan el valor total del mismo, pero no manchan la multitud de joyas individuales que se hallan en él.

Como ya se ha visto en *El señor Presidente*, uno de los mayores encantos de la obra de Miguel Ángel Asturias es su gran sentido lingüístico. Especialmente en la primera parte de *Hombres de maíz*, se esfuerza por crear la sencillez bíblica del *Popol-Vuh*, sirviéndose de la repetición de palabras y de frases enteras; de la enumeración y del ritmo trimembre: «una culebra de seiscientas vueltas de lodo, luna, bosques, aguaceros, montañas, pájaros y retumbos que sentía alrededor del cuerpo» [47]. «—Conejos amarillos en el cielo, conejos amarillos en el monte, conejos amarillos en el agua guerrearán con el Gaspar. Empezará la guerra el Gaspar Ilóm, arrastrado por su sangre, por su río, por su habla de

---

[46] *Ibid.*, p. 191.
[47] *Ibid.*, p. 9.

ñudos ciegos... Tierra desnuda, tierra despierta, tierra maicera con sueño...»[48].

Los personajes de *Hombres de maíz* son principalmente
indios; por eso resalta el dialecto guatemalteco más que en
El señor Presidente, pero nunca llega a ser demasiado difícil
de entender: «—Ve, Piojosa, diacún rato va a empezar la bulla... Arrejuntá unos trapos viejos pa amarrar a los tro-
zados, que no falte totoposte, tasajo, sal, chile, lo que se
lleva a la guerra»[49]. El diálogo entre Hilario y Aleja hace
sobresalir la gran predilección que tienen los guatemaltecos
por el uso íntimo de «vos»:

> —Se me hizo que eras vos; tu silbido...
> —Y tardaste...
> —Qué bárbaro, si estás todavía con la boca húmeda de
> silbar; dame un besito y dejate de embromar! Qué sabroso
> decirte «vos»; se me hace tan extraño tenerte que llamar
> «usté», ante los muchachos!
> —Me quiere, mi vida?
> —Mucho; pero qué es eso de me quiere, me querés; y haber
> mi hocico... sabroso...! otro... A mí se me hace que el amor
> de «tú» y de «usté», es menos amor, que el amor de «vos»,
> con chachaguate y todo, porque vos, ya me estás echando cha-
> chaguate; hacele, viejito, que para eso soy tu propiedad legí-
> tima...
> —...Y mal portada, eso es usté, mal portada...
> —Pero, no me tratés de usté; se me hace tan extraño...[50]

Aunque Asturias capta el espíritu bíblico de la cosmogonía maya en algunos trozos y el sabor del pueblo en otros,
jamás deja de ser el vanguardista experimentador. En las
descripciones busca constantemente nuevos símiles y metáforas. Al referirse a un río, dice que «De un lado a otro
se hamaqueaba el canto de las ranas»[51]. Al insistir mucho
en el nombre de María Tecún, da vida a las mismas letras
y las convierte en símbolo de la mujer. «En la cumbre, el
nombre adquiría todo su significado trágico. La «T» de Tecún, erguida, alta, entre dos abismos cortados, nunca tan
profundos como el barranco de la «U» al final»[52]. Las le-

---

[48] *Ibid.*, p. 10.
[49] *Ibid.*, p. 165.
[50] *Ibid.*, p. 165.
[51] *Ibid.*, p. 48.
[52] *Ibid.*, p. 192.

tras también llegan a tener su valor auditivo. Asturias capta los gritos de Goyo Yic repitiendo la vocal acentuada tres veces como minúscula y tres veces como mayúscula: «¡María TecúúúÚÚÚn!... mucháááÁÁÁ... muchaóóó ÓÓÓ... mis híííÍIÍjos»[53].

Se podrían citar muchísimos ejemplos de la gran virtuosidad de Asturias. Todas sus novelas están llenas de las posibilidades artísticas de la lengua, pero no hace falta comprobarlo para cada libro. Comenzamos este capítulo afirmando que *El señor Presidente* es la mejor novela de Asturias. *Hombres de maíz* le es inferior por el método artificial que emplea el autor para atar todos los cabos sueltos, o mejor dicho para entrelazar con hiedras los distintos troncos individuales. El valor del libro reside en el gran talento estilístico que emplea Asturias para captar el espíritu del *Popol-Vuh* y para retratar la vida trágica del indio guatemalteco del siglo XX. El libro tiene unas secciones inolvidables, que demuestran una penetración tremenda en el ser enigmático del indio.

El indio ha sido un tema constante en la literatura de Miguel Ángel Asturias. Antes de escribir sus novelas, publicó una traducción del *Popol-Vuh* y las *Leyendas de Guatemala*. El indio de *El señor Presidente* fue el anuncio de *Hombres de maíz* igual que el norteamericano O'Neill de *Hombres de maíz* es el anuncio de la novela siguiente, *Viento fuerte*. En las últimas tres novelas, *Viento fuerte, El Papa Verde* y *Week-end en Guatemala*, el indio, aunque el autor no lo ha olvidado, ha cedido su preeminencia al tema del antiimperialismo.

El vendedor de máquinas de coser, que no entra directamente en la acción de *Hombres de maíz*, es el protagonista de *Viento fuerte*. Llamado O'Neill en *Hombres de maíz*, este agente viajero de mercancías para el costurero tiene tres nombres en *Viento fuerte:* Cosi, Lester Mead y Lester Stoner. Éste es su verdadero nombre. En realidad, es millonario, uno de los accionistas principales de la Tropicaltanera, quien trata de reformar la Compañía desde adentro. Por medio de sus esfuerzos, nos enteramos de los abusos perpetrados por la compañía bananera en la costa del Pa-

---

[53] *Ibid.*, p. 94.

cífico. Bajo el nombre de Lester Mead, este señor aboga
por los cosecheros particulares contra el Papa Verde, quien
dirige la Compañía desde Chicago. En cinco oraciones breves, Lester Mead resume el poder de la empresa. «—El
Papa Verde, para que ustedes lo sepan, es un señor que está
metido en una oficina y tiene a sus órdenes millones de
dólares. Mueve un dedo y camina o se detiene un barco.
Dice una palabra y se compra una República. Estornuda y se
cae un Presidente, General o Licenciado... Frota el trase-
ro en la silla y estalla una revolución» [54]. Paradójicamente,
Lester muere pero los suyos triunfan contra la Compañía a
pesar de todo. Primero, la Compañía se niega a comprarles
los bananos. Después, cuando Lester consigue un camión
para llevar los bananos a la ciudad, la Compañía trata de
destrozarle el camión y de regalar bananos antes de que
Lester y los suyos puedan venderlos. Éstos tienen que recu-
rrir a un camión, porque el ferrocarril forma parte de la
Compañía. Los periódicos, subvencionados por ésta, acu-
san falsamente a dos socios de Lester y son procesados «por
rebelión, desacato a las autoridades, vagancia, lo que el
Auditor de Guerra definía con una sola palabra: peligrosi-
dad» [55]. Sin embargo, los millones de Lester Mead influyen
para que la compañía Mead-Lucero-Cojubul-Ayuc-Gaitán
quede en pie. La actitud de Lester Mead proviene sólo en
parte de sus sentimientos humanitarios. De igual importancia es su análisis esclarecido de la situación. Se da cuenta
de que tarde o temprano un viento fuerte acabará con todos los que han sembrado tanta mala voluntad.

> —Por unos puñados de dinero, por el dominio de estas plan-
> taciones, por las riquezas aún fragmentadas en dividendos
> anuales, son millones y millones de dólares, perdimos el mun-
> do, no la dominación del mundo, ésa la tenemos, sino la po-
> sesión del mundo, que es diferente, ahora somos dueños de
> todas estas tierras, de estas tentaciones verdes, somos seño-
> res; pero no debemos olvidar que el tiempo del demonio es
> limitado y que llegará la hora de Dios, que es la hora del
> hombre...
> —¡El «viento fuerte»!

[54] Miguel Ángel Asturias: *Viento fuerte* (Buenos Aires, Editorial Losada, 1950), p. 99.
[55] *Ibid.*, p. 135.

—...La hora del hombre será el «viento fuerte» que de abajo de las entrañas de la tierra alce su voz de reclamo, y exija, y barra con todos nosotros...[56]

La lucha entre Lester Stoner y la Compañía no constituye más que la trama de esta obra. Como en todas las novelas de Asturias predomina sobre la trama el cuadro panorámico de Guatemala. En *El señor Presidente* la cámara estaba enfocada en la capital; en *Hombres de maíz*, en la sierra, y en *Viento fuerte*, en el llano costanero del Pacífico, sin excluir, en ninguna de esas obras, otras parte del país. *Viento fuerte*, además de ser una novela antiimperialista, es una «¡ópera en el trópico!»[57]. El primer capítulo sirve de obertura para establecer el ritmo de toda la obra. Las descripciones recalcan el tema del calor sofocante que el autor capta por medio de oraciones largas y pesadas y una abundancia de palabras polisilábicas. «La vegetación chaparra, enmarañada, lo cubría todo, y en esa telaraña verde de pelos enredados, la única señal de existencia animal libre eran bandadas de pájaros de matices tan violentos como fragmentos de arco iris en contraste con gavilanes de ébano y zopilotes de azabache, todos destacados en la profundidad de la atmósfera que, con la vegetación, formaban una sola ceguera caliente»[58]. Ese clima tropical anonada tanto a los obreros como a los norteamericanos. En el trozo siguiente la repetición de ciertas palabras y sonidos y la serie de frases paralelas captan su efecto agotador:

—Y todos aquellos hombres despiertos por el calor después del día y cegados por la oscuridad de la noche quemante, se movían en la población rudimentaria sin ver bien dónde tropezaban, ayudándose de las manos por andar vagando. Todos aquellos hombres caían más noche en el sopor maltrechos de cansancio, mal olientes de fatiga, porque la fatiga hiede cuando es mucha, hiede a eso, a fatiga, a carne molida, a sufrimiento, a espalda adolorida de estar pegada al suelo, sin tuja abajo, con el sombrero en la cara, y la chaqueta abierta sobre el pecho, a la altura del hombro, como si alguien boca abajo, sobre ellos, los abrazara sin brazos con sólo las mangas, mientras dormían.[59]

---

[56] *Ibid.*, pp. 117-118.
[57] *Ibid.*, p. 31.
[58] *Ibid.*, p. 10.
[59] *Ibid.*, p. 24.

En la descripción de Leland Foster, esposa de John Pyle, se acelera el mismo proceso para conseguir un efecto delirante:

—Siguieron días de lluvia, días y noches de lluvia que la obligaron a permanecer en casa. Su marido iba y volvía hecho un fantasma de capa con capuchón, paraguas y zapatones. Se ausentaron los amigos. Cada quién en su casa. Cigarrillos, libros, whiskey. Se hablaban por teléfono y por teléfono un día al atardecer llegó, había caído por el teléfono, por la bocina del teléfono riéndose con su horrorosa risa de chicharra, moviendo los ojos verdes como una estatua que de repente se pusiera a pasear las pupilas de un lado a otro.[60]

En las oraciones siguientes, el delirio del trópico se reproduce con una abundancia de consonantes explosivas, cuya música de repercusión refuerza el efecto visual de lo verde de los bananales: «Los bananales, les dijo el Cucho con su voz de dañado, su risa sin risa, tienen las hojas verdes, como los billetes oro. Ver bastantes, pero bastantes, bastantes billetes oro como prendidos a una caña de tender ropa, así es una sola hoja de bananal. Y los racimos, que son como muchas hojas, muchos billetes verdes apelmazados, hechos barras de oro verde»[61].

Aunque el fondo musical de la obra es lento, la obra tiene una gran vitalidad a causa de las conversiones frecuentes entre los muchos personajes que pueblan el trópico y de la proximidad del viento fuerte. Lester Mead se identifica con el tema musical de la carcajada «¡Ya-já, já já, já!»[62], que se oye repetidas veces durante la novela. Aunque no se desarrolla mucho la personalidad de Mead, él sirve de puente entre los dos mundos en que se dividen los personajes de la novela. Mead y su mujer Leland asisten a las reuniones de los norteamericanos. Conforme al punto de vista del autor antiimperialista, éstos son tipos inmorales contagiados del trópico. Los hombres toman whiskey y juegan al póker, mientras que las mujeres fuman, se emborrachan y buscan aventuras amorosas aun dentro de su mismo sexo. En cambio, los trabajadores guatemaltecos se ganan el pan diario sudando; enferman gravemente del palu-

---

[60] *Ibid.*, p. 38.
[61] *Ibid.*, p. 62.
[62] *Ibid.*, pp. 34, 35, 85, 94, 193.

dismo; se preocupan más por su familia; muchos han bajado de la sierra y vaya si les cuesta adaptarse al trópico; el bodeguero los explota; se corrompen en contacto con el aguardiente, la cerveza, las prostitutas, el fonógrafo, los chinos y los soldados que llegan al pueblo formado por la Compañía y siguen creyendo en sus supersticiones. Lino Lucero anda enamorado de una sirena. Hermenegildo Puac hace un pacto con el Chamá Rito Perraj, el dios de la bruja Sarajobalda. Ofrece la vida y la cabeza para que haya desquite contra la Compañía. Así es que el desenlace de la novela, el viento fuerte que lo arrasa todo y mata a Mead y a su esposa, tiene un origen fantástico. El huracán se anuncia con la repetición de las palabras misteriosas «Sugusán, sugusán, sugusán...»[63], en tanto que la descripción violenta del huracán se interrumpe por el grito: «—¡Leland!...», que se oye a través de ocho páginas[64]. La novela termina con una nota optimista. Aunque mueren Mead y Leland en medio de la ruina de la finca, sobreviven sus socios guatemaltecos: los Lucero, los Cojubul y los Ayuc Gaitán. Los esfuerzos de Lester para reformar la Compañía tienen cierto éxito pero el odio acumulado por los explotadores es tanto que tienen que ser barridos por el huracán, el viento fuerte.

Aunque inferior a *El señor Presidente* y a *Hombres de maíz*, *Viento fuerte* tiene que considerarse como una de las mejores novelas antiimperialistas. Escrita como el primer tomo de una trilogía, la novela no plantea el conflicto entre Lester Mead y la Compañía hasta el séptimo capítulo —hay dieciséis en total—. El desarrollo lento del argumento coincide con las descripciones pesadas que captan el bochorno del trópico. ¡Qué distinto este procedimiento de aquel de *El tigre* de Flavio Herrera donde un estilo relampagueante capta los aspectos más violentos del trópico! El odio a la compañía extranjera se presenta como un problema en el trópico sin el apasionamiento que ha echado a perder tantas novelas que han tratado este mismo tema. Conforme al tema, Asturias emplea un estilo menos experimental que en *El señor Presidente* y en *Hombres de maíz*, aunque siempre está presente el ingenio asturiano. El tiempo marcha cronológicamente en general, pero hay alguno que

[63] *Ibid.*, p. 192.
[64] *Ibid.*, pp. 192-199.

otro salto hacia adelante o hacia atrás sin prevenir al lector. *Viento fuerte* comparte con las dos novelas anteriores la poca atención que se les concede a los individuos, pero no tiene la profundidad necesaria para superar ese descuido.

En las primeras dos novelas de Asturias se han señalado los gérmenes de las obras subsiguientes. En *Viento fuerte*, por ser el primer tomo de una trilogía, hay varias indicaciones del volumen siguiente: John Pyle alude a los aventureros que fundaron la Compañía; más adelante, todo el grupo norteamericano habla de un tal Anderson, uno de los fundadores de la Compañía; en Chicago, Lester Stoner discute con el Papa Verde y después va a Nueva York, para consultar a sus abogados, los gemelos Roberto y Alfredo Doswell.

El Papa Verde, segundo tomo de la trilogía, presenta un cuadro mucho más amplio que *Viento fuerte*. Abarca un período cronológico más extenso y presenta la historia de la Tropicaltanera en proporciones más épicas desde su fundación hasta que Geo Maker Thompson realiza su sueño de ser Papa Verde. Los abusos imperialistas, que en *Viento fuerte* se limitaban en la mayoría a vejar a Lester Mead y a los suyos, son más básicos. Se exponen los métodos empleados por Geo Maker Thompson para apropiarse de la tierra a orillas del río Motagua. Si los campesinos no querían venderle su terreno, se los quitaba por fuerza, con la complicidad de los soldados guatemaltecos bajo órdenes recibidas de la capital. Geo Maker Thompson es capaz de matar a un coaccionista, Charles Pfeifer, porque se opone a sus métodos brutales. El Presidente de Guatemala le cede a la Compañía los derechos para construir el ferrocarril y los muelles de Puerto Barrios, lo que le da un control bastante fuerte sobre la economía de todo el país. Una vez establecida la Compañía en Bananera, los herederos de Lester Mead (Stoner) son convencidos de que deben pasearse en los Estados Unidos y abandonar sus terrenos del Pacífico. En una reunión entre Geo Maker Thompson, un senador de Massachusetts y el presidente de la Compañía se concierta la anexión de Guatemala a los Estados Unidos. Sin embargo, el Secretario de Estado les informa que tienen que contentarse con las ventajas de la anexión sin llevarla a cabo. Es que hay que tomar en cuenta a la Gran Bretaña

por la proximidad de Belice y a Alemania por las fincas
de café en Guatemala controladas por los alemanes. Qui-
sieran establecer un protectorado sobre todo el territorio
entre Tejas y Panamá con el pretexto de la defensa nacional contra el peligro japonés. El pretexto puede convertirse
en realidad para la opinión pública mediante la prensa controlada por la Compañía. Hacia el final de la novela, por
poco estalla una guerra entre Guatemala y Honduras. ¿El
motivo?: cuestión de límites que refleja la lucha entre las
dos compañías fruteras: la Tropicaltanera y la Frutamiel.
El conflicto se resuelve cuando los accionistas eligen Papa
Verde a Geo Maker Thompson.

Aunque Asturias insiste mucho en la omnipotencia de
la Frutera, a través de todo el libro se siente un espíritu
rebelde. Cuando Geo Maker Thompson emprende su campaña de apropiarse de todos los terrenos a orillas del Motagua, su criado Chipo Chipó huye y va de casa en casa
aconsejando a los guatemaltecos que no se los vendan.
También lo abandona su novia Mayarí, quien prefiere ale-
jarse y hasta suicidarse para no participar en la explotación de su pueblo. Diez años después, y a través de todas
las otras partes del libro, el grito rebelde «¡Chos, chos, moyón, con!» [65] se asocia con Juambo el Sambito, criado mulato de Geo Maker. Cuando la Compañía acapara la mayor parte de los terrenos por la costa del Pacífico, hasta se
oyen gritos revolucionarios: «—Repártanlas..., repartan las
tierras... Repártanlás..., repártanlás..., repartan las tierras..., repartan las tierras... Repártanlás, repártalás, repártanlás... [66]». Aunque casi todos los herederos de Lester
Mead se dejan sobornar por la Compañía, Lino Lucero sigue luchando por la integridad guatemalteca.

En comparación con *Viento fuerte, El Papa Verde* tiene
muchos de los aciertos y defectos de *Hombres de maíz.*
Aunque es una obra dispersa, algunos de los personajes llegan a sobresalir. Geo Maker Thompson es el protagonista
más fuerte de todas las novelas de Asturias. En gran parte,
la novela se basa en su historia, y la trama depende de su
ambición de hacerse elegir Papa Verde. Otros personajes,

---

[65] Miguel Ángel Asturias: *El Papa Verde* (Buenos Aires, Editorial Losada, 1954), pp. 82, 87, 146, 200, 212.
[66] *Ibid.*, p. 231.

aunque ocupan lugares menos importantes en la novela, se individualizan, porque se dejan conocer. Doña Flora, Mayarí, Chipo Chipó, Juambo el Sambito y Boby Thompson [67], todos participan en varias escenas por las cuales se trasluce su verdadero carácter. Igual que *Hombres de maíz*, *El Papa Verde* tiene un carácter más experimental que *Viento fuerte*. El libro abarca tres generaciones: Geo Marker Thompson, su hija Amelia y su nieto Boby. Los saltos cronológicos se hacen bruscamente. En medio del capítulo seis, el motivo artístico de los pies capta el progreso que está realizando la Compañía con sus planes y hace posible un salto de diez años. Unos años después, en el capítulo siete, Amelia vuelve de Belice, donde estudiaba. Al principio de la segunda parte, Boby Thompson, el nieto, encabeza el equipo de béisbol de algunos niños guatemaltecos. De manera que la acción transcurre en tres épocas distintas en el desarrollo de la Compañía. Algo de la experimentación de la primera parte se deriva de las muchas alusiones a las ruinas de Quiriguá. Por eso, la descripción del éxodo de los guatemaltecos de sus propias tierras tiene el mismo espíritu cosmogónico que caracteriza tantos pasajes de *Hombres de maíz:*

> Se les calcinaban los pies aterronados. Pedazos de tierra que se va. Pies desnudos. Interminables filas. Pies de campesinos arrancados de sus cultivos. Imagen de la tierra que se va, que emigra, que deja escapar pedazos de su gleba buena, caída de los astros, para que no permanezca donde ha sido privada de raíces. No tenían caras. No tenían manos. No tenían cuerpos. Sólo pies, pies, pies, pies para buscar rutas, repechos, desmontes por donde escapar. Las mismas caras, las mismas manos, los mismos cuerpos sobre pies para escapar, pies, pies, sólo pies, pedazos de tierra con dedos, terrones de barro con dedos, pies, pies, sólo pies, pies, pies, pies... Se les ve donde van, ya no están en sitio alguno, van, marchan sin hacer ruido, sin levantar polvo, marchan, marchan, marchan, brasa y humo las viviendas, y el descuaje de los bosques semisumergidos en el agua, humedad jabonosa donde sólo impera el zompopo, la abeja negra, nubes de insectos, guacamayas y monos.[68]

---

[67] ¿Se llamará así por el beisbolero Bobby Thompson, quien dio el triunfo decisivo a los «Gigantes» de Nueva York contra los «Esquivadores» de Brooklyn pegando un jonrón con las bases llenas en el último partido de la temporada de 1951?

[68] Miguel Ángel Asturias: *El Papa Verde*, p. 81.

Cuando se traslada la acción al Pacífico, el autor recalca mucho el zumbido de las moscas. «Zum... zum... zum... baban las moscas...» [69]. Así se crea el ambiente para los comentarios folklóricos de Pochote Puac sobre las ceibas negras, blancas, rojas y verdes. Siempre ingenioso, Asturias se sirve de la palabra «Papa» para lucir sus conocimientos etimológicos. «—Más papistas que el Papa Verde y el papagayo, y el papamoscas, y el papatigo, y el papanatas...!» [70]. Como parte de su protesta social, Asturias observa la influencia corruptora del béisbol en Bananera. Penetra muy bien en la psicología de la pandilla de muchachos, pero parece que no domina muy bien el inglés. Boby Thompson dice «—Three mens out!» [71] y «stright» [72] por «strike», mientras que Fluvio dice «homeround» [73] por «homerun». El talento artístico de Asturias luce mejor en su busca continua de la novedad en los símiles y metáforas: «Las viejas mulatas, colgadas de sus lágrimas» [74]. El narrador siempre es el autor, pero gran parte de la novela consta de diálogos y monólogos basados en la asociación libre. Todos éstos son de Geo Maker Thompson, y algunas veces el punto de partida es una llamada telefónica. Esos monólogos, precisamente por su asociación libre, abarcan toda la historia del protagonista y ayudan a reforzar la estructura del libro, lo que es necesario para un libro que tanto trata de abarcar.

El Papa Verde está dividido en dos partes. La primera desarrolla despacio las operaciones de los explotadores por Bananera y a pesar de alguno que otro salto de tiempo, hay una gran continuidad. En cambio, la segunda parte no insiste tanto en resolver los conflictos de los personajes de la primera parte como en establecer los nexos con *Viento fuerte*. El punto de partida es el testamento de Lester Mead, que nombra herederos a todos sus ex socios. Para el lector que no haya leído *Viento fuerte*, Asturias se siente obligado a dar un resumen bastante completo de ese primer tomo de la trilogía. Esto prolonga *El Papa Verde* más que

[69] *Ibid.*, pp. 215-216.
[70] *Ibid.*, p. 154.
[71] *Ibid.*, p. 150.
[72] *Ibid.*, p. 151.
[73] *Ibid.*, p. 81.
[74] Miguel Ángel Asturias: *Week-end en Guatemala* (Buenos Aires, Editorial Goyanarte, 1956), p. 180.

Viento fuerte y debilita sus personajes más interesantes. El autor, en vez de seguir desarrollando a éstos, los deja para atender a los socios de Lester Mead. Aunque Asturias concibió la idea de la trilogía desde el principio, no ha sabido organizarla bien. Empezando por tratar la oposición a la Compañía ya establecida en Tiquisate, Asturias se creía obligado a retroceder cronológicamente en el segundo tomo para dar todos los antecedentes de la fundación de la Compañía en Bananera. Entonces, en el mismo segundo tomo, tuvo que acelerar para llegar a la época de *Viento fuerte*, y una vez llegado tuvo que poner su maquinaria en posición muerta hasta que encajaran todas las partes. Por eso, como novelas individuales, a *Viento fuerte* le falta el aspecto panorámico y épico de *El Papa Verde;* en cambio, *El Papa Verde*, superior a *Viento fuerte* por sus personajes, su estilo y la unidad constante derivada de la ambición de Geo Maker Thompson de hacerse Papa Verde se malogra por la necesidad que sintió el autor de unir los dos tomos. El tercer tomo de esta trilogía, que ha de llamarse *Los ojos de los enterrados*, todavía no ha aparecido. Por eso sería injusto emitir un juicio final sobre el conjunto. En este momento se puede decir que *Viento fuerte* y *El Papa Verde* constituyen una historia novelada de la United Fruit Company en Guatemala, tanto en Bananera como en Tiquisate Como es natural, el punto de vista tiene que ser guatemalteco. Asturias no puede menos de reclamar contra el papel nocivo que la Compañía ha desempeñado en Guatemala. Sin embargo, a diferencia de casi todos los otros autores hispanoamericanos que han escrito novelas antiimperialistas, Asturias logra refrenar su pasión. Su presentación, revestida de su propio estilo vanguardista, es relativamente objetiva y equilibrada.

El tercer tomo de la trilogía todavía no ha salido a causa de un acontecimiento histórico que sacudió todo el mundo. En junio de 1954, el coronel Carlos Castillo Armas, respaldado por los Estados Unidos, invadió a Guatemala y derrocó el Gobierno de Jacobo Arbenz. Asturias, embajador en Buenos Aires en aquel entonces, reaccionó fuertemente y escribió *Week-end en Guatemala*, su interpretación novelada de lo que ocurrió en Guatemala en junio de 1954.

El epígrafe de la novela es la clave de todas las nove-

las de Asturias. «¿No ve las cosas que pasan...? ¡Mejor lla-
marlas novelas...!» Es decir, que para Asturias, la realidad
es increíblemente fantástica. Por eso, todos sus libros se
basan fuertemente en los acontecimientos y personajes históricos de Guatemala, sólo que Asturias lo convierte todo
en fantasía por medio de su estilo vanguardista. En *Week-
end en Guatemala* la base histórica consta de todos los
elementos que contribuyeron a derrocar el Gobierno de
Arbenz. Don Félix, el terrateniente cuyas tierras fueron
repartidas entre los indios, se burla de la debilidad de los
agraristas frente a sus enemigos. «Ciento sesenta millones de
gringos y gringas y gringuitos y gringotes... ¡ja... ja...! la
compañía más poderosa de la órbita del Caribe... ¡ja... ja...!
la iglesia católica de Nueva York, del país y del mundo entero... ¡ja... ja! tres Presidentes de tres Repúblicas, por lo
menos, ¡ja... ja...! cadenas de periódicos y agencias noticio-
sas... ¡ja... ja... ja...! cataratas de dólares, bombarderos,
jefes militares de alta graduación listos para entregarse al
ver que la cosa se pone a favor nuestro... y un ejército al-
quilado... ¡ja, ja...!» [75]. Este delirio extático viene a ser un
repaso del aspecto histórico de la novela. Según Asturias,
la ley agraria que repartió las tierras entre los indios fue
responsable por la intervención de los Estados Unidos. La
dueña de la pulpería hace una lista de los *comunistas,* o sea
los indios que reciben las tierras repartidas. Una campaña de propaganda sumamente fuerte es necesaria para
justificar la intervención. Un periodista entrevista al indio Diego Hun Ig y trata de obligarlo a admitir que es
comunista, pero el indio ni sabe lo que es el comunismo. La revista «Visiones» publica la historia de esa entrevista: «...Temeroso, el cabecilla comunista Diego Hun
Ig, de que en su casa encontráramos literatura marxista y fotografías de Lenin, Stalin y Mao Tse-Tung, nos recibió en la puerta, al que esto escribe, y a un honorable
vecino del lugar, y rodeado de perros feroces, ametrallado-
ra en mano, contestó a nuestras preguntas...» [76]. Igual que
en *El señor Presidente,* Asturias se sirve de lo grotesco para
comprobar su tesis. Doña Lucrecia fue autorizada por su
confesor a decir que los indios le ofrecieron rublos cuando

[75] *Ibid.,* p. 107.
[76] *Ibid.,* p. 166.

en realidad eran robles. Entre los representantes de los Estados Unidos se encuentran algunos tipos de la peor ralea. Míster Maylan había sido «flagelador de negros en Atlantic City, vestido de Ku-Klus-Klan..., ahora iba a ser exterminador de indios...» [77]. Asturias también incluye en su novela una vista de lo que pasaba dentro de los Estados Unidos en 1954. Un tal profesor Carey, que comprendía lo que estaba pasando en Guatemala, fue llevado ante el Comité que Investiga las Actividades Antinorteamericanas. Al regresar al aula, el profesor, amedrentado, denuncia a los comunistas guatemaltecos. Después del éxito de la campaña de propaganda, estalla el ataque. Los aviones norteamericanos, borradas sus señas, salen de Panamá, cargan armamentos en Nicaragua y los dejan caer en Guatemala. El piloto es colombiano. Entre el ejército invasor se encuentran mercenarios de Nicaragua, Honduras, la República Dominicana, Costa Rica y El Salvador. Con estos liberacionistas se junta el ejército nacional, que no sabe defender a la patria. En cambio, al grito hipócrita de «—Por Dios, por la Patria, por la Libertad» [78], los liberacionistas asesinan brutalmente a los miembros de los sindicatos bananeros. Pacificando, matan a centenares de indios. Queman las casas y violan a las mujeres. Los hijos de Diego Hun Ig tienen que ir a trabajar en la carretera sin paga ni comida. Una vez victoriosos, los liberacionistas todavía sienten la necesidad de justificarse. Jerome McFee, «*Master* de la publicidad neoyorquina» [79], los ayuda con «¡la más espectacular propaganda de cadáveres» [80]. Los liberacionistas reparten fotos de cadáveres horriblemente mutilados y los identifican como víctimas de los comunistas. Para conservarse en el poder, los liberacionistas establecen un Comité de Defensa contra el Comunismo, que se utiliza para vejar a todo enemigo político.

Si Asturias se hubiera limitado sólo a lanzar una protesta, su libro no sería muy distinto de los que escribieron Juan José Arévalo, Guillermo Toriello, Raúl Osegueda, Luis Cardoza y Aragón y otros muchos para presentar el pun-

[77] *Ibid.*, p. 122.
[78] *Ibid.*, p. 129.
[79] *Ibid.*, p. 131.
[80] *Ibid.*, p. 12.

to de vista de los partidarios de Arbenz. Se distingue de
éstos valiéndose de su gran virtuosismo literario para hacer su protesta más eficaz. El método constante que usa
Asturias para dar más importancia a lo que describe es re-
vestirlo de fantasía.

Algunos de los capítulos están cubiertos de un velo de
misterio tendido por el espionaje de los norteamericanos
y por el contraespionaje de los arbencistas: la C. I. A. (Central Intelligency Agency) contra la S. P. S. (Sociedad Pa-
triótica Secreta). El encargado de investigar el «Affaire
Harkins» se sirve de algunos trozos de la Biblia para explicar la desaparición de un cargamento de armas que el
sargento Harkins recogió en un camión. Todo ese relato
parece fantástico porque el narrador, el mismo Peter Harkins está borracho en una buena cantina de Brooklyn mientras refiere lo que pasó durante ese *week-end* en Guatemala.
Al recordar su salida de la ciudad, Harkins exagera hasta lo
más ridículo la propaganda anticomunista: «oí rugir las
fieras al salir de la ciudad..., los leones y los tigres que
los 'comunistas' tenían preparados cebados de hambre
para que se comieran a los católicos ricos, en una fiesta
romana que preparaban en el 'Estadio de la Revolución'» [81].
Tocho, el ex subsecretario de Agricultura y el único finquero simpático del libro, se dirige a sus campesinos desde su
casa por medio de una serie de altoparlantes. Esas voces
misteriosas son tan fantásticas para los liberacionistas como
para los campesinos. Aun después de la victoria de los in-
vasores, los altoparlantes siguen desafiándolos. Igual que
en sus novelas anteriores, Asturias crea un ambiente fantástico, convirtiendo hechos actuales en historia lejana.
Milocho, un guía profesional, presencia las peleas por el
Norte. Después de la victoria de los liberacionistas, él les
explica a sus turistas que Antigua fue destruida por los volcanes; no por los bombarderos. Al salir de Antigua, Milocho
los lleva hacia las tierras fantásticas del lago de Atitlán.
Obsesionado por su determinación de vengarse, maneja
delirando, lo que da la impresión de que el autobús va
pasando por un mundo sobrenatural. Otro mundo sobrenatural, el de los mojigotes y mojigatos, cobra vida en el epi-

---

[81] *Ibid.*, p. 107.

sodio de la indita de siete años violada por Estanislao, dueño de una tienda de máscaras y disfraces. El velorio de la
niña, igual que la quema del diablo, también contribuyen a
la transformación de la realidad en fantasía. La borrachera de Harkins, los altoparlantes de Tocho, el delirio de Milocho y los mojigatos de Estanislao crean un fondo necesario para permitir la yuxtaposición de la invasión con todos
sus detalles brutales y las ilusiones de los indios que quedan en pie a pesar de todo. Cuando primero se proclama la
ley agraria, los indios no pueden creer en la buena fe de
los gobernantes. El más anciano presagia que todavía no es
tiempo de que se les devuelvan las tierras y que otra vez
llegarán los rubios a quitárselas. Aun después de la invasión, no mueren por completo las esperanzas de los indios
y algunos juntan «los trece verdes necesarios para el dosel
del Joyoso Señor de las Plumas de Quetzal, que una mañana de estas nuevas mañanas, repartirá definitivamente la
tierra entre los indios tamboriteros...» [82]. La misma esperanza se repite en el episodio del campesino, el Bueyón. Por
fin, el libro termina con la victoria completamente fantástica del pueblo. El baile de Torotumbo, asociado con las
plumas y con los mojigatos, es el motivo artístico que in-
corpora las esperanzas delirantes del autor:

> El pueblo subía a la conquista de las montañas, de sus mon-
> tañas, al compás del Torotumbo. En la cabeza, las plumas que
> el huracán no domó. En los pies, las calzas que el terremoto
> no gastó. En sus ojos, ya no la sombra de la noche, sino la
> luz del nuevo día. Y a sus espaldas, prietas y desnudas, un
> manto de sudor de siglos. Su andar de piedra, de raíz de
> árbol, de torrente de agua, dejaba atrás, como basuras, todos
> los disfraces con que se vistió la ciudad para engañarlo. El
> pueblo ascendía hacia sus montañas bajo banderas de plu-
> mas azules de quetzal bailando el Torotumbo.[82]

De todas las novelas de Miguel Ángel Asturias, *Week-end
en Guatemala* es la más difícil de clasificar como novela.
Ya se ha visto a través de todo este estudio que los guatemaltecos no respetan las definiciones de los géneros. Pero,
en este caso, aun *Hombres de maíz* tiene más unidad de no-

---

[82] *Ibid.*, p. 228.
[83] *Ibid.*, pp. 14, 15, 16, 18, 19, 21, 24, 33, 36.

vela. *Week-end en Guatemala* consta de ocho capítulos independientes: «Week-end en Guatemala», «¡Americanos todos!», «Ocelote 33», «La Galla», «El bueyón», «Cadáveres»,
«Los agrarios» y «Torotumbo». No hay ni un solo personaje que actúe en más de un capítulo. Entonces ¿cómo se podría clasificar como novela? Aunque los personajes son distintos, la unidad se deriva de que todos están reaccionando
frente al mismo fenómeno, la invasión de los liberacionistas. También hay unidad novelesca en que el autor se esfuerza por distribuir la acción en distintas partes del país
y entre distintos grupos de la población. El panorama geográfico incluye la capital, la ruta al Pacífico, el norte cerca
de Gualán, Antigua, la ruta del lago de Atitlán, los bananales, probablemente de Tiquisate, y el mundo sin límites
de los indios. Como es de esperar, predominan los indios
que desempeñan papeles importantes en tres capítulos. No
obstante, también se ven los acontecimientos desde el punto de vista de la contraespía capitalina, del guía de turistas,
de la familia de un liberacionista, de un oficial del ejército
nacional, de los miembros del sindicato bananero, de un
finquero esclarecido y de su sobrina, que estudia en los Estados Unidos. El tiempo de los ocho capítulos, junto con
el tema principal, le da al libro una unidad novelesca. El
primero y el último capítulos transcurren en períodos de
tiempo muy limitados: un fin de semana y quizás unas
semanas respectivamente. Tres capítulos, «Ocelote 33», «La
Galla» y «Los agrarios», describen la situación antes de la
invasión y terminan con la victoria de los liberacionistas.
La acción de los otros tres capítulos, «¡Americanos todos!»,
«El bueyón» y «Cadáveres», comienza durante el ataque y
se prolonga hasta después de la pacificación. «El bueyón»,
aunque es el capítulo más breve del libro, se proyecta dos
generaciones en el futuro. Los capítulos no están en orden
cronológico, de manera que esa combinación de tiempo muy
limitado y el salto de años enteros, igual que en *El señor
Presidente, Hombres de maíz* y *El Papa Verde,* produce el
efecto de un cuadro cubista. Además de varios temas políticos que recurren en distintos capítulos como los mercenarios, los periodistas y los cadáveres, apenas hay algún
que otro motivo artístico que sirve para entrelazar los capítulos. El apellido italiano del protagonista del último ca-

pítulo, Benujón Tizonelli, ¿se anticipa por el coronel Prinani del tercer capítulo y por Ada Nuffio del primer capítulo? Si así lo pensaba Asturias, la ligazón es muy débil, sobre todo tomando en cuenta que Ada Nuffio ni interviene en la acción. Su abrigo fue atropellado por el camión manejado por el sargento Harkins. Otro tema que posiblemente sirva de refuerzo estructural son las botellas del primer capítulo y del séptimo. Si Asturias descuidó la estructura intercapitular, probablemente creía que el tema comun era bastante poderoso para unir el libro. La precisión casi matemática que emplea para darnos vistas de la liberación antes, durante ella y después se ve en la división interior de los capítulos. El primero se divide en siete partes; los tres siguientes, en cinco partes; el capítulo cinco consta de una sola parte, mientras que el sexto tiene cuatro, total cinco; el capítulo siete consta de ocho partes, y el último tiene seis, total catorce, dos veces más que el primer capítulo (7-5-5-5-1-4-8-6). Así es que entre el primer capítulo y los últimos dos hay cinco capítulos relativamente breves. Los últimos dos capítulos sirven de contrapeso al primer capítulo y su peso excesivo da más importancia a la revolución final del pueblo guatemalteco. Dentro de cada capítulo, Asturias se sirve de los artificios consuetudinarios para constituirlos en unidades. El primer capítulo está saturado de la exclamación «¡Condenada cosa estar en Brooklyn!» [84]. Se repite ocho veces dentro de once páginas y otras tres partes del capítulo comienzan y terminan con la misma exclamación. El segundo capítulo, que trata del guía de turistas, tiene los temas musicales de «Ladies and gentlemen...» y «darling» [85] que se repiten muchísimo. En el cuarto capítulo son los tambores de los indios los que dan el compás, en tanto que la exclamación «¡Están desenterrando a los muertos!» [86] es el aria principal del sexto capítulo. En el penúltimo capítulo los altoparlantes y los ojos son temas elaborados para presenciar la desgracia de Guatemala.

El estilo de Asturias en esta novela tiene muchos elementos que ya se han observado, sólo que aquí están un

---

[84] *Ibid.*, pp. 59, 62, 63, 66, 67, 68, 69, 71.
[85] *Ibid.*, pp. 132-133.
[86] *Ibid.*, p. 145.

poco degenerados. En vez de valerse por sí mismos, parecen ser incluidos sólo porque forman parte de la receta. El mismo autor explica su gran afición a los juegos lingüísticos en un diálogo algo obsceno entre Trinidad y su hermano don Félix Gago:

> —¡Qué sinvergüenzas!
> —¡Vergüenzas tienen!
> —¡Félix, no me gustan los juegos de palabras, los detesto!
> —La sal y pimienta de toda charla...
> —Pues ante mí guardate tus especias, demasiado picantes para el paladar de una señorita que no está acostumbrada a hablar en doble sentido...[86]

Otro juego de palabras de don Félix parece más artificial:

> —¡Zozobro... si siguen hablando de la sobrina, padre y tío!
> —ensayó Gago uno de sus juegos de palabras.
> —No señor, el que sobra soy yo en este momento...[87]

La nota algo obscena vuelve a aparecer en el anuncio del Coronel de que estaban «pacificando... y 'pacificando'»[89] a los hombres y a las mujeres respectivamente. En esta novela los sinónimos intrigan al autor desde la repetición muy sencilla de «Por poco estornuda» «Casi estornudó»[90], hasta los siete matices del enojo. «Mas, a la vista de la pequeña, se calmó, deshizo los siete clavos de su entrecejo —molestia, desagrado, disgusto, enojo, bravencia, cólera, rabia—, y hasta llegó a sonreír...»[91]. El juego de palabras no es el único truco asturiano que está presente en esta novela. Por medio del lenguaje hace grotescos a los personajes: «gendarme al que le faltaba un brazo y sobraban ojos»[92]. Sigue en su busca de nuevas metáforas y logra una visión muy bonita de Centroamérica: «Los mares se lanzaban uno contra otro a través de aquella delgada cintura de tierra, sin alcanzar a morderse, encadenados por

[87] *Ibid.*, p. 151.
[88] *Ibid.*, p. 55.
[89] *Ibid.*, p. 191.
[90] *Ibid.*, p. 188.
[91] *Ibid.*, p. 21.
[92] *Ibid.*, p. 29.

sus oleajes, mostrándose los dientes de espuma a cada ta-
rascada de cristal y dejando oír hasta muy lejos sus bra-
midos» [93]. Asturias acierta bastante bien en su caricatura
de entrevistas con el embajador y con un radiocronista. Los
encabezados de los periódicos voceados por los niños nos
presentan otra visión del crimen. Acostumbrados a elogiar el
gran talento lingüístico de Miguel Ángel Asturias, nos sor-
prendemos ante dos barbarismos: escribe «bananas» [94] por
«bananos» y emplea el galicismo «venía de atropellar» [95]
por «acababa de atropellar».

Week-end en Guatemala es la más débil de todas las
novelas de Miguel Ángel Asturias. Un estilista muy fino,
Asturias escribió esta novela muy a la ligera, porque le co-
rrespondió reaccionar frente a un suceso particular. Res-
petamos su interpretación de la historia, pero no la creemos tan bien elaborada artísticamente como sus novelas
anteriores. En cierto sentido, parece natural que degenere
poco a poco un autor que depende tanto de la ingeniosidad.
Asturias es uno de los autores más originales de América,
y estableció su reputación con su primera novela, *El señor Presidente,* en la cual el virtuosismo del autor se utiliza para hacer resaltar más los temas principales del libro. En *Hombres de maíz* el virtuosismo se complicó más.
Desde entonces, la busca continua de novedades de expresión ya no parece natural. A veces los juegos de palabras
producen efectos humorísticos, pero sin estar íntimamente
ligados con el espíritu de todo el libro. El movimiento vanguardista, en el cual militó Asturias en la tercera década
del siglo XX, influyó no sólo en el estilo, sino también
en la presentación de personajes. Asturias confirma su parentesco con Valle-Inclán creando caricaturas de personas
que se convierten en títeres o esperpentos. Aunque sabe
captar muy bien los sentimientos humanos de un personaje
en ciertos episodios (v. g.: Goyo Yic, en *Hombres de maíz*),
jamás ha ensayado el desarrollo intenso de la psicología
de un individuo. Los individuos no tienen importancia en
el mundo de Miguel Ángel Asturias. Aun *El señor Presidente*
no es más que un personaje anónimo dentro del infierno
que él mismo encabeza. En *Hombres de maíz* los indios no

---

[93] *Ibid.,* p. 29.
[94] *Ibid.,* p. 14.

se destacan de su paisaje ni de su cosmogonía. En las últimas tres novelas son los explotadores quienes no permiten que sobresalgan los individuos. En cada caso, Asturias prefiere construir sus epopeyas sobre una base vasta e infundirles características cósmicas. El gran valor de Asturias, como novelista, se deriva en parte de su ingeniosidad estilística, pero depende mucho más de su gran talento para captar el espíritu fundamental de algunas fases primordiales de la nación guatemalteca: el terror de la dictadura, la fantasía del mundo indígena y la voluntad despiadada de los explotadores norteamericanos.

Análisis *de* «El señor Presidente»

Enrique Anderson Imbert

La mejor novela de Miguel Ángel Asturias (Guatemala, 1899), y una de las mejores en toda la novelística hispanoamericana, es *El señor Presidente*. Su composición fue lenta: de aquí las fechas 1922, 1925 y 1935 que quedaron señaladas al publicarse en 1946. No se menciona a ningún país, pero se sabe que Asturias elaboró allí recuerdos de su infancia y adolescencia, en Guatemala, bajo la tiranía de Estrada Cabrera. Como quiera que sea, nos proponemos analizar *El señor Presidente* como obra de arte, no como documento histórico.

El título, tan irónicamente respetuoso, avisa la importancia que el señor presidente ha de tener dentro de la novela. Aparece sólo seis veces (V-VI, XIV, XIX, XXXV, XXXVII), pero motiva todos los capítulos, como Satán reina en todos los círculos del infierno y un dictador real domina todas las actividades de un país. Es, en realidad, un satánico dictador; y la novela, la descripción grotesca, trágica, deprimente y vergonzosa de una república centroamericana. Esta descripción, de indudable valor sociológico, tiene el mérito artístico de un estilo intensamente evocador, de una certera caracterización de numerosos hombres y mujeres y de una hábil composición argumental.

Por los muchos personajes y episodios entrelazados, la acción es compleja, pero no confusa. El idiota Pelele mata al más poderoso de los agentes de la dictadura, y este episodio inicial pone en funcionamiento la máquina infernal del dictador. Las escenas que vengan saldrán unas de otras en un movimiento ininterrumpido. Casualidad en el crimen del idiota, pero causalidad en la venganza del dictador. Hace asesinar al Pelele para ocultar su culpabilidad y así poder acusar a dos políticos caídos en desgracia a quienes ahora quiere liquidar: Canales y Carvajal. El dictador ordena a su favorito, Cara de Ángel, que avise a Canales: el plan es matarlo en el acto de huir. Pero Canales consigue huir y Cara de Ángel secuestra a su hija Camila. Sólo que se enamorará y, al casarse con ella, perderá el favor del dictador, quien le prepara una atroz celada: le encarga públicamente una misión a los Estados Unidos, lo hace detener secretamente, lo reemplaza con un «doble» (que viaja con documentos apócrifos y finge desaparecer como un prófugo para dejar en el aire falsas pistas) lo encierra durante años en una asquerosa mazmorra hasta que, enfermo, le hace creer que Camila es la querida del dictador y Cara de Ángel —el personaje mejor creado en toda la novela— muere. Esta es la hebra principal, pero se entreteje con varias otras en una trama bien ceñida, bien diseñada. Por ejemplo: la hebra Auditor-Vázquez-Rodas-Fedina-Chón Diente de Oro-Farfán. No hay hilachas sueltas, todo está anudado; y aun los personajes menores —como el Estudiante y el Sacristán— aparecen y reaparecen como puntadas en una costura.

La narración se divide en tres partes: capítulos I-XI, que transcurren del 21 al 23 de abril de 1916; XII-XXVII, del 24 al 27; XXVIII-XLI, donde los pasos se alargan en «semanas, meses, años», sin perder la dirección. El epílogo, breve y anticlimático, no está fechado, pero se supone que transcurre poco después, porque la situación política no ha cambiado y todavía están demoliendo el Portal donde se cometió el crimen del primer capítulo. Dejando de lado las retrospecciones —que por ser procesos mentales de los personajes no alteran el orden de los acontecimientos reales— la narración avanza con normalidad: únicas excepciones en esta progresión lineal son el capítulo XXIII, intercalado a destiempo, y los capítulos XXIV y XXV, que barajan desordenadamente las horas.

Asturias ha elegido la perspectiva del autor-omnisciente, y los ojos de este autor-omnisciente van desplazándose como los de una cámara cinematográfica para seguir ya a un personaje, ya a otro, de tal manera que no perdamos de vista la significación de escenas simultáneas o sucesivas. No sólo el autor-omnisciente nos muestra todo lo que está ocurriendo en esa sociedad, tanto lo público como lo privado, sino que también nos deja asomar a los pensamientos más íntimos de sus personajes, aun al inarticulado fluir de la subconsciencia durante el ensimismamiento, el ensueño, el delirio y la locura. Sea que el autor psicoanalice a sus personajes, deje que sus personajes se autoanalicen o nos los revele en sus propios monólogos interiores (a veces tan directos como los de Joyce), la novela es muy subjetiva. Es que el autor-omnisciente lo ha poetizado todo. La excelencia de *El señor Presidente*, sobre todo si la comparamos con otras novelas que se escribieron en Hispanoamérica por los mismos años, se debe precisamente a la fusión de mundo social y mundo psicológico dentro de la fantasía de un autor-omnisciente que no renuncia a su propia visión poética.

Asturias no describe con la impasibilidad de un realista ni interviene con la acción desde fuera: poquísimas veces rompe la unidad interior de la novela con reflexiones extemporáneas. Tampoco propone una tesis, ni marxista, ni liberal, ni católica. No se ven, en el horizonte de la novela, las nociones de dignidad del proletariado ni de progreso indefinido ni de democracia reformista ni de heroísmo de la conciencia autónoma. El único programa de justicia social que se menciona lo oímos en boca del general Canales, que al huir piensa en revoluciones, más por desesperación y resentimiento que por heroísmo o principios políticos (XXVII). La única voz optimista es la del estudiante cuando, en las sombras de la cárcel, expresa su voluntad revolucionaria y un viejo maestro, también preso, comenta: «¡no todo se ha perdido en un país donde la juventud habla así!» (XXVIII). Hay frases que denuncian, que condenan, que se indignan ante la injusticia. Pero la dictadura no está pintada como el resultado de un proceso histórico moral, social, político, económico que es posible corregir con soluciones conocidas, sino más bien como un caos administrado por una cabeza demoníaca. Irónicamente, no es un ciudadano responsable, sino un mendigo idiota —Pelele— quien, sin darse cuenta de lo que hace, mata al coronel Parrales Sonriente, el brazo armado de ese régimen de terror. Irónicamente, no es un intelectual ni un político, sino el humilde tío Fulgencio, quien da la frase-síntesis de la situación nacional: «la única ley de ésta es la lotería: por lotería cae usted en la cárcel, por lotería lo fusilan, por lotería lo hacen diputado, diplomático, presidente de la República, general, ministro... todo es por lotería» (XV). La vida política es, pues, tan caótica

como una lotería, y el dictador es quien da los golpes del
azar: «Hasta de diosa ciega tengo que hacer en la lotería»,
dice (XXXVII). El autor-omnisciente (o sea, el ojo que Asturias ha puesto dentro de la novela) no sólo no se distrae
proponiendo una tesis salvadora, sino que, con su intriga
novelística, refuerza la intriga política del dictador.

La materia está vista y moldeada, pues, por un artista.
De aquí el tono poético de la novela. Aquella materia, si la
pensáramos en la realidad, sería fea. Mendigos, borrachos,
venéreos, avaros, corrompidos, adulones, cobardes, hipó-
critas, piojosos, prostitutas, homosexuales, traidores, menti-
rosos, ladrones, imbéciles, asesinos, brutos; castigos, muer-
tes, putrefacción, vómitos, coprofagia; miseria, sordidez, venalidad; en fin, todas las fealdades de la vida real. Pero el
artista toma posesión de esa realidad, la penetra con su visión, le da forma y la convierte en belleza. Porque los términos «bello», «feo» no se refieren a los objetos, sino a
nuestra actividad mental. «Feo» es el desfallecimiento de
la fuerza creadora, la distensión del espíritu, el fracaso de
la capacidad expresiva, el hueco que en la voluntad estética queda sin llenar, el trozo de realidad que percibimos pero
sin subordinarlo a un enérgico sentido de valores. «Bello»
es lo contrario: el descubrimiento de una sorprendente novedad que abre la originalidad del ánimo de un artista y
lo hace desenvolverse y trascender hacia posibles valores.
Tremenda es la realidad de que se ha servido Asturias para
su novela; pero más tremenda es su imaginación. Y porque
la imaginación lo toca todo, todo queda transfigurado en
imágenes. A veces imágenes rendidas con estilo impresionista, es decir, que analizan las percepciones sensoriales sin
explicarlas por sus causas, sea para describir la intimidad
mediante comparaciones con la naturaleza («Sus tías, unas
repugnantes [...] o la besaran sus tías sin levantarse el
velito del sombrero, sólo para dejarle en la piel sensación
de telaraña pegada con saliva», XII) sea para animar la
naturaleza con las proyecciones de la intimidad («Los árboles enloquecidos por la comezón de los trinos y sin po-
derse rascar», XII). A veces imágenes rendidas con estilo
expresionista, es decir, que en lugar de limitarse a recibir
los estímulos de la realidad deforman la índole natural de
los objetos y sobreponen a la realidad una manera perso-

nal de vivir, sentir, fantasear, recordar, pensar y querer: «A las detonaciones y alaridos del Pelele, a la fuga de Vázquez y su amigo, mal vestidas de luna corrían las calles sin saber lo que había sucedido [...]. Las calles asomaban a las esquinas preguntándose por el lugar del crimen y como desorientadas unas corrían hacia los barrios céntricos y otras hacia los arrabales»... etc. (VIII).

En ambos estilos Asturias descuella por la energía, pero lo que dio a *El señor Presidente* una posición singular en las letras hispánicas fue, sobre todo, su expresionismo. Y en este surtidor de su estilo es donde lo «feo» natural se hizo «bello» artístico. Asturias no quiso formular una tesis exterior a la novela, pero dentro de la novela, en cambio, con la ironía, el sarcasmo, la exageración, la caricatura, la crítica intelectual, la alegoría, el esperpento, el propósito moralizador y reformista logró simbolizar una redonda concepción de la vida. Y por la vigorosa fuerza de esa filosofía personal aun los episodios más repugnantes —como el vómito del dictador sobre Cara de Ángel, como la lata donde da lo mismo comer que defecar— sorprenden como nuevos descubrimientos en una aventura que va creándose a sí misma.

Las frases brillan porque hasta la inmundicia ha sido puesta en estado de combustión. Y si las juntáramos aquí —cosa que no podemos hacer por falta de espacio —tendríamos una antología no sólo del lirismo de Asturias, sino también de las literaturas de vanguardia que siguieron después de la Primera Guerra Mundial: expresionismo, cubismo, creacionismo, dadaísmo, superrealismo.

La concepción del mundo de Asturias ha seleccionado de la realidad una triste materia para elaborarla novelísticamente. Una vez en el proceso mismo de la elaboración novelística, su visión lírica ha ido levantando todas las cosas. El lado lingüístico de esta ascensión puede observarse en su manera de manejar las palabras. Podríamos graduar, con escalones, los niveles por los que va subiendo la lengua: sonidos anteriores a la palabra articulada, onomatopeyas, jitanjáforas, regionalismos puestos en las bocas más incultas del vulgo, neologismos, sorprendentes aciertos en la palabra justa, finas creaciones verbales, metáforas. Y ya en este supremo nivel de la metáfora, Asturias canta y piensa con su «sien de alondra».

Realidad e irrealidad en la obra de Miguel Ángel Asturias

Alaide Foppa

> ¡Cómo podía ser que tanta realidad
> desembocara en tanto sueño!
>
> *El Alhajadito*

La obra de Miguel Ángel Asturias, a propósito de la cual
se habla de realismo tanto como de surrealismo, de reflejo
fiel de una punzante realidad objetiva como de fuga en la
fantasía y en el absurdo, de compromiso político como de
magia, ofrece un campo particularmente propio para la
búsqueda y el deslinde de esos elementos de realidad e irrealidad que parecen caracterizarla por igual. Puede ser interesante encontrar la relación entre dos maneras de ver y
de sentir que aparentemente se contradicen o se confunden,
y descubrir que a veces lo irreal alcanza una realidad más
viva y convincente que la realidad misma.

Es convencional la oposición entre realidad e irrealidad,
ya que el «realismo», en verdad, no existe; pero hay grados
y preferencias; y una obra se define por la forma y la medida en que revela, oculta o transfigura la realidad. En Miguel Ángel Asturias esta medida y esta forma son extremadamente variables. Su obra comprende prosa y poesía (poesía en verso, quiero decir por ahora); una parte de ella se
desarrolla en un lejano pasado, y otra en el inmediato presente; sus personajes son seres sacados de la vida cotidiana, o creaturas del mundo de los sueños; los mueven ambiciones concretas, o confusas fantasías; el pasado lo representa el mundo hispánico y católico de la Colonia, o
el universo mítico de los maya-quichés, y el presente, el
medio social de los monopolios norteamericanos, o la vida
de la más humilde y humillada gente de Guatemala. También sucede que los relatos se vuelvan intemporales, por-

que lo que pasa tal vez fue ayer, o será mañana, o no será nunca...

El lenguaje —un aspecto tan importante en la obra de Asturias— se presta a consideraciones similares. A veces las palabras nacen del habla de todos los días, y los diálogos están hechos de giros populares y modismos guatemaltecos; mientras que en otros momentos, la expresión usa todos los recursos —arcaísmos, artificios preciosistas, acercamientos insólitos— para construir un complicado y suntuoso barroquismo. Y de repente el escritor, dejando a un lado la preocupación semántica, se entrega a un puro juego que nos sorprende por sus inesperadas sugestiones.

Desde estos puntos de vista, señalados sumariamente, quisiera acercarme a la obra de Miguel Ángel Asturias.

Poesía realista y realidad poética

Para Miguel Ángel Asturias, como para la mayor parte de los escritores adolescentes, la primera forma de expresión fue el verso. Hoy se habla poco de su poesía, ofuscada por el prestigio del novelista. Sin embargo, es una vocación que no ha dejado de seguir manifestándose a lo largo de toda su vida, y —antes de considerar el valor intrínseco de su poesía— hay que observar que la prosa de Asturias no sería la misma si no estuviera subterráneamente alimentada por una experiencia poética, que la beneficia aun en los aspectos más aparentes del ritmo, la sonoridad, la medida.

Se diría que la poesía es la forma más evasiva de acercarse a la realidad, o por lo menos, aquella en que la realidad necesariamente aparece transformada. Pero no siempre sucede esto. La poesía juvenil de Miguel Ángel Asturias es bastante realista: refleja los sentimientos comunes de la adolescencia con un repertorio de imágenes conocidas; describe paisajes, que no logra todavía transfigurar, y tiene como fondo la Guatemala colorida y amable de las fiestas populares y de los afectos familiares. Habrá que recorrer un largo camino para llegar, partiendo desde el folklore, a la recreación profunda de los antiguos mitos.

Sólo en 1949 aparecen, reunidos en un libro, sus versos

hasta entonces dispersos. La amplia antología, que lleva por título *Sien de alondra* está precedida por una «flecha poética» de Alfonso Reyes, quien reconoce en Asturias a «un verdadero poeta» y señala su «hazaña de investigación poética» y su «originalidad penetrada de sinceridad». Un libro que abarca treinta años de producción es naturalmente desigual; pero permite seguir un desarrollo, captar los motivos que van a ser fecundos en la obra del escritor maduro y los que no van a crecer porque le son ajenos, sorprender los temas que pasarán a su mejor prosa y ver formarse un lenguaje capaz de introducir legítimamente la poesía en la prosa.

En el primer poema de este libro, el poeta agradece a la madre por haberlo hecho

> un hombre real y enteramente humano

y expresa su deseo de volver (es el momento en que el joven Asturias deja la casa paterna para iniciar su primer peregrinaje europeo), no como un conquistador de riquezas, amores y fama, sino como

> ...un hombre
> que vuelve de la vida con el jornal ganado.

La realidad de las aspiraciones del joven poeta no puede ser más evidente. Ese hombre *real* y *humano* y ese *jornal ganado* son como un anuncio del sentido de solidaridad humana y hasta del anhelo de justicia social, que expresará más tarde la narrativa de Miguel Ángel Asturias. Pero los términos en que tales sentimientos están expresados no son precisamente poéticos.

La poesía de esta época —muy emparentada con toda la poesía hispanoamericana de entonces— apenas si tiene vislumbres de originalidad. Hasta pueden encontrarse afinidades con Gabriela Mistral en ciertas rondas y baladas de tema familiar, no inferiores, pero tampoco superiores a las de la poetisa chilena. La influencia de los poetas franceses, por otra parte, es todavía sentida de segunda mano, a través de Rubén Darío y del Modernismo. El poeta empieza a reconocer su propio mundo —al menos, desde un punto de vista exterior —en lo costumbrista y lo doméstico; lo que lo lleva también a un lenguaje más propio e inmediato. Atisbos fugaces que empiezan a formar el rico repertorio de expresiones populares y de realidades que el escritor vertirá más tarde a manos llenas en su prosa.

> Lumbre de candela
> y olor de canela

que asoman de repente en esta poesía de los veinte años, o labios de mujer que no son «de vino», ni de «pétalo de rosa», como aparecen todavía en unos versos juveniles, sino en la primera «fantomima»:

> su boca de chayes
> partida en dos ayes.

Supongo que Alfonso Reyes, al señalar la «hazaña de investigación poética», no se refería a la nitidez de algunos sonetos o a la sonoridad de ciertos versos, sino a algo nuevo, que aparece sobre todo en esas composiciones dialogadas, a las que Asturias llama «fantomimas», aludiendo a su forma hasta cierto punto teatral y al juego de fantasía o de fantasmas que se realiza en ellas. No es ajena la influencia del Romancero, especialmente en una de ellas *El Rey de la Altanería*, escrita en octosílabos y en algunos otros poemas; pero tal influencia, percibida sobre todo a través de García Lorca por tantos poetas de esta época, es más bien exterior, mientras lo nuevo, lo propio de Miguel Ángel Asturias, se manifiesta en un humorismo funambulesco donde se mezclan, con gracia y picardía, elementos infantiles, alocadas invenciones y fragmentos de leyenda. Todo ello vivificado por el uso desenfadado de juegos de palabras, onomatopeyas, jitanjáforas, trabalenguas, aliteraciones y rimas internas.

Esta calidad de juego se ejerce también sobre el lenguaje popular, y así el elemento realista —las palabras captadas en boca de personajes reales— se modifica por el libre ejercicio de la fantasía. Un ejemplo claro de esta forma de expresión lo encontramos en el poema «La marimba tocada por indios», donde el estribillo de sabor popular inte-

rrumpe reiteradamente una apresurada sucesión de imágenes que podríamos llamar surrealistas:

> La marimba pone huevos en los astros...[1]
>
> > ¡Para un huevo que ponés
> > tanta bulla que metés!
> > > ¡Vení ponelo, vos, pues!
>
> La marimba pone huevos en los astros...
>
> > El sol la desangra, la monta, es su gallo.
> > La marimba pone huevos en los astros.
> > ¡Para un huevo que ponés
> > tanta bulla que metés!
> > > ¡Vení ponelo, vos, pues!
>
> > ¡Serpiente que muda de piel en los ecos!
> > ¡Grito de madera que se bate en jícaras como el
> > > > [chocolate!
>
> > ¡Sonido de hojas que van sobre hormigas de palo
> > > > [de hormigo!
> > ¡Pereza de razas!
> > ¡Pereza de lluvia!
> > ¡Pereza de teclas que mascan copal!
> > Se masca la pena del hule.
> > Se tasca la pena del freno.
> > Los flecos se suenan mocosos de luna.
> > Se escupe la pena del guaro, tiñoso de riñas,
> v huye el mujerío, pies, tetas y críos.
>
> > ¡Para un huevo que ponés
> > tanta bulla que metés!
> > > ¡Vení ponelo, vos, pues!
>
> > En los tecomates de negro agujero de coco
> > cubiertos de tela de tripa hay llanto de moscas,
> > peces-moscas y pájaros-moscas...
> > Y el gran alboroto del verde perico,
> > y el chisporreo de chorchas de fuego,
> > y el vuelo redondo del cielo azulejo,
> > y los cuatrocientos sonidos cenzontles.
> > Trinó pito de agua, voló el azulejo,
> > la chorcha fue llama y gritó el perico.

---

[1] El texto está tomado de la edición de *Obras Escogidas*, tomo I, Aguilar,
Madrid, 1955. Hay muchas modificaciones respecto a la primera edición argentina de 1949.

¡Para un huevo que ponés
tanta bulla que metés!
¡Vení ponelo, vos, pues!

El poema sigue ensartando imágenes, en una visión alucinante de un mundo vegetal recién creado:

Temblor coloreado de atmósfera y tierra
en que danzan montes, ceibas, caseríos
y quedan las huellas de pies, en los cactos,
huellas de las tunas en el baile verde,
huellas vegetales del gran cataclismo
que dejó las cosas vestidas de espejo,
como se vistieron cuando se creó el mundo,
como se vistieron cuando se creó el son.
....

Así, del arranque popular y casi doméstico, el poeta llega a una visión telúrica del mundo, y la evocación del monótono «son» guatemalteco, melancólico acompañamiento
de fiestas pueblerinas, se vuelve:

El son de las piedras debajo del agua
el son del venado debajo del viento
el son que se baila con pies parpadeantes
....

Otras veces el poeta usa el procedimiento inverso, al reducir un concepto abstracto y solemne a una imagen afec-
tuosa y cercana. La patria será así en un soneto:

miel ágil pringadita de blanco,
dulce espacio de naranja, Patria

Uno de los poemas más conocidos de Asturias —entre los
incluidos en Sien de alondra— es «Tecún-Umán», espléndi-
da evocación del encuentro entre el guerrero indígena que
va a la derrota y el guerrero español triunfador. El poema
épico se desarrolla con fuerza ascendente. El elemento sonoro —repeticiones, asonancias y consonancias, sabio acer-
camiento de vocales —crea el ambiente y es más importante que el significado de las palabras:

Tecún-Umán, el de las torres verdes,
el de las altas torres verdes, verdes,

el de las torres verdes, verdes, verdes
y en fila india indios, indios, indios
incontables como cien mil zompopos:
diez mil de flecha en pie de nube, mil
de honda en pie de chopo, siete mil
cerbataneros y mil filos de hacha
en cada cumbre ala de mariposa
caída en hormiguero de guerreros.

Tecún-Umán, el de las plumas verdes,
el de las largas plumas verdes, verdes,
el de las plumas verdes, verdes, verdes,
verdes, verdes, Quetzal de varios frentes
y movibles alas en la batalla,
en el aporreo de las mazorcas
de hombres de maíz que se desgranan
picoteados por pájaros de fuego,
en red de muerte entre las piedras sueltas.

Quetzalumán, el de las alas verdes
y larga cola verde, verde, verde,
verde flechas verdes desde las torres
verdes, tatuado de tatuajes verdes.

Tecún-Umán, el de los atabales,
ruido tributario de la tempestad
en seco de los tamborones, cuero
de tamborón medio ternero, cuero
de tamborón que lleva cuero, cuero
adentro, cuero en medio, cuero afuera,
cuero de tamborón bón, bón, borón, bón,
bón, bón, borón, bón, bón, bón, borón, bón,
bón, borón, bón, bón, bón, borón, bón, bón,
pepitoria de trueno que golpea
con pepitas gigantes en el hueco
del eco que desdobla al teponastle,
teponpón, teponpón, teponastle,
teponpón, deponpón, teponastle,
tepón, deponpón, tepón, teponpón,
teponpón, teponpón, teponpón...

Y la descripción del encuentro entre Tecún-Umán y Pedro de Alvarado:

¡Tecún-Umán!
Silencio en rama...

Máscara de la noche agujereada.
Tortilla de ceniza y plumas muertas

en los agarraderos de la sombra,
más allá de la tiniebla en la tiniebla
y bajo la tiniebla sin curación.
El Gavilán de Extremadura, uñas,
armadura y longinada lanza...
¿A quién llamar sin agua en las pupilas
En las orejas de los caracoles sin viento
a quién llamar... a quién llamar...
¡Tecún-Umán! ¡Quetzalumán!
No se corta su aliento porque sigue en las llamas...
Una ciudad en armas en su sangre
sigue, una ciudad con armadura
de campanas en lugar de tún, dueña
de semilla de libertad en alas
de colibrí gigante, del quetzal,
semilla dulce al perforar la lengua
en que ahora le llaman ¡Capitán!
¡Ya no es el tún! ¡Ya no es Tecún!
¡Ahora es el tán-tán de las campanas,
Capitán!

No pretendo, dado lo limitado de este ensayo, analizar el poema, ni mucho menos la poesía de Miguel Ángel Asturias. He querido recordar algunos versos porque en ellos aparece evidente el proceso a través del cual el poeta se adueña del paisaje y de los mitos en que se ha formado y los transfigura. El paisaje, magnificado, se vuelve desbordante, y sus habitantes, para ser dignos de éste, deben alcanzar la estatura de la epopeya.

Asturias volverá a evocar el mundo indígena en un largo poema —*Clarivigilia primaveral*—, publicado en París en edición bilingüe, donde se celebra la creación de los artistas por obra de los dioses maya-quichés, y donde reaparece el tono épico directamente influido por la poesía indígena y especialmente por el *Popol-Vuh*.

Sueño y realidad

Contemporánea de la primera poesía de Asturias es la elaboración de *Leyendas de Guatemala* y de *El Alhajadito* (aunque este libro sólo fue «sacado del manuscrito», como dice el colofón, en 1960, treinta años después de su nacimiento). Es fácil encontrar en estos libros, y aun en *El se-*

ñor Presidente, cuyo primer núcleo estaba ya escrito en 1923, las características señaladas para la poesía, que reaparecerán más tarde en *Hombres de maíz* y en los últimos libros de Asturias.

Efectos similares a los logrados en el «Tecún-Umán» los alcanza el novelista al iniciar su más famosa novela tantas veces llamada realista, con estas palabras: «Alumbra, lumbre de alumbre, Luzbel de piedralumbre! Como zumbido de oídos persistía el rumor de las campanas a la oración, maldoblestar de la luz en la sombra, de la sombra en la luz. ¡Alumbra, lumbre de alumbre, Luzbel de piedralumbre sobre la podredumbre! ¡Alumbra, alumbra, lumbre de alumbre... alumbre... alumbra... alumbra, lumbre de alumbre... alumbra... alumbre...», introducción a la exacerbada descripción de los mendigos que esconden en el Portal del Señor sus llagas y sus penas.

Emparentados con los juegos graciosos de las «fantomimas» están los cuentos que aparecen en la tercera parte de *El Alhajadito,* construidos como juguetes poéticos: «Don claro, clarinero, y doña Clara, clarinera, familia de clarineros, parientes de los luceros por el brillo de la pluma, húmedo azul en espuma, el dibujo de su estampa, de ágil acero templado, sus picos negros, muy negros y sus ojos de oro tul...». Narraciones breves que tienen el papel de intermedios musicales dentro del relato.

En *Leyendas de Guatemala* —un libro hecho con el arrebato inicial y la paciencia constructiva de un libro de versos— el lenguaje de la irrealidad está casi siempre presente. Cualquier cita al azar basta para reconocerlo: «¿Cuántas lenguas de río lamieron la ciudad hasta llevársela? Poco a poco, perdida su consistencia, ablandose como un sueño y se deshizo en el agua, igual que las primitivas ciudades de reflejos. Ésta fue la ciudad de Gran Saliva de Espejo, el Guacamayo...». O bien: «Algo pasó. Por poco se les caen los árboles de las manos. Las raíces no supieron lo que pasó por sus dedos. Y de la contracción de las raíces en el temblor nacieron los telares. Si sería parte de su sueño...»

Cuando apareció en Europa este primer libro de Miguel Ángel Asturias —en Madrid, en 1930, y en París, traducido por Francis de Miomandre, en 1931— fue recibido como un mensaje revelador. Para España algunas de aquellas leyen-

das se referían a un ambiente conocido —el de la Colonia— y hasta reproducían el estilo de las viejas crónicas;
pero otras, inspiradas en la poesía indígena, hablaban de
un mundo ignorado y sorprendente. En Francia, la sorpresa fue aún mayor, y Paul Valéry se encargó de expresarla
—en su ya tan citada carta— al sentirse embriagado por
aquella «mezcla de botánica confusa, de magia indígena y
de teología de Salamanca». Las dos fuentes de la vida hispanoamericana están presentes sin fundirse en *Leyendas de
Guatemala*. Se diría que el escritor quiso iniciar su camino
con este penetrante reconocimiento de su tierra y de su
origen, realizado, no con un sentido documental y erudito
(aunque por debajo esté también el conocimiento logrado
a través del estudio), sino con la intuición del poeta que
encuentra dentro de sí mismo la resonancia de una realidad que para él no es remota ni ajena.

La vida del indio guatemalteco, Miguel Ángel Asturias
la conoció muy de cerca en los años de la infancia, pasados
con sus padres en el interior del país. Más tarde, en la ciudad de Guatemala, fue poblando su mundo interior con los
cuentos, leyendas y consejas, que por las noches se conta-
ban los arrieros acampados en el último patio de la casona
colonial, después de haber dejado su carga de granos para
ser vendida en la tienda de la familia. La tesis con la que
el joven Asturias obtuvo la licenciatura en Derecho lleva
por título *El problema social del indio*. Esto, en 1922, cuando a casi nadie preocupaba ese problema. Poco después,
en París, Asturias estudia con Georges Reynaud las religiones y los mitos de Mesoamérica y, junto con J. M. González de Mendoza, traduce de la versión francesa de Raynaud
el *Popol-Vuh*. Su formación no es la de un etnógrafo o
antropólogo, pero sí la que necesita un escritor para inte-
grar con los documentos del pasado su experiencia presente. Y como no hay evolución para grandes sectores de la
población indígena de América, muchos de los mejores relatos de Miguel Ángel Asturias pueden ser actuales, porque
están fuera del tiempo. Esto contribuye también a confe-
rirles esa calidad onírica que los aleja de la realidad. La
palabra «sueño» aparece reiteradamente en la prosa de Asturias para explicar una manera de sentir que él comparte
con sus personajes. Con la expresión «medio en la realidad

medio en el sueño», definirá el escritor la fuga de uno de los mendigos en *El señor Presidente*. Un personaje de *Hombres de maíz* dirá: «No sé si lo vide o lo soñé.» Y hasta en una de las novelas más apegadas a la realidad, *El Papa Verde*, se habla del sueño como de un modo de ser propio de la gente de Guatemala, en oposición al realismo práctico de los norteamericanos. En el diálogo entre el futuro Papa Verde, encarnación de los intereses norteamericanos del banano, y la bella Mayarí, encontramos estas palabras:

—Hablas como si hablaras dormida.
—¿Y para qué despertar?
—No me parece cuerda una persona que está siempre soñando.
—Los de tu raza, Geo, están despiertos siempre, pero nosotros, no; de día y de noche soñamos...

Y más adelante Geo Maker Thompson dirá:

—A un hombre como yo no le está permitido salirse de la realidad. Nada fuera de los hechos.

Mientras Mayarí sólo podrá ser consecuente consigo misma, al buscar la muerte perdiéndose en el río, como víctima expiatoria. También un sueño...

El mismo Valéry empleó esa palabra al referirse a *Leyendas de Guatemala* como «historias-sueños-poemas», y señaló su calidad de «filtro», es decir, de algo que produce efectos transfiguradores.

Es curioso que de los diez libros que constituyen la narrativa de Asturias precisamente cinco pueden definirse, en forma bastante esquemática, como libros fantásticos, o libros de la irrealidad, mientras los otros cinco son las novelas y cuentos de la realidad. Sin dejar de ver, naturalmente, que en unos y en otros aparecen elementos de la modalidad opuesta. Es curioso también que el primero y el último de sus libros —*Leyendas de Guatemala* y *El Espejo de Lida Sal*— a casi cuarenta años de distancia, sean libros de leyendas, y tan emparentados que el uno podría ser casi continuación del otro. Hasta son paralelas las páginas introductivas: si en el primer prólogo se habla de «ciudades enterradas en el centro de América», de ciudades muy antiguas que se han sobrepuesto, en el último prólogo también se habla de ciudades centenarias, de remotas yuxtaposiciones y de «paisajes dormidos». En cuanto a los relatos, unos vienen, en ambos libros, de las crónicas coloniales y tienen aromas conventuales («...voces de clérigos que mascullan Avemarías y de caballeros y capitanes que disputan poniendo a Dios por testigo...», o bien, «entre la gente española venida a Indias, muy entrado el siglo XVII...»); otros vienen de la mitología indígena («al paso del cacique, un sacrificador, vestido de negro, puso en sus manos una flecha azul» o bien, «y, sí, Nana la Lluvia, el que hacía los ídolos, cuidador de calaveras, huyó de los hombres de piel de gusano blanco...»); otras son intemporales, como *El Espejo de Lida Sal*, el más hermoso cuento del libro que lleva su nombre, situado en un presente de aldeana fiesta popular, pero con sabor de leyenda colonial. Y todos los relatos en una y otra colección tienen como fondo ese país encendido en «colores florales, frutales y pajareros», que es el paisaje de Guatemala.

El paisaje de Guatemala está presente en toda la obra de Miguel Ángel Asturias. A pesar de sus viajes y de sus largas temporadas en Europa y en la Argentina, no hay una novela ni un cuento situados fuera de Guatemala. En la poesía encuentra lugar la impresión de viaje, el elogio y la añoranza de otras tierras —desde los hermosos sonetos de Grecia hasta *Alto es el Sur*, que es un canto a la Argentina— pero en la prosa (con excepción de un libro dedicado a Rumania, que tiene, por lo demás, varios intermedios poéticos) sólo brilla ese paisaje tropical, propicio o enemigo, que también participa de transformaciones fantásticas, pero que arranca siempre del recuerdo, y sobre todo del recuerdo de infancia.

Muchos de los personajes de las leyendas vienen de cuentos populares conocidos. Nos encontramos con el Cadejo, que corta las trenzas de las doncellas desprevenidas; con la Tatuana, que navega en un barquito pintado en la pared; con el Sombrerón, que nace como un hongo gigantesco de pelotita huidiza donde probablemente se esconde Satanás... «Espantos, andarines y aparecidos» se mueven con naturalidad en este mundo, en parte evocado y en parte inventado.

También *El Alhajadito* es una especie de leyenda, dividida en tres cuentos fantásticos —uno de ellos de fondo autobiográfico—, unidos un poco artificialmente entre sí por la supuesta identidad del personaje central bajo tres apariencias distintas. El Alhajadito es un niño solitario, último descendiente de la familia de los Alhajados, todos «desaparecidos» y siempre esperados en la casa abandonada, donde los criados «trenzudos y barbilampiños» encienden cada noche los candelabros de plata y «las criadas rumiantes preparan las camas espaciosas de silencio y de pluma, no sin ocultar en ellas rajas de madera olorosa...», y donde se rinde culto al Mal Ladrón, en sacrílega transposición de ritos... El Alhajadito es un niño curioso que suscita los misteriosos relatos de los pescadores del «Charco del Limosnero». Lo peculiar aquí es que ya no se trata de ambiente colonial español, ni de mundo indígena; *El Alhajadito* está situado en una Guatemala intemporal, donde los elementos reales aparecen en situaciones irreales. Si de surrealismo debe hablarse a propósito de Miguel Ángel Asturias, este libro y *La Mulata de Tal* son los que mayormente te lo manifiestan. Pero decir que están concebidos dentro de un gusto surrealista, es decir poco, ya que lo que importa distinguir son los elementos que componen ese surrealismo, o más bien, cuáles son los diversos fragmentos de realidad que integran esa composición irreal.

Aún más acentuado está el aspecto surrealista en *La Mulata de Tal*, un libro reciente que ha tenido muy feliz éxito, sobre todo en Francia, cuando apareció su traducción, hace unos dos años. Y no es ajena a su buena fortuna la situación del arte actual frente a la realidad. Ya sea como nuevo brote del surrealismo, como literatura del absurdo, como antinovela, o como «retorno de los brujos», una corriente muy importante de la literatura contemporánea huye de la realidad. Si el sueño —con sus implicaciones psicoanalíticas o, simplemente, como velo de niebla que desvanece los contornos reales— es un aspecto muy significativo de esta tendencia, la magia —otra manera de alterar la realidad— no ocupa menos lugar en la literatura de la irrealidad. De los libros de Miguel Ángel Asturias concebidos de esta manera, unos le dan más ingerencia al sueño; otros, a la magia. Y hay diferencias: del sueño salen los personajes vagamente sonámbulos, desvanecidos, no del todo presentes a sí mismos; la magia los hace otros. En el sueño se pierden, «desaparecen»; como los Alhajados, o ciertos personajes de *Hombres de maíz*. En la magia sufren radicales metamorfosis; como Niniloj, que se vuelve enana o gigante, como Yumí, transformado en puercoespín, en *La Mulata de Tal*. En el sueño difícilmente interviene lo cómico; en la magia pueden darse situaciones de franco humorismo. Para ejemplificar, puede decirse que *Hombres de maíz* es un libro de sueños o de ensueños; mientras *La Mulata de Tal* es un libro de brujería. Y, continuando el paralelo, cabe agregar que en la «Mulata» —comparada la novela con los otros libros fantásticos— hay menos lirismo que en aquéllos, y más picaresca, menos contemplación y más acción, menos poesía y más sexo.

La Mulata de Tal revive la vieja leyenda del que vende su alma al Diablo, a cambio de la riqueza. Pero lo que vende aquí Celestino Yumí es a la pobre Niniloj, su mujer. Y el Diablo es un diablo americano de hojas de maíz que se llama Tazol. La Mulata también es un personaje infernal que causa la perdición del ingenuo Yumí. Pero el verdadero símbolo infernal es el dinero, que todo lo mancha y lo corrompe. En esta historia de trasmutaciones y hechicerías los personajes son, sin embargo, comunes gentes del pueblo, que hablan su sencillo lenguaje cotidiano y sufren también comunes y cotidianas miserias.

Hombres de maíz es la novela más poética de Miguel Ángel Asturias. Evocación del desgarrado mundo indígena en su lucha contra el usurpador, es también una evocación de mitos y ritos milenarios.

Muy diferentes son éstos de aquéllos

> hombres de maíz que se desgranan
> picoteados por pájaros de fuego

épicos aun en la derrota. Aquí la derrota es silenciosa y continuada, y el tono es el de la elegía. La primera parte está centrada en la defensa del maíz sagrado ante los maiceros ladinos —es decir, criollos o mestizos— que queman abusivamente los campos, esas «quemas que ponen la luna color de hormiga vieja...». El mundo tribal que forman el

cacique Gaspar Ilóm y los suyos, las familias de los Zacatón y los Tecún, el curandero, los brujos de las luciérnagas, ese mundo totalmente indígena, se enfrenta con la sol-
dadesca del coronel Chalo Godoy y la gente de la aldea; y
los hechos —el envenenamiento del cacique, la matanza de
los brujos— se transfiguran y se confunden con el mito.
Aquí también los personajes, como antes recordaba, «desaparecen» y pueden reaparecer bajo otra forma. El Machojón, misteriosamente perdido, porque debe pagar la
culpa de sus padres, se pasea entre las llamas de la roza (la
quema de las milpas), vestido de oro de pies a cabeza; y
el padre decidirá un día incendiar los maizales fecundos y
entrar en el fuego para identificarse con su hijo. El Gaspar
Ilóm desaparece en el río. El curandero muere cuando matan al Venado de las Siete-Rozas, porque los dos participan
del mismo ser. El coronel cumple su condena a la hora de
la séptima roza; aparentemente se suicida, pero son manos
oscuras, «manos de tiniebla», las que lo levantan junto con
su caballo y lo van reduciendo al tamaño «de un dulce de
colación». Otros huyen, se evaden como María Tecún, eternamente perseguida por el marido ciego; o se pierden en la
locura, en el alcohol o en el sueño.

Pero lo que es absolutamente real en esta novela de ensueños es el largo sufrimiento de los indios, su impotencia,
su resignación o su crueldad, su milenario silencio, y como
único consuelo su fuga hacia un mundo mágico, que incesantemente transfigura la insoportable realidad.

Realidad social

La primera novela de Miguel Ángel Asturias, y la que
sigue siendo la más conocida y admirada, es *El señor Presidente*. La parte escrita en 1923, cuando el escritor salió por
vez primera de Guatemala, era un largo cuento titulado «Los
Mendigos Políticos», que su autor destinaba a participar
en un concurso para el cual no llegó a tiempo. El dictador
Manuel Estrada Cabrera había caído en 1920, tras de haber dominado el país durante veintidós años; aproximada-
mente los primeros veintidós años de vida de Asturias, quien
nació y creció bajo su sombra. La imagen del dictador, su

proyección funesta, impregnan y oscurecen sus recuerdos de infancia, sus impresiones de adolescencia y de primera juventud. Es una presencia entrañablemente sentida: mucho más sentida que pensada y razonada. Por eso tiene en la novela tan penetrante vivencia, a pesar de que la persona del dictador ocupa, en forma inmediata, pocas páginas. Lo que llena todas las páginas como una consecuencia, como una irradiación de esa omnipresencia y de esa omnipotencia, es el miedo, y en algunos momentos, el terror. Los hechos giran en torno a una voluntad caprichosa, que en cualquier momento puede cambiar el destino de los hombres en un país miserable ya afligido por seculares desdichas. *El señor Presidente* presenta un retrato fiel del dictador y un reflejo fiel de la época y del medio en que vivió. Es un testimonio, pero no un documento. Y por eso no es tampoco una novela propiamente histórica. Es algo más. Cuando apareció el libro, otro dictador acababa de caer en Guatemala. Y otros han surgido y caído después en Hispanoamérica. La novela sigue siendo vigente, porque la realidad que refleja no está vista con un sentido simplemente costumbrista, sino vivida dolorosamente y denunciada. Aun cuando los hechos estén lejanos y los dictadores en América se presenten bajo apariencias diferentes, la significación de esa realidad no ha cambiado. Hay que notar también que la denuncia no nace aquí de palabras dichas por el escritor, ni de ideas manifestadas; nace de la actitud misma de los personajes —con frecuencia una actitud sumisa, rendida, resignada— de sus palabras, de sus penas, de la pobreza, de la enfermedad, de la atroz injusticia sufrida... En *El señor Presidente* nadie se rebela; pero quizás por ello se rebela profundamente el lector.

Este libro situó a Miguel Ángel Asturias como escritor «comprometido». Pasarán varios años antes de que él vuelva a afrontar expresamente (implícitamente, lo hace casi siempre) el tema social. Lo hará al planear, casi como una saga que se desarrolla a través de varias generaciones, lo que se ha llamado la Trilogía del Banano.

El ambicioso propósito de presentar desde diferentes ángulos la historia de un país que va cayendo, como si no pudiera escapar a un inevitable engranaje, bajo el dominio económico de los Estados Unidos, no está del todo logrado. La calidad es desigual en las tres novelas que integran este ciclo —*Viento fuerte, El Papa Verde, Los ojos de los enterrados*— y los hechos quedan a veces en la superficie. El proceso está visto de los dos lados, o, más bien, de los tres lados, personificados en los conquistadores, los cómplices y las víctimas. Por debajo de la intriga novelesca hay datos históricos comprobables, situaciones que pertenecen claramente al sistema de penetración económica tantas veces repetido en América Latina, y particularmente en Centroamérica; en algunos de los personajes pueden ser reconocidos los protagonistas reales de esta dramática historia. Por primera vez aparecen en la narrativa de Miguel Ángel Asturias personajes de la burguesía internacional. Y también aparecen, con evidencia, la tesis que el autor se propone demostrar, la causa que defiende, la posición que ataca. Este carácter demasiado aparente de «literatura comprometida» va en demérito de la calidad artística. Miguel Ángel Asturias no tendrá nunca que escribir, como tanto temía Valéry, *La marquesa salió a las 5;* pero escribirá centenares de frases equivalentes, transportadas a la Guatemala tropical de las plantaciones de banano.

El novelista trata de evitar lo convencional al no hacer de sus personajes «buenos» y «malos», en forma demasiado obvia; pero la realidad parece con frecuencia estar vista sólo desde fuera, captada fotográficamente, reproducida en lenguaje periodístico y no exenta de ese tono demostrativo que el periodismo comporta. La realidad de un poderoso *trust* norteamericano, la realidad de un gerente, de un banquero, de un millonario, es tan ajena a Miguel Ángel Asturias que no logra hacerla del todo suya, ni, por consiguiente, recrearla. Por otra parte, los personajes que representan al pueblo resultan también demasiado esquemáticos en su idealización. Son auténticas, en cambio, y a veces conmovedoras, las figuras secundarias, que circulan por decenas en estos libros: mendigos, viejos enfermos, niños abandonados, ciegos, cojos, jorobados, idiotas, pícaros, prostitutas, indios, negros, mulatos... Una galería ejemplar del mundo de la pobreza.

—¿Es pariente? —le pregunta el niño a la mulata Anastasia, en *Los ojos de los enterrados,* y ella le contesta:
—Ser, no es nada, pero como es pobre es de la familia.

Familia también mal avenida, que se desgarra entre sí, pero donde se filtra a veces la ternura. Esta gente habla un lenguaje inmediato, vivo que expresa la comicidad cruel de la picaresca, o la filosofía resignada de la desgracia largamente sufrida.

Las tres novelas aparecieron sucesivamente entre 1950 y 1960. La más débil de las tres es *Viento fuerte*, aunque tampoco carezca de páginas invadidas por suntuosos paisajes tropicales en los que los hechos y los personajes parecen diluirse. Tal la descripción del «viento fuerte» que azota las plantaciones y arrastra hasta la muerte, convirtiéndolos en mártires, a la insólita pareja de millonarios norteamericanos solidarios con la causa de los campesinos. Asturias emplea en estas descripciones el tono épico que caracteriza buena parte de su poesía. También es épica la descripción de la huelga, con la que termina la última novela de la trilogía. El ciclo se cierra con un triunfo, aunque pequeño, de los trabajadores ante la ya vulnerada empresa norteamericana. La conclusión es optimista, y por demasiado optimista, un tanto retórica: «La Dictadura y la Frutera caían al mismo tiempo, y ya podían cerrar los ojos los enterrados que esperaban el día de la justicia». Muchos muertos han caído desde entonces que todavía no pueden cerrar los ojos, si para ello es necesario que triunfe la justicia.

Miguel Ángel Asturias se entusiasmó, naturalmente, ante ciertos logros alcanzados por el movimiento revolucionario iniciado en Guatemala en 1944, como se conmovió ante el derrocamiento de gobierno democrático en 1954, obtenido con intervención extranjera. Estos sinceros sentimientos pasaron a las novelas del ciclo de la United Fruit y también al libro de cuentos *Week-end en Guatemala*, escrito ya en el destierro; pero al querer encarnar esos sentimientos en personajes comunes de la vida contemporánea, parece que los sentimientos se empobrecen y los personajes se vuelven convencionales. La realidad actual, la más cercana es la menos eficaz en la obra de Asturias. La parte menos convincente de su obra es aquella en la que el escritor se propone demostrar y convencer. No hay discrepancia entre lo que piensa y lo que siente; pero cuando debe expresar lo que piensa, sólo encuentra un lenguaje genérico y gastado; mientras, para decir lo que siente, nuevas y propias imágenes acuden a su requerimiento. Por eso se mueve mucho mejor en el sueño —realidad deformada— que en la realidad misma. Escritor onírico, su prosa da a veces la impresión de estar escrita en una especie de trance, como si reflejara una serie de alucinaciones. Su lucidez es mucho más la de la alucinación que la de la observación objetiva. Por eso, también lo que podríamos llamar su mensaje social es más verdadero y penetrante en los libros en los que no aparece como objetivo directo y determinado, que en aquellos que obedecen explícitamente a esa fórmula.

Se diría que el escritor está continuamente solicitado por dos maneras diferentes y casi opuestas de concebir y de escribir, y, como hemos visto, a las dos responde en igual medida. Pero, mientras a una se entrega con abandono, con gusto, y casi irreflexivamente, a la otra —que es en cierto modo la voz de su conciencia— contesta con la reflexión, la observación y la justicia. Felizmente, también en las obras nacidas de la conciencia —y de la buena conciencia— se introduce subrepticiamente, o a veces con descarada usurpación un poco de inconsciencia... Delirio o juego, magia o locura, condimento necesario que salva lo que corría el riesgo de permanecer atado a la política, a los buenos propósitos, o la simple sintaxis.

La proporción entre la realidad e irrealidad, tan observada a lo largo de cuarenta años, parece que seguirá igual. En las últimas entrevistas, Miguel Ángel Asturias anuncia una novela guatemalteca sobre su generación (una generación —él dice— infiel a sus ideas juveniles), es decir, un libro de carácter histórico y social, que será, en cierto modo, la continuación de *El señor Presidente*. Pero anuncia también una novela fantástica situada en el siglo XVII. No sé cuál de las dos saldrá primero, ni en cuál de las dos estará más presente el más verdadero Miguel Ángel Asturias.

La hipotiposis[1] *del miedo en*
«El señor Presidente»

Carlos Navarro

•

---

[1] Hipotiposis: Descripción viva y eficaz de una persona o cosa por medio del lenguaje.

El miedo, el terror omnipresente de la dictadura, constituye el protagonista principal de *El señor Presidente*. No se trata sólo de un ambiente psicológico colectivo esparcido por los planos más recónditos de la novela. El miedo aquí es un hecho físicamente perceptible, tan palpable como los cuerpos de sus víctimas. En su totalidad estética, *El señor Presidente* es más pictórico que elocuente, más escultórico que literario, más concreto, más visible que alusivo.

En vista de tales cualidades, acometeremos su elucidación reconstruyendo en forma gráfica la imagen global de la obra. Primero el lienzo desnudo, luego el fondo básico; después, los diversos constituyentes esenciales.

Ante todo, pintemos la tela de negro. La oscuridad constituye el fondo del cuadro. Comienza la novela de noche. En lo oscuro, el miedo desempeña un papel de verdugo sadista. El martirio de Mosco, la muerte del Pelele, la pesadilla de Genaro Rodas, el rapto de Camila Canales, la tortura de Niña Fedina, los encarcelamientos, la destrucción de Cara de Ángel, en fin, toda escena de terror ocurre precisamente en lugares oscuros o semioscuros.

Esta falta de luz siempre produce un estado psicológico propicio para el terror. Al perder la visión de los objetos familiares con los cuales identificamos y aun comprobamos el hecho de nuestras existencias, entramos de pronto en una terrible incertidumbre de lo desconocido. Desde luego, si las circunstancias son relativamente normales, el miedo producido por la oscuridad apenas se define. Pero si entramos en lo oscuro, con la expectación previa de algún peligro, la ansiedad suele intensificarse en miedo, en terror. Asimismo, la tristeza, el dolor, el sufrimiento o cualquier otra condición adversa se agudiza con la ausencia de luz.

Pero en la oscuridad de *El señor Presidente* hay todavía mucho más. Ella no sólo elimina la percepción visual, sino que también interrumpe la función de las restantes vías sensorias. Podría considerarse como una sinestesia [2] inversa o negativa, donde lo negro, la ausencia total de colores, también figura como ausencia absoluta de sensaciones auditivas, táctiles, olfatorias y aun aquellas relativas al paladar. De ese modo, el miedo producido por la oscuridad se agudiza extremadamente y se expande hasta invadir todos los sentidos. Si un sitio oscuro nos infunde miedo, este otro despoblado de sonidos, olores y objetos palpables conocidos, produce en nosotros un terror de verdadero espanto.

Pues bien; esta oscuridad psicológica es la que pinta el fondo de nuestro cuadro. Añádanse ahora los diversos personajes con una ansiedad atávica arraigada en generaciones enteras de dictadura política. Todos se hallan de súbito en un pavoroso vacío, sus órganos sensorios reprimidos e hipersensibles, a manera de nervios desnudos. No ven, no oyen, no sienten, pero quieren percibir algo desesperadamente, cualquier cosa que les permita aferrarse al consuelo de una realidad conocida.

Distanciados de todo contacto con la realidad, los personajes esfuerzan sus órganos sensorios con la esperanza de percibir algo del ambiente circundante. Nada ven, nada oyen. Pero de pronto el chirrido de bisagras oxidadas atraviesa el silencio absoluto y entre la sombra surge, cruel, el rostro del verdugo. Dolorosamente aguzados por el miedo, los cinco sentidos de la víctima acuden como relámpagos a percibir aquel sonido u objeto. Toda percepción converge simultáneamente sobre la misma cosa. El chirrido de las bisagras no sólo se oye, sino que también se ve, se huele, se toca y hasta se saborea, y el rostro temido se distorsiona horriblemente.

Tales cambios repentinos de la imperceptibilidad a la percepción no altera la oscuridad sensoria imperante. La víctima sólo ve, sólo oye aquella cara y aquel sonido. Nada más. Todo lo que no está relacionado con el miedo permanece

---

[2] Sinestesia: percepción por vías sensorias ajenas al estímulo, e. g., ver sonidos, oír colores, palpar música, etc.

como antes, completamente oscuro. De esa manera, la dirección de los sentidos nunca puede desviarse hacia apoyos consoladores. La única comunicación de la víctima es con el inmediato objeto causante del terror. Tan intensa es la atención sensoria, que a veces la oscuridad misma, el absoluto silencio, se siente como algo concreto.

En el capítulo II los pordioseros, testigos del asesinato del coronel José Parrales Sonriente, son interrogados en la estación de policía. Antes de entrar en la celda tienen que despojarse de todas sus posesiones. Una vez en la oscuridad buscan «alrededor de ellos su inseparable costal de provisiones» [3], objetos familiares que, en tales momentos de tensión nerviosa, les hubiese ofrecido cierto apoyo psicológico. El Mosco, un ciego a quien le faltan las piernas, es arrastrado como un mico hacia la celda. Al abrirse la puerta, los otros mendigos advierten el penetrante sonido de los cerrojos como «dientes de lobo». Es el terror que entra a devorarles las entrañas. «Lagrimean como animales con moquillo, atormentados por la oscuridad que sentían que no se les iba a despegar más de los ojos; por el miedo —estaban allí, donde tantos y tantos habían padecido hambre y sed hasta la muerte— y porque les infundía pavor que los fueran a hacer jabón de coche, como a los chuchos, o a degollarlos para darle de comer a la policía. Las caras de los antropófagos, iluminadas como faroles, avanzaban por las tinieblas, los cachetes como nalgas, los bigotes como babas de chocolate...» (15).

En la oscuridad, presintiendo, temerosos, las atrocidades de la policía, lo único que los mendigos oyen es el llanto de sus compañeros, pusilánime lagrimeo que en vez de proporcionarles alivio mutuo, contagia el terror entre ellos. Ávidos de percepción, la oscuridad misma se les hace tangible. Luego, las caras de los esbirros, sólo las caras, horriblemente deformadas por el pavor insoportable. Y de repente, otro sonido discordante, dolorosamente desagradable en la anticipación de la tortura: «En ese momento chirriaron las bisagras de la puerta, que se abre como rajándose para dar paso a otro mendigo» (16).

---

[3] Miguel Ángel Asturias: *El Señor Presidente*, tercera edición, Editorial Losada (Buenos Aires, 1959), p. 16. Todas las citas que siguen se toman de esta edición. El número al final de la cita indica la página a la cual corresponde.

Más adelante, el primer atormentado percibe entre sus
propios gritos la voz del auditor como chorro de sangre en
el oído. Oye esa voz, la siente como líquido y la ve color rojo
de sangre. Detrás de los lentes de miope, los ojos del inqui-
sidor relampaguean a modo de basilisco enfurecido.

Los sonidos de tono penetrante suelen ser reforzados estéticamente por su reproducción onomatopéyica y el significado insinuativo de ciertas palabras inmediatas. Por ejemplo, obsérvese cómo en la última cita la palabra «rajándose»
acentúa el chirrido de las bisagras e intensifica la sensación
de la tortura próxima.

Capítulo III: confuso por el asesinato que acaba de co-
meter, el idiota Pelele, victimario de Parrales Sonriente, se
refugia en un basurero. Allí, entre la inmundicia, se queda
dormido. De pronto es atacado por una bandada de zopilotes habrientos. Malherido, aterrorizado, el idiota cae semi-
inconsciente por un despeñadero. Ya es la noche absoluta
de los sentidos. Las cosas se le imponen como objetos agu-
dos, semejantes, por asociación directa, a los picotazos de
las aves carniceras. Las luces apuñalan en la sombra, las
uñas aceradas de la fiebre le asierran la frente, espuelas de
gallos surgen en su pesadilla como navajas ensangrentadas,
el hipo lo picotea, la entrepierna quebrada le duele como
tijera húmeda.

En el capítulo X el general Eusebio Canales, acusado del
asesinato, decide fugarse esa misma noche. Un miedo elec-
trizante se apodera del militar. La inesperada noticia de la
injusta acusación licúa su paso marcial en «carrerita de indio que va al mercado a vender una gallina» (65). El trotar
de espías invisibles le va pisando los calcañales. Las calles
del camino a su casa se hacen cada vez más largas, interminables. Luego, en la penumbra de su habitación, las ventanas herméticamente cerradas, el general explica en una
carta apresurada la razón de su propuesta fuga. El silencio
se apodera de la casa. Sólo se oyen las nerviosas toses del
militar, las carreras de su hija, los sollozos de la sirvienta
y el abrir y cerrar de puertas, sonidos que al anunciar el
peligro venidero se perciben con todos los sentidos. El silencio mismo se torna «acartonado, amordazante, molesto como
ropa extraña» (69).

La impresionante escena del ojo de vidrio en el capítulo IX ocurre en la habitación oscura de Genaro Rodas, testigo del asesinato del idiota asesino del coronel José Parrales Sonriente. Perturbado por el crimen que acaba de presenciar, Genaro se refugia en la sombra que baña la cuna de su hijo. Silencio absoluto. Ni siquiera advierte la voz de su mujer que le habla de cerca. El fantasma de la muerte comienza ahora a surgir de la cuna, como saliendo de un ataúd. Es un espectro color «clara de huevo, con nube en los ojos, sin pelo, sin cejas, sin dientes» (61), visión horripilante con asqueroso sabor de baba viscosa. El fantasma se trueca en esqueleto de mujer con senos caídos, «flácidos y velludos como ratas colgando sobre la trampa de las costillas» (91). Las palabras de su mujer arropan al esqueleto. Sonidos con cualidad de tela pegajosa. Aparece ahora un ojo de vidrio paseándose por la mano, por los dedos del testigo. En su creciente horror. Genaro se siente perdido en subterráneos, rodeado de murciélagos por la penumbra. Sale por fin de la pieza estrellándose contra el sonido petrificado de los pasos que suenan en la calle. Frío y pegajoso, el ojo del muerto deja su mirada acusadora impresa en la conciencia de Genaro Rodas.

En el capítulo XVI la esposa de Genaro es encarcelada por sospecha de complicidad en la fuga del general Eusebio Canales. La celda, fría y oscura, se puebla del murmullo monótono de reclusas que cantan afuera «tonadas con sabor de legumbres crudas» (112). Percepción auditiva parcial, penumbra de sonidos. De vez en cuando repentinos gritos de prisioneras en tortura. Eso es todo lo que la niña Fedina oye. En las paredes divisa telarañas de dibujos indecentes. Muda de pavor, cierra los ojos y en su oscuridad íntima un cielo negro le enseña estrellas como «lobo de dientes». Por el suelo un sexo se va arrastrando por su propio vello. Una voz destemplada, desagradable, anuncia cantando la prostitución que espera a Niña Fedina. La canción se siente, se ve, como millares de heridas que lijan el pudor femenino. La sombra le aprieta la garganta. Los brazos de Niña Fedina se hacen cada vez más largos, y pierden perspectiva en la oscuridad de los sentidos. De pronto el chirrido de los cerrojos. La víctima recoge los pies, como si se sintiese al borde de un precipicio. Son los esbirros que entran para llevarla a la sala de interrogación.

En el capítulo XVIII, la hija del general Canales, Camila, busca refugio en la casa de sus tíos, con los cuales siempre ha tenido estrechas relaciones familiares. Pero éstos no le abren la puerta por temor a las represalias del señor Presidente. De noche, Camila llega a la casa. Sus desesperados «toquidos» en la puerta cobran en la oscuridad solidez de piedras lanzadas contra el silencio, que a Camila se le va haciendo «tranca en la garganta» (130). Sólo le responden los ladridos del perro de la casa. Toquidos y ladridos adquieren, en contrapunto, agudeza de filo cortante. La desesperación, el miedo de Juan Canales pesa sobre la oscuridad, dentro de la casa. Una ventana hace ruido de rasguño, pero no se abre. Los toquidos corren visiblemente por la casa como cohetes encendidos.

Las restantes escenas de terror se desarrollan conforme al mismo patrón: primero la oscuridad total de los sentidos; luego, la atención extremada de los órganos sensorios, intensificada de antemano por una ansiedad previa; la completa ausencia de cosas no relacionadas con el miedo; después, la visión, el olor, el sonido, el sabor, el contacto repentino; finalmente, las sinestesias y distorsiones subsiguientes.

Todo este proceso produce una hipotiposis dinámica del miedo. Como protagonista principal, su fisionomía, siempre cambiante, gira en torno a la figura odiosa del señor Presidente, epítome de toda una tradición corrosiva y maligna. El miedo constituye un cúmulo interminable de alucinaciones espeluznantes que entretejen la realidad cotidiana de los infelices sometidos a la crueldad de la dictadura.

Junto con el terror, a manera de vestidura complementaria, aparece el elemento repugnante y grotesco. Los personajes de la novela descienden, en diversos grados, hasta un nivel equivalente a los instintos de animales acorralados. Los pordioseros del primer capítulo epitomizan el orbe social, fruto de la tiranía despiadada. Se comportan como verdaderas alimañas, escupiéndose, mordiéndose en arrebatos de rabia bestial. «Nunca se supo que se socorrieran entre ellos; avaros de sus desperdicios, como todo mendigo preferían darlos a los perros antes que a sus compañeros de infortunio» (10).

La presencia ubicua de animales verdaderos en el medio

social humano acrecienta este lóbrego ambiente de bestialidad. El perro contribuye, más que ningún otro, a fomentar el miedo con sus ladridos e inspirando asco con sus funciones biológicas: la noche de la muerte del Pelele, un perro vomita en la puerta del Sagrario. Así, todos los animales, fuera y dentro de comparaciones con hombres, infunden repugnancia con su mera presencia: gusanos, moscas, zopilotes, arañas, alacranes, lagartos, ratas muertas, culebras.

Los más feroces personifican a los victimarios, los esbirros de la dictadura, mientras que los cobardes, los escurridizos, representan a las víctimas abestiadas.

Ciertas fieras carnívoras como el lobo, por ejemplo, figuran reiteradamente en la hipotiposis del miedo. Los seres humanos, aún como seres humanos, causan la misma repugnancia. Son todos cadáveres en diversos grados de putrefacción. Como animales enfermos pasan ante el lector, derramando de sus cuerpos cariados chorros de baba, de vómito, de gargajos. El policía Lucio Vázquez escupe algo que se «jala de las narices»; los escupitajos de sus secuaces golpean el piso como balazos húmedos. El señor Presidente empapa a Cara de Ángel con el hediondo vómito anaranjado de su borrachera.

Otro aspecto importante del cuadro íntegro es la actividad subconsciente de las víctimas. Se manifiesta mediante dos procedimientos: el sueño o, mejor dicho, la pesadilla, y el chorro de la conciencia (*stream of consciousness*). En ambos casos la expresión subconsciente remeda a la realidad consciente. Los mismos horrores del ambiente social se repiten en los sueños y en la tumultuosa agitación del pensamiento perturbado. La pordiosera ciega del primer capítulo se sueña cubierta de moscas, colgada de un clavo como la carne en las carnicerías. Recordando atropelladamente los acontecimientos relacionados con la fuga del general Canales, Cara de Ángel piensa que los hombres orinan hijos en el cementerio. No existe escape posible. Si por casualidad surge un sueño grato o un pensamiento consolador, el alivio que pudiera haber proporcionado se trueca, por contraste con las circunstancias, en la angustiosa certeza de la dicha inasequible, algo así como el agua fresca, visible, pero fuera del alcance para los que mueren de sed.

La absoluta oscuridad de los sentidos sirve también como

ambiente propicio para la actividad subconsciente. Despobladas las avivadas vías sensorias, el movimiento cerebral del atormentado se acelera vertiginosamente. Las pesadillas de los mendigos ocurren de noche, entre las sombras. En el capítulo XXI, Cara de Ángel, el favorito del señor Presidente, salta a la cama buscando la panacea del sueño, el alivio del no ser. La habitación está a oscuras. El favorito se figura estar en una isla rodeada de penumbras, de hechos inmóviles, pulverizados. Sus sentidos van perdiendo contacto con la cama, con las cosas a su alrededor. No puede dormir, pero entra en el sueño perturbado del *stream of consciusness*, donde la impacable imagen del miedo lo persigue hasta lo más íntimo de sus pensamientos.

El cuadro ahora se va completando con el matiz de la espera fallida: lo que no acaba de llegar. La ansiedad de los personajes se prolonga de un modo interminable, como el tormento del perseguido, cuyos movimientos de escape se van paralizando con la aproximación del peligro. Para los mendigos, ansiosos de regresar al refugio del Portal del Señor, las calles aparecen anchas como mares. Asustado como bestia, el idiota Pelele corre desparovido por la ciudad como el que «escapa de una prisión cuyos muros de niebla a más correr, más se alejan» (21). Camila Canales sufre la tortura, como de quien ha esperado una eternidad, llamando inútilmente a la puerta de su tío acobardado. En el capítulo XXXI, la esposa del licenciado Carvajal trata desesperadamente de salvar la vida de su marido, al saber que éste ha sido condenado a muerte por supuesta complicidad en el asesinato de Parrales Sonriente. La señora de Carvajal se dirige a la residencia presidencial con el fin de conseguir el perdón del tirano. Pero el coche que la lleva no acaba de llegar. Por mucho que corre no acaba de llegar, cada vez más lento, como si nada pasara.

Estéticamente, dicha sensación se refuerza mediante la dilatación tipográfica de palabras y frases. Los mendigos, burlándose del Pelele, arrebatan «del aire la car-car-car-car-cajada, del aire, del aire... la car-car-car-car-cajada» interminable. Cuando Cara de Ángel trae a Camila noticias de su padre, el favorito aconseja a la joven que esté «cal-ma-da» (90). Después de la escena de los toquidos en la puerta de su tío, Camilo y Cara de Ángel se encuentran con un cartero borracho que va arrojando cartas por el camino. Ayudan, inútilmente, a recogerlas, y el cartero les la las gracias: «Mu...uchas gra...cias...; les... digo... que mu...chas... gracias!» (133). En su carrera desbocada hacia la casa del señor Presidente, la esposa de Carvajal le arrebata el látigo al cochero. «No podía seguir así... Sí, sí, sí, sí... Que sí..., que no..., que sí..., que no..., que sí..., que no... ¿Pero por qué no?... ¿Cómo no no?... Que sí..., que no..., que sí..., que no...» (226).

Empeñado en destruir a Cara de Ángel, el señor Presidente asigna a su favorito una presunta misión diplomática. El que antes había sido bello y malo como Satán no se percata ahora del diabólico plan del tirano. Sumergido en la felicidad de su matrimonio con Camila y ansioso de escaparse de la odiada dictadura, Miguel Cara de Ángel considera el supuesto viaje al extranjero como el primer paso de su libertad. Tarde se da cuenta de que todo ha sido un engaño. Cuando llega al puerto de embarque, los esbirros del señor Presidente lo están esperando. El jefe de la cuadrilla, el verdugo más brutal, es nada menos que un militar a quien Cara de Ángel, en otros tiempos, le había salvado la vida. El favorito es llevado, incomunicado, a una celda oscura donde muere luego de «disentería pútrida» (296), al creerse la mentira de que Camila se había convertido en amante del señor Presidente. Camila, a su vez, envejece prematuramente, convencida de que su esposo la ha abandonado. Quedan así sádicamente destruidos, de cuerpo y alma, dos seres que osaron existir independientes de los caprichos del «Presidente Constitucional de la República, jefe del Partido Liberal, Benemérito de la Patria, Protector de la mujer desvalida, del niño y de la instrucción».

En el tren que lo conduce a la muerte, Cara de Ángel ve pasar por la ventana una sucesión de objetos que vuelven a repetirse una vez terminada la serie. Luego experimenta un horrible presentimiento de inminente destrucción. «Seguía la tierra baja, plana, caliente, inalterable de la costa con los ojos perdidos de sueño y la sensación confusa de ir en el tren, de no ir en el tren, de irse quedando atrás del tren, cada vez más atrás del tren, más atrás del tren, más atrás del tren, más atrás del tren, cada vez más atrás, cada vez más atrás, cada vez más atrás, más y más cada vez, cada

ver cada vez, cada ver cada vez, cada ver cada vez, cada ver
cada vez, cada vez, cada ver, cada ver cada ver cada
ver...» (227).

Este momento infernal, sin duda el más impresionante
de la novela, maravillosamente integra, con el ritmo onomatopéyico del correr del tren, el horror de la muerte y la
✓ sensación de no llegar jamás. El tiempo no transcurre para
las víctimas. Sus agonías se prolongan en una existencia
desesperada, interminable, más muerte que vida. En efecto,
los personajes sufren la descomposición orgánica de la
muerte estando aún vivos. Cuando por fin dejan de existir,
es porque están completamente podridos, por dentro y por
fuera, reducidos, como Cara de Ángel, a una «telaraña de
polvo húmedo» (296). Esta putrefacción prolongada se hace
patente en la tropa de pordioseros en los primeros capítulos. Pedazos de hombre, sin ojos, sin dientes, sin piernas,
inmundos, como asquerosos animales en la «lumbre de
alumbre sobre la podredumbre» (9). Son ellos la síntesis
del mundo esclavo bajo el gobierno del Benemérito de la
Patria.

La paralización del tiempo prevalece en toda la novela.
El lector experimenta la misma sensación que sufren los
personajes: nada transcurre. Las personas, los hechos, los
lugares se repiten y son siempre los mismos. Comienza y
termina la obra con el mismo doblar de campanas. Todos
desconocen el año y la fecha en que están viviendo. No existen ayeres ni mañanas. La primera parte ocurre el 21, 22 y
23 de abril; la segunda el 24, 25, 26 y 27 del mismo u otro
abril; la tercera, semanas, meses, años que son todos iguales. Lucio Vázquez, asesino del Pelele, no sabe ni le importa
la edad que tiene. La ciega que se sueña colgada de un clavo cubierta de moscas, se repite en la criada de Camila, que
advierte una nube de moscas alrededor de sus ojos destrozados. La sordomuda encinta que llora porque siente un
hijo en las entrañas, se repite en Niña Fedina, quien hace de
su cuerpo la sepultura de su niño difunto, callada y ensor-
decida como las tumbas. La tiranía no permite que el tiempo transcurra; su estancamiento depende de la paralización
de toda vida normal y coadyuva eficazmente a la desintegración del orden natural.

Esta paralización del tiempo concuerda perfectamente

con el fondo de oscuridad sensoria. Si los sentidos no perciben, inevitablemente pierden toda noción de espacio y tiempo. Si solamente perciben imágenes de terror, también pierder todo concepto de cambio, ya que las sensaciones que experimentan no son más que distintos aspectos del mismo hecho. La hipotiposis del miedo, a su vez, da relieve, a la expresión estética de dicha paralización, donde lo intangible adquiere solidez de viscosidad tremebunda. El aire, las ideas, los sentimientos, la materia fluida que mana con el correr del tiempo, todo se paraliza como un único coágulo amazacotado. Los pordioseros arrebatan del aire glutinoso la carcajada que no termina, sus voces de torturados se alzan del suelo para «engordar el escándalo» (10), el hambre les salta en los dientes, la atmósfera duele «como cuando va a temblar» (13), «el silencio ordeñaba el eco espeso de los pasos» (48).

En síntesis, no hay en *El señor Presidente* nada que no esté de una manera u otra vinculado con el terror de la dictadura. Todo espacio y tiempo se concentra en un mundo infernal donde ni siquiera la esperanza existe. Es este miedo, tan cruel como repugnante, el único motivo, el principal protagonista, la verdadera esencia de la obra, caudal inagotable de variaciones sobre un solo tema. Con la asombrosa magia de su prosa poética, Miguel Ángel Asturias ha logrado una de las realidades novelescas más impresionantes de nuestra literatura hispánica.

La desintegración social en
«El señor Presidente»

Carlos Navarro

Introduccion

Para componer la pesadilla de *El señor Presidente* [1], Miguel Ángel Asturias extrae una dictadura hispanoamericana de sus nexos históricos, despoja a sus víctimas de las pocas condiciones favorables que éstas pudieron haber gozado, y luego comprime el preponderante residuo en un acelerado montaje de putrefacción social. Sin la fuerza compensadora de elementos positivos —por muy escasos que éstos hayan sido en el modelo original— la armazón social y humana de la dictadura ficticia se desmorona vertiginosamente. Todo en ese mundo castrado se desintegra tan pronto como nace. Luego la podredumbre vuelve a nutrirse con los impotentes fragmentos de vida que, a modo de castigo infernal, siguen surgiendo de la nada. Aunque desaparezca el hombre particular, la humanidad queda paralizada en una destrucción perpetua.

El enajenamiento

Observamos, ante todo, que los vínculos humanos más fundamentales se deshacen inmediatamente, o no existen. Tan inesperadas son las rupturas entre parientes y amigos, que el individuo nunca se puede prevenir ni adaptar a su repentino enajenamiento. Y una vez efectuada, la separación es tan completa, que no permite restauración alguna. Otros personajes pasan por la novela sin establecer un solo contacto humano.

El idiota Pelele, por ejemplo, pierde a su madre, su único ser querido, en algún pasado remoto. Cuando alguien menciona la palabra madre y le recuerda que la suya ya no existe, el Pelele se descontrola histéricamente (10). Y los otros pordioseros, en vez de consolarlo, se divierten burlándose de su desgracia. El Pelele entonces huye, en busca de amparo, pero a donde quiera que vaya su prójimo lo rechaza: «Entraba en las casas en busca de asilo, pero de las casas lo echaban los perros o los criados. Lo echaban de los templos, de las tiendas, de todas partes» (12).

Entre los pordioseros no existe amistad alguna. Duermen juntos en el Portal del Señor, porque no les queda más remedio. A pesar de su pobreza común, los unos a los otros se tratan como animales enemigos: «Se juntaban a dormir en el Portal del Señor sin más lazo común que la miseria, maldiciendo uno de otros, insultándose a regañadientes con tirria de enemigos que buscan pleito, riñiendo muchas veces a codazos y algunos con tierra y todo, revolcones, en los que tras escupirse, se mordían» (9).

Miguel Cara de Ángel sale a escena sin un solo vínculo. La primera y última vez que establece un contacto es cuando se enamora de Camila Canales y se casa con ella (219), subrepticiamente y en contra de la desintegración prevalente. Su amor, pues, constituye un hecho constructivo que el señor Presidente, el dios, o diablo, de la destrucción, tiene que anular para mantener su dominación. Pero como el nexo ya está logrado, el tirano espera que se consuma bien, para que duela y desgarre más cuando por fin lo rompa.

Arrebatada para siempre de su padre y de su nana Chabela (78), y luego repudiada por sus tíos (134), Camila se aferra entrañablemente al amor de Cara de Ángel. No obstante, la pareja presiente el castigo fatal, y, sin poderlo evitar, ambos van preparando su propia destrucción al tratar de evadirla. El uno busca refugio en el otro y así van sellando el lazo de vida que les apresta la muerte: «Y les daba tanto miedo haber corrido este peligro, que si estaban separados se buscaban, si se veían cerca se abrazaban, si se tenían en los brazos se estrechaban y además de estrecharse se besaban y además de besarse se buscaban y al mirarse unidos se encontraban tan claros, tan dichosos, que caían en una transparente falta de memoria» (252).

La inevitable ruptura comienza cuando la policía frustra la fuga de Cara de Ángel (278). Con simbólico desprecio, los demonios del Tirano arrancan al «favorito» su anillo de matrimonio, el eslabón que hasta entonces lo había unido a Camila: «Por un escupitajo resbaló dedo afuera el aro en que estaba grabado el nombre de su esposa» (279).

Cara de Ángel, sin embargo, no pierde las esperanzas todavía. El jefe de la patrulla es el mayor Farfán, a quien Cara de Ángel, en otra ocasión, le había salvado la vida. El ex favorito espera que el mayor le devuelva el favor, siquiera informándole a Camila lo que ha sucedido: «Por lo menos que mi mujer sepa que me pegaron dos tiros, me enterraron y parta sin novedad» (280). La dictadura lo podrá matar físicamente, pero no lo puede destruir del todo mientras él y Camila permanezcan espiritualmente unidos. Por eso es tan importante para el prisionero que su esposa sepa que él no la abandonó, y, por otra parte, tan necesario para sus victimarios que ella crea lo contrario. La policía, pues, lo detiene incomunicado, e inmediatamente lo encierra en un calabozo solitario (291).

Cara de Ángel pronto queda reducido a un espectro ambulante. Sólo lo mantiene vivo el recuerdo de Camila: «Lo único y lo último que alentaba en él era la esperanza de volver a ver a su esposa» (295). La víctima, pues, está ya lista para recibir el golpe final. Un agente secreto, la única voz humana que oye desde el día de su encarcelamiento, le comunica que Camila, por venganza, se había hecho amante del señor Presidente. Al oír la mentira, lo poco que queda del reo termina de desintegrarse: «Una telaraña de polvo húmedo había caído al suelo» (296).

Fedina Rodas sufre el suplicio de no poderle dar de mamar a su hijo, que está llorando de hambre al otro lado de una puerta de hierro (120). El niño por fin muere (154) y la muchacha, medio loca, va a parar a un hospital (283). Allí se encierra y nunca más vuelve a ver a su esposo Genaro.

La señora de Carvajal presiente la destrucción de su marido a través de los muros del presidio que los separa (229). Pero no puede verlo. La policía ni siquiera le permite que se consuele con la posesión del cadáver (237).

Don Benjamín, el titiritero, y su esposa, doña Venjamón, se odian (57). Juan y Judith Canales, al desamparar a su sobrina, experimentan un irrevocable vacío de conciencia en su matrimonio (111). El doctor Luis Barreño ha perdido el amor y respeto de su esposa, y también su fidelidad, pues ésta lo había estado engañando con el asesino de su padre (36).

La Masacuata pierde a Lucio Vázquez tan pronto como
se enamora de él (128). «Ese animal» queda tan bien castigado que no vuelve a ver a su familia (38). Esposas y madres esperan, sin esperanza alguna, a los numerosos prisioneros políticos encerrados en las mazmorras de la Dictadura (14).

La acción destructura no permite, sobre todo, que exista el amor materno, el nexo humano más fundamental, y el
origen de la vida misma. El Pelele, Camila, Cara de Ángel, y
aun el Presidente, pierden sus respectivas madres en algún
pasado borroso. A la mayoría de los personajes femeninos
no se le conocen hijos: Chabela, la Masacuata, doña Venjamón, Judith Canales, la señora de Barreño, las tres hermanas solteras (198), las enfermeras de Camila (219), doña
Chón, las prostitutas del Dulce Encanto.

En el Portal del Señor una de las pordioseras llora enloquecida porque siente un hijo en las entrañas (10). El Pelele
nace a modo de enfermedad que destruye a su madre y repugna al borracho que la preñó: «En su agonía se juntaron la cabeza desproporcionada de su hijo —una cabezota
redonda y con dos coronillas como luna— las caras huesudas de todos los enfermos del hospital y los gestos de miedo,
de asco, de hipo, de ansia, de vómito del gallero borracho» (25).

La vida naciente se trueca repentinamente en muerte estéril cuando la Dictadura prohíbe que Niña Fedina alimente
a su hijo. El bautizo del niño, que iba a celebrarse en esos
días (113), es sustituido por un grotesco velorio en el cual
las prostitutas del Dulce Encanto reciben al cadáver como
hijo adoptivo: «Todas querían ver y besar al niño, besarlo
muchas veces, y se lo arrebataban de las manos, de las bocas. Una máscara de saliva de vicio cubrió la carita arrugada
del cadáver, que ya olía mal» (160).

Una de las numerosas viejas anónimas que esperan inútilmente a sus hijos, resume con su llanto perenne la esterilidad humana bajo la Dictadura: «Una anciana palúdica y
ojosa se bañaba en lágrimas, callada, como dando a entender que su pena de madre era más amarga» (14).

La única unión materna que parece lograrse es la de Ca

mila y Miguelito. Pero para ello, madre e hijo tienen que salir de la ciudad; es decir, del ambiente de la novela (290).

La desunión

Fuera de los lazos evanescentes entre seres queridos y los encuentros cacofónicos entre víctimas y verdugos, los personajes generalmente se desconocen o se ignoran. Aunque casi todos están directa o indirectamente eslabonados en el encadenamiento de sucesos desatado por el asesinato de Parrales Sonriente, la mayoría de ellos obran como si estuvieran completamente desconectados. Y la poca comunicación que existe está tan obstruida por la mentira, el miedo, la locura, que apenas se entienden. Tales encuentros, además, suelen ser efímeros, y los interlocutores, en la mayoría de los casos, no se vuelven a encontrar. La idea de cooperación, de acción colectiva, por consiguiente, no existe en *El señor Presidente*. Los personajes transitan por la novela totalmente solos, como impotentes nulidades perdidas en una turba invisible.

En una cita que acontece fuera de escena, Cara de Ángel y el General Canales trazan un plan que ambos consideran absurdo, pero, debido a la duplicidad de las circunstancias, el único factible: «Aquello no tenía pies ni cabeza, y si el general y el favorito, a pesar de entenderlo así lo encontraron aceptable, fue porque uno y otro lo juzgó para sus adentros trampa de doble fondo.» (73). El favorito y el general, pues, están juntos, pero fuera de contacto. Este mismo plan constituye el terreno común de comunicación entre Cara de Ángel, Lucio Vázquez, la Masacuata y la pandilla de maleantes contratada por el favorito (75). Vázquez, además, finge creerse la mentira de Cara de Ángel, pero sospecha otra cosa (52), que tampoco es cierto. Y como no le comunica esta sospecha a la Masacuata, su amante, los miembros del grupo están maquinando juntos, pero actuando por separado. El leñador que ayuda a Cara de Ángel a sacar al Pelele del basurero no está colaborando con el favorito, sino con lo que él cree que es un ángel (29). Pelele, a su vez, no sabe quiénes son sus benefactores, y viceversa. Cara de Ángel y Genaro Rodas se encuentran una sola vez, y no se hablan (282). El favorito previene al mayor Farfán cuando éste está borracho y no habla ni oye bien (183). Luego Farfán le corresponde con una brutal paliza (282). Cara de Ángel, por otra parte, no le había hecho el favor a Farfán por amistad, sino para redimirse él ante Dios con un falso acto de caridad (180).

La única conversación entre el favorito y doña Chón carece de unidad, porque ambos quieren tratar asuntos distintos. El uno no pone ninguna atención a lo que el otro dice, y en el único momento de interés mutuo, cuando doña Chón le cuenta a Cara de Ángel lo acaecido a Niña Fedina, Cara de Ángel confunde a la muchacha con la criada de Camila, lo cual indica que el favorito no estaba enterado de la muerte de Chabela y desconocía quién era Fedina Rodas (172-176).

El favorito, sin embargo, nunca se entera, porque pierde interés en ellas tan pronto como deja a doña Chón. Asimismo se olvida de todo el mundo. Después de su matrimonio, menciona al general Canales una sola vez, y nunca más menciona a Lucio Vásquez o a la Masacuata. La única conversación entre el favorito y los tíos de Camila se desarrolla a través de un vacío infranqueable (110).

Ahora bien: si el personaje más peripatético y ubicuo de la novela sólo logra unos contactos efímeros, los otros apenas salen de su aislamiento. Camila, por ejemplo, sólo se ve hablando en dos breves ocasiones con la propietaria de la taberna en donde se esconde la mayor parte de la novela (87) (129). A Lucio Vásquez no le dirige una sola palabra. Después de su matrimonio no los vuelve a mencionar. Su vínculo con Niña Fedina —ella le había prometido ser la madrina del niño (64)— existió en un pasado desconocido. Camila nunca se entera de la desgracia de Fedina.

Fedina, a su vez, deja de hablar después de la muerte de su hijo (155). El Pelele no puede comunicarse con nadie, porque es idiota y mudo (51). Entre Carvajal y sus compañeros de celda hay tanta distancia comunicativa que la conversación desarticulada entre ellos aparece como tres voces anónimas en la oscuridad (207). A pesar de su supuesta complicidad en el asesinato de Parrales Sonriente, Carvajal y Canales nunca se cruzan, ni se mencionan.

Perdidos en su desunión, Chabela no se entera de la fuga del General Canales, el Auditor no sabe que el favorito está obrando bajo las órdenes del presidente (139), Cara de Ángel no se da cuenta que es vigilado por Genaro Rodas (243) y espiado por sus dos criadas, una de las cuales no sospecha que es espiada por la otra: «Allí, la cocinera que espiaba al amo y a la de adentro que espiaba al amo y a la cocinera...» (69).

El general Canales, aparentemente, es el único personaje que logra la cooperación de sus semejantes. Cara de Ángel le salva la vida, un indio lo conduce hasta la casa de sus tres amigas (197), éstas lo protegen y allanan los últimos obstáculos de su fuga (201), un contrabandista anónimo lo lleva al otro lado de la frontera (203). Y la progresión positiva parece consumarse cuando Canales organiza el ejército rebelde y se apresta a liberar al país (259).

En la superficie, como parte del argumento, la esperanza despertada por Canales reside sencillamente en la fuerza potencial de su ejército. Pero en un nivel dimensional, dentro del proceso destructor detrás del argumento, dicha esperanza estriba en el aparente éxito del esfuerzo colectivo, el único en la novela.

Pero todo resulta ser falso. Las fuerzas rebeldes se organizan fuera de escena, y se desintegran en cuanto surgen ante el lector (260). Sabemos que se logró algo, pero nunca lo vemos, en ningún nivel. No hay ni acción colectiva visible ni revolución. Canales muere el mismo día de la invasión, y el ejército libertador se dispersa irremediablemente (261).

La mentira

En su estado de desunión, los personajes, claro está, no pueden mantener un criterio unánime de la verdad. De ahí que cuando hablan o actúan, casi siempre están pensando o haciendo otra cosa. Sus efímeros contactos, por consiguiente, generalmente se basan en suposiciones falsas o, si captan el engaño, en más mentiras y contramentiras.

El encadenamiento de duplicidades comienza cuando el Gobierno oficialmente acusa a Abel Carvajal y a Eusebio

Canales del asesinato del coronel Parrales Sonriente. Los pordioseros, testigos del crimen, al principio tratan de declarar la verdad, que Pelele fue el asesino (17).

Pero la Policía pronto los convence de que la versión falsa del Gobierno es la verdadera. El Mosco, el único que insiste en decir la verdad, es inmediatamente exterminado y transportado al populoso cementerio en un carretón de basuras (19).

La reacción idiota del Pelele es entonces borrada y reemplazada por una crisis nacional inventada por el Estado: «El proceso seguido contra Canales y Carvajal por sedición, rebelión y traición con todos sus agravantes se hinchó de folios; tanto que era imposible leerlo de un tirón.» (213).

Los pordioseros ahora aseveran que vieron a los acusados estrangular a Parrales Sonriente, y acto seguido oyeron a Carvajal decir a Canales: «Ahora que ya quitamos del medio *al de la mulita,* los jefes de los cuarteles no tendrán inconveniente en entregar las armas y reconocerlo a usted, general, como Jefe Supremo del Ejército, corramos pues... para que se proceda a la captura y muerte del Presidente de la República y a la organización de un nuevo gobierno.» (213). La mentira, pues, crece con esta admirable memoria que el Estado le atribuye a sus bestializados testigos.

Cuando el Presidente le encarga a Cara de Ángel la maquinación de la fuga de Canales le da a entender que al Gobierno no le conviene que la Policía lo capture. «Corre a buscarlo, cuéntale lo que sabes y aconséjale, como cosa tuya, que se escape esta misma noche... ni él debe saber esta conversación, solamente tú y yo.» (41).

Cara de Ángel, desde luego, se da cuenta de que el tirano está preparando una trampa: «A este hombre lo van a asesinar al salir de su casa —... un medio ingenioso para dar al crimen cariz legal...» (74).

El favorito, sin embargo, está bien adiestrado en el juego de mentiras, según podemos apreciar por su puesto y por la hipocresía con que suele ablandar al Amo: «Extraño, ya lo creo, para un hombre de la vasta ilustración del señor Presidente, que con sobrada razón se le tiene en el mundo por uno de los primeros estadistas de los tiempos modernos.» (231). Siguiendo, pues, su modo de ser, pero esta vez dejándose guiar por su conciencia, el favorito se empeña en frustrar los planes del tirano sin desobedecer sus órdenes (74).

Para ello, acuerda con una pandilla de delincuentes que si ellos le ayudan a raptar a Camila, él les dejará que saqueen la casa del general. Cara de Ángel les explica que la muchacha, para desorientar a su padre, gritará «¡ladrones!» tan pronto los oiga subir al techo (73). Este plan tan absurdo, aun para sus autores, constituye entonces una serie de mentiras dentro de mentiras, ya que todo el mundo estará fingiendo.

La verdadera intención de Cara de Ángel, desde luego, es crear la mayor confusión posible para que Canales salga inadvertido. Y efectivamente, cuando la pandilla asalta la casa, los polizontes que patrullan las calles olvidan sus órdenes y se cofunden con los delincuentes para colaborar en el saqueo (78).

Al otro día Cara de Ángel visita a Juan Canales para tratar el asunto del traslado de Camila, su sobrina. Pero don Juan, acobardado, se apresura a contestarle que él y su hermano no se llevaban bien: «Estábamos distanciados desde hacía mucho tiempo con mi hermano, que éramos como enemigos... ¡sí, como enemigos a muerte; él no me podía ver ni en pintura y yo menos a él!» (109). Don Juan además reprocha el crimen de su hermano e insiste en su lealtad cívica (103).

Dicha declaración, sin embargo, no coincide con la versión de Camila: «Es Juan el hermano a quien más ha querido mi papá. Siempre me dijo: 'cuando yo falte, te dejaré con Juan, y a él debes buscar y obedecer como si fuera tu padre'. Todavía el domingo comimos juntos.» (126).

Don Juan, además, censura la oferta que, según él, su hermano le había hecho al Presidente para salvarse el pellejo. «Ofreció... ¿cómo dijéramos?... sí, a su hija a un íntimo amigo del Jefe de la Nación..., quien a su vez debía ofrecerla al propio Presidente.» (110). El general Canales, claro está, era incapaz de tal infamia. Pero la infamia corrió como la verdad.

El vínculo matrimonial de Cara de Ángel y Camila es destruido por tres mentiras oficiales. La primera aparece en el periódico unos días después de la boda: «Boda en el gran mundo. Ayer por la noche contrajeron matrimonio la

bella señorita Camila Canales y el señor don Miguel Cara
de Ángel..., boda que fue apadrinada ante la ley por el
Excelentísimo señor Presidente Constitucional de la República, en cuya casa habitación tuvo lugar la ceremonia... y
por los apreciables tíos de la novia don Juan Canales y
don José Antonio del mismo apellido.» (234).

Los amantes, que en verdad se habían casado subrepticiamente en la taberna de la Masacuata, emprenden su breve vida conyugal con la advertencia de que es imposible
actuar fuera de la norma destructora de la Dictadura. Esta
misma mentira sirve a la vez para matar de pena al general Canales (261) y para remorder la conciencia de Camila, cuando ésta se entera de que su padre creyó que ella lo
había traicionado (262).

Luego, cuando el lazo conyugal parece estar bien ligado, el Presidente desenvaina su segunda mentira, la falsa
misión diplomática a los Estados Unidos (279). «Los periódicos publicarán mañana la noticia de tu próxima partida (271), le comunica el tirano a su víctima.

El ex favorito por fin es aniquilado cuando el prisionero en la celda contigua, situado allí para clavarle la última mentira, le cuenta el motivo de su encarcelación: «Había querido enamorar a la prefe... del señor Presidente,
una señora que, según supo, antes que lo metieran a la cárcel por anarquista, era hija de un general, y hacía aquello
por vengarse de su marido que la abandonó» (296). Cara
de Ángel, claro está, no la abandonó, y Canales nunca fue
encarcelado.

Lucio Vázquez extermina al *Pelele*, porque, según las
autoridades, el idiota sufría de rabia y los médicos habían
recetado «que se le introdujera en la piel una onza de plo-
mo» (51). Cuando la Policía detiene a Vázquez por administrar la dosis prescrita, el matón declara que él estaba obrando bajo órdenes secretas del señor Presidente (144). Pero
como Vázquez no puede proveer pruebas de las órdenes por
escrito, el Auditor de Guerra lo condena a muerte. El tirano, aparentemente, le había mandado a Vázquez que
devolviera las órdenes para así evitarse compromisos en la
muerte del verdadero asesino de Parrales Sonriente, y, al
mismo tiempo, eliminar legalmente al verdugo (144). Vázquez y el idiota, desde luego, obstruían con sus meras pre-

sencias el sistema de mentiras elaborado en torno al crimen.

Puesto en libertad inesperadamente, Genaro Rodas sale tan contento que no lee el documento que el Auditor de Guerra le da para firmar. Rodas, desde luego, supone que tiene que ver algo con su absolución, pero el documento, en verdad, dice que él, Genaro Rodas, recibió de doña Concepción Gamucino la suma de 10.000 pesos por los daños que ésta le había causado con la perversión de su esposa, Niña Fedina, en el Dulce Encanto (243).

Doña Chón, en efecto, había pagado 10.000 pesos por Niña Fedina, pero no a Genaro, sino al Auditor de Guerra, quien le había vendido la muchacha. Pero como Fedina no le dio resultado, doña Chón reclama al Auditor sus 10.000 pesos, y como éste se niega a devolvérselos, la madama amenaza con darle las quejas al señor Presidente. El Auditor, sin embargo, le tapa la boca con el documento firmado por Genaro Rodas.

El Presidente, por otra parte, le dice a Cara de Ángel que Camila era la muchacha que el Auditor le había querido vender a doña Chón: «El Auditor de Guerra, de acuerdo con la Policía, pensaba raptar a la que ahora es tu mujer y venderla a la dueña de un prostíbulo, de quien, tú lo sabes, tenía diez mil pesos recibidos a la cuenta» (270).

El Auditor, como hemos visto, es capaz de todo, pero en el caso de Camila no pudo haber tramado nada, porque nunca estuvo enterado del plan de fuga de Cara de Ángel ni del paradero de la muchacha. El negocio fue idea de doña Chón, y afectaba sólo a Niña Fedina (137). Camila nunca fue regalo ni estuvo en venta.

El doctor Luis Barreño no puede ejercer su profesión de ciencias en un mundo donde la verdad suele ser mentira y viceversa. Sus investigaciones muestran que el laxante barato usado en el hospital le estaba perforando el intestino a los enfermos. Para robarse algunos pesos del presupuesto, el Jefe de Sanidad Militar estaba tonificando el purgante oficial con las sobras acídulas de una fábrica de gaseosas (32). El informe de Barreño pone al Presidente furioso, pero no con el Jefe de Sanidad Militar, sino con el médico, por haber descubierto el engaño (33).

Después del suplicio de Fedina, el Auditor confiesa que él sabía que la muchacha no le había mentido: «Sus decla-

raciones me parecían veraces desde el primer momento, y
si apreté el tornillo fue para estar más seguro» (138). Pero
Fedina ya está destruida y su niño muerto.

El omnisapiente *ticher* —espiritista, teósofo, mago, hip-
notista, astrólogo, perito en tesoros ocultos en casas encan-
tadas, y profesor de inglés— nunca ha olvidado los sabios
consejos de su tía: «El inglés es más fácil que el latín y
más útil, y dar clases de inglés es hacer sospechar a los
alumnos que el profesor habla inglés, aunque no le entien-
dan; mejor si no le entienden» (222).

El Presidente Constitucional de la República, autor de
innumerables atrocidades, manda a matar al Pelele, pero,
por otra parte, regaña a Cara de Ángel por no haber sido
más caritativo con el idiota: «Alguien que se precia de ser
amigo del Presidente de la República no abandona en la
calle a un infeliz herido de oculta mano» (39). Cuando «ese
animal» no resiste los doscientos «palos» que él mismo le
receta, el Presidente paga el entierro para quedar bien con
la opinión del pueblo (40).

Este laberinto de mentiras particulares es reforzado exteriormente por el interminable chorro de propaganda que
contamina el ambiente colectivo. El Gobierno está siempre celebrando la gloriosa labor del Primer Mandatario. Su
panegirista oficial, la «Lengua de Vaca», pronuncia en el
capítulo XVI un elocuentísimo discurso, en el cual compara al Presidente con James Fulton, Juan Montalvo, Juan
Santamaría y aun con Jesucristo. Luego, en resumen, la
flor de la oratoria nacional declama algunas de las numerosas virtudes cívicas del Gran Hombre: «¡Viva la Patria!
¡Viva el Presidente Constitucional de la República, Jefe del
Partido Liberal, Benemérito de la Patria, Protector de la
mujer desvalida, del niño y la instrucción!» (103).

El Presidente, desde luego, no tiene ninguna intención
de dejar el poder. Cuando llegan las elecciones, el Gobierno va creando de antemano la opinión pública de que el
pueblo no necesita ni quiere cambio: «¿Por qué aventurar
la barca del Estado en lo que no conocemos, cuando a la
cabeza de ella se encuentra el estadista más completo de
nuestros tiempos, aquel a quien la historia saludaría Grande entre los Grandes, Sabio entre los Sabios, Liberal, Pen-
sador y Demócrata? CONCIUDADANOS, LAS URNAS OS

ESPERAN!! VOTAD!! POR!! NUESTRO!! CANDIDATO!! QUE!! SERÁ!! REELEGIDO!! POR!! EL!! PUEBLO!!» (226). De mentira es también el escenario exterior de la novela. El asqueroso Dulce Encanto está adornado con «cadenas de papel azul y blanco» (167. Las ubicuas estaciones de Policía encierran toda especie de atrocidades, pero por fuera están decoradas con «banderitas y cadenas de papel de china» (99). La inmunda taberna de la Masacuata ostenta un búcaro de rosas artificiales, tributo a la imagen de una falsa virgen de Chiquinquirá (72).

El tirano, pues, no permite nunca que se arraigue la fuerza integrante de la verdad. Dos personas de acuerdo constituirían un nexo social, y los nexos sociales, como hemos visto, trastocan la acción destructora de la Dictadura. La verdad, así como el amor, es una de esas obstrucciones que hay que eliminar para que impere el caos.

La confusión

Sin medios de contactos sociales y comunicativos, los personajes no pueden expresarse ni entenderse debidamente. Los mendigos, por ejemplo, ya no hablan, sino lloriquean, gimen o ululan como bestias (10). El único que una vez dice algo medio inteligible es el *Mosco*, pero nadie le contesta ni escucha (11).

Las prostitutas se pasan el día hablando en jerigonza: «—Indi-*pi*, a-*pa* / —¿yo-*pa*? Pe-*pe*, ro*po*, chu-*pu*, la-*pa*. / —¿Quitin-que? / —¡Na-*pa*, lo-*pa!* / —¡Na-*pa*, la-*pa!*» (166). Tanto cotorrean de este modo, que doña Chón a veces tiene que regañarlas: «¡Cállense, pues, cállense! ¡Qué cosas! Que desde que Dios amanece han de estar ahí *chalaca, chalaca;* parecen animales que no entienden» (166).

El tenue vínculo conyugal entre don Benjamín y doña Venjamón es empeorado por las limitaciones temáticas y distenciones lexicográficas de sus pueriles discusiones: «—¡Ilógico! ¡Ilógico! ¡Ilógico! / —¡Relógico! ¡Relógico! ¡Relógico!... / —¡Relógico! ¡Relógico! ¡Recontralógico! ¡Requetecontrarrelógico!» (58). El titiritero, además, no puede pronunciar muy bien con su boca desdentada: «Cuando el titiritero se apeaba los dientes postizos, para hablar movía la boca chupada como ventosa» (56). Tan distorsionadas salen sus palabras, que ni su mujer lo entiende: «—Pero, Benjamín, no te entiendo nada —y casi jirimiqueando— ¿Querrás entender que no te entiendo nada?» (56).

Juan Canales se deshace en cortesías para ganarse la buena voluntad del favorito del Presidente. Pero Cara de Ángel no le sigue la corriente, ni lo escucha. «Don Juan perdió control sobre sus nervios al oír que sus palabras caían al vacío» (107). Luego don Juan es el que se tapa los oídos cuando Cara de Ángel le presenta el problema de Camila: «Esta vez fue Cara de Ángel el que sintió que sus palabras caían al vacío. Tuvo la impresión de hablar a personas que no entendían español» (110).

Abel Carvajal experimenta la misma dificultad cuando trata de apelar su sentencia de muerte: «La palabra se le deshizo en la boca como pan mojado» (216). Su esposa, por otra parte, balbucea incoherentemente al enterarse de la decisión del jurado: «—¡...le, le, le! / No pudo hablar. / —¡...le, le, le!» (225). Luego la viuda trata de reclamar el cadáver, pero ya la voz se le ha gastado: «La viuda habló con palabras que no se resolvían en sonidos distintos, sino en un como bisbeo de lector cansado» (241).

Sola en la mazmorra con los restos de su hijo, Fedina lloriquea fragmentos del vocablo que identificaba el vínculo que acaba de perder: «Lamento tras lamento balbucía: Hij!... Hij!... Hij!...» (154). Fedina entonces se convierte en la tumba del niño, y no vuelve a hablar (155).

El vacío de su inesperado enajenamiento deja al general Canales sin habla: «En la respiración se le escapaban restos de palabras, de quejas despedazadas...» (65). Ahora el militar ni siquiera puede comunicarse con su hija: «No sé lo que te digo ni tú me entiendes» (68). Camila, asimismo, se queda como sorda y muda, «sin oír bien, sin poder decir otra cosa que, ¡ay Dios mío!» (68).

Aunque Canales y su guía están ligados por la persecución que sufren en común, el indio no entiende nada cuando el general expresa su indignación: «El indio contemplaba al general como un fetiche raro, sin comprender las pocas palabras que decía» (196).

El indio, a su vez, no habla muy bien el castellano (95). Tampoco dominan la lengua el guardia de Genaro Rodas

(242) y los numerosos personajes indios que pasan por la novela ajenos a las costumbres de sus opresores blancos: «Aunque municipales, tenía la felicidad de no entender nada de ɩ.juello» (227).

Los diálogos entre Cara de Ángel, la Masacuata y Lucio Vázquez son tan desarticulados como sus maquinaciones: «¡Vos que pará todo vas saliendo con ese Genaro Rodas, guacal de horchata, mi compañero! / —¿Qué es eso de guacal de horchata?   —indagó   Cara de Ángel. / —Eso es que me parece muerto, que es descoli... ya no sé ni hablar..., descolo-rido, vaya...» / —¿Y qué tiene que ver? / —Que yo vea no hay inconveniente... / ...Pues, sí hay, y perdone, señor que le corte la palabra...» (45).

Camila nunca recibe las cartas de su padre, y la llamada anónima que le echa la culpa de su muerte, no la deja aclarar la verdad: «¡No es verdad, no fue padri...! ¡Aló! ¡Aló! —ya habían cortado la comunicación» (262).

Asimismo se interrumpe el anónimo que le comunica a la viuda de Carvajal el paradero del cadáver de su marido: «Supe que el Auditor se encargó de dar sepultura a los cadá... / La carta se cortaba de golpe, faltaba la continuación» (240).

De vuelta al Tus-Tep, después de haberse pasado la noche tocando inútilmente a la puerta de los Canales, Camila y Cara de Ángel se encuentran con un cartero borracho, que va dejando caer las cartas por las calles. La pareja le ayuda al borracho a recoger las cartas, y éste, sin comprender nada, le balbucea las gracias: «¡Mu... chas gra... cias...; le es... digo... que... mu... uchas gra... cias!» (133). Pero los mensajes nunca llegarán. El mensajero, atontado por el narcótico de la Dictadura, los dejará caer de nuevo tan pronto doble la esquina.

Los personajes, en fin, no pueden trasmitir los pocos pensamientos que les quedan. Como no tienen a nadie que los escuche, y la verdad no existe, inexorablemente van perdiendo sus facultades comunicativas y, en muchos casos, dejan de pensar del todo.

El estancamiento

Los personajes, pues, quedan física y mentalmente ena-
jenados, y aun dislocados de sus propios seres. Por consiguiente, todo movimiento colectivo o individual es, o termina siendo, divisorio. Fuera del orden caótico de la Dictadura no puede haber nada. Cuando alguien trata de obrar
constructivamente, la ausencia de ambiente en qué progresar lo deja suspenso en un vacío. Aparte de ser víctimas
o verdugos, los personajes no pueden ni actuar ni existir.
O se destruyen o están paralizados. Y esas dos alternativas,
las únicas que tienen, al fin y al cabo, equivalen a la misma
cosa. De ahí que nadie tiene empleo, oficio, pasatiempo o
ideas que sirvan para algún bien propio o social. Ni siquiera hay descansos, refugios, escapes, esperanzas. La pesadilla es siempre y está en todo.

El Presidente y el Auditor, por ejemplo, se dedican ex-
clusivamente a la destrucción del pueblo. No aparecen, en
ningún momento, haciendo o pensando en otra cosa. Y su
copiosa cuadrilla de soldados y policías nunca protege a
los ciudadanos. Al contrario, la Autoridad es quien comete
todos los crímenes.

Las prostitutas, en ese mundo deshecho por falta de
nexos sinceros, no contribuyen nada con su cariño mercenario. Los pordioseros ni siquiera se ven pidiendo.

La tabernera Masacuata y el cantinero don Lucho (50),
alientan el caos con el licor que le proveen al ofuscado pueblo y al esbirro Lucio Vázquez, quien dedica casi todas sus
horas libres a la borrachera. Asimismo el mayor Farfán
alterna las atrocidades de su oficio con las orgías y ba-
canales del Dulce Encanto (168-169). No hace ninguna
otra cosa.

Genaro Rodas, carpintero desempleado, y su esposa
Fedina tienen una tiendecita, pero no venden nada (283).
Deshecha la familia, Genaro pasa a ser esbirro de la Dictadura, y Fedina, irremediablemente trastornada, termina
trabajando en la lavandería del hospital, pero fuera de
escena (283).

El doctor Luis Barreño no puede ejercer su útil profesión, porque la Dictadura no tiene ningún interés en que
el pueblo se sane. Todo lo contrario. Eusebio Canales de-

ja de ser general tan pronto aparece en la novela y muere momentos antes de tomar el mando de las fuerzas rebeldes (260). Su guía indio, campesino de oficio, no puede trabajar porque sus tierras han sido confiscadas por el Gobierno (195).

En un pasado desconocido, Cara de Ángel había sido jefe de un instituto, director de un periódico, diputado, diplomático y alcalde (76). Pero su actual puesto de favorito y el *leit motiv* «era bello y malo como Satán», nos hace sospechar que su modo de proceder en aquellos puestos no fue nada intachable. Su única obra constructiva, la fuga de Canales, surge casi accidentalmente de una misión destructora.

Mintiendo, como siempre, el Presidente lamenta el estancamiento social que él mismo está perpetuando para mantenerse en el Poder: «Y es así como entre nosotros el industrial se pasa la vida repite y repite: voy a montar una maquinaria nueva, voy a esto, voy a lo otro, a lo de más allá; el señor agricultor, voy a implantar un cultivo, voy a exportar mis productos; el literato, voy a componer un libro; el profesor, voy a fundar una escuela; el comerciante voy a intentar tal o cual negocio, y los periodistas —¡esos cerdos que a la manteca llaman alma!— vamos a mejorar el país; mas como te decía al principio, nadie hace nada y, naturalmente, soy yo, es el Presidente de la República el que lo tiene que hacer todo» (269).

Visto de cerca, el estancamiento global de cada vida y, por extensión, la impotencia del orbe social, están constituidos por la totalidad de una serie continua de frustraciones particulares. Nada provechoso se logra, porque todo esfuerzo resulta ser erróneo, ineficaz, inútil. Si hay metas siempre están fuera de alcance. Todo progreso se detiene tan pronto como surge.

El Pelele, por ejemplo, nunca puede evitar la crueldad del prójimo: «La ciudad grande, inmensamente grande para su fatiga, se fue haciendo pequeña para su congoja» (12). El idiota huye despavorido hacia un refugio que nunca aparece, «como el que escapa de una prisión cuyos muros de niebla a más correr más se alejan» (12).

Frustrada en sus esfuerzos de salvarle la vida a su marido, de recuperar el cadáver, de hablar con el Presidente, la viuda de Carvajal se transforma en una piltrafa sin vida: «Vacía, cavernosa, con una fuerza interna que le paralizaba en la cama horas enteras alargada como un cadáver, más inmóvil a veces que un cadáver» (238).

Camila también se paraliza al presentir la desaparición de su marido: «Presa entre la mesa y la silla, sin fuerzas para dar el primer paso» (253). Sus desesperados toquidos a la puerta de su tío (131) y sus diligencias para conseguir un pasaporte (288) no le dan ningún resultado.

Cara de Ángel, detenido por la Policía, oye la salida del barco en el cual él creía que se iba a escapar: «El prisionero se tapó los oídos con las manos. Las lágrimas le cegaban. Había querido romper las puertas, huir, correr, volar, pasar el mar, no ser el que se estaba quedando» (279).

Aunque el general Canales regresa corriendo a su casa, sufre la sensación de que sus extremidades se han paralizado: «Acababa de cruzar la esquina que ha un minuto viera tan lejos. Y ahora a la que sigue, sólo que ésta... ¡Qué distante a través de su fatiga!... se mordió los dientes para poder con las rodillas. Ya casi no daba paso... tendría que arrastrarse, seguir a su casa por el suelo ayudándose de las manos, de los codos...» (65).

Luego el ejército rebelde que él había organizado se paraliza al enterarse de su muerte: «La tropa, inmovilizada, lista esa noche para asaltar la primera guarnición, sentía que una fuerza extraña, subterránea, le robaba la movilidad, que sus hombres se iban volviendo de piedra» (260).

Fedina llega demasiado tarde para prevenir a Camila (91). Chabela no logra proteger a Camila de sus raptores (78). Don Benjamín presenta una tragedia que resulta ser comiquísima (58). Luego el Portal del Señor es derrumbado y el titiritero pierde su teatro, su único medio de ganarse la vida (298).

La encarcelación

La inmovilización de Cara de Ángel culmina en un calabozo subterráneo, «que no daba para cuatro pasos» (291). Asimismo Abel Carvajal es enterrado vivo: «Le sepultaron en una mazmorra de tres varas de largo por dos y media de ancho, en la que había doce hombres sentenciados a muerte, inmóviles por falta de espacio» (217).

Genaro Rodas (243), los pordioseros (15), Niña Fedina (112), Lucio Vázquez (217), el estudiante y el sacristán (16) y muchos otros personajes pasan la mayor parte de la novela atrapados en los muros de algún calabozo.

Aquellos que no están oficialmente encarcelados son restringidos por las circunstancias a espacios sumamente limitados. Chabela nunca sale de su casa. Juan y Judith Canales no se ven fuera de la suya. La Masacuata apenas sale del Tus-Tep. Las prostitutas no se mueven del Dulce Encanto, salvo cuando tres de ellas van con doña Chón a buscar a Fedina (155). El Presidente no pone un pie en la calle. El doctor Barreño se esconde en un retrete cuando el tirano lo humilla (33). Camila se pasa casi toda la novela clausurada, en la casa de su padre (81) en el Tus-Tep (124), en su nuevo hogar (273). Su encerramiento luego se empeora en proporción directa con la atenuación de sus nexos con Cara de Ángel: «Desapareció de las habitaciones que daban a la calle sumergida por el peso de la pena, que se la fue jalando hacia el fondo de la casa» (286).

La encarcelación y el estancamiento están juntamente representados en la antítesis de los ubicuos vehículos de transporte que andan mucho, pero no van a ninguna parte. Cara de Ángel, por ejemplo, se encamina hacia el puerto con la angustia de que el tren en que está viajando lo está dejando atrás: «la sensación confusa de ir en el tren, de no ir en el tren, de irse quedando atrás del tren, cada vez más atrás del tren...» (277). El coche que lo lleva a él y a Camila a la fiesta del Presidente se convierte de pronto en una prisión, o caja de muerto: «Cara de Ángel sacó la cabeza por la portezuela para gritar al cochero que tuviera más cuidado. Éste puso los caballos a paso de entierro» (254).

El Pelele sueña con irse de la ciudad en tren, pero la locomotora siempre lo vuelve a traer al mismo lugar: «Pero el tren volvía al punto de partida como un juguete preso de un hilo» (23).

La señora de Carvajal no puede acelerar su coche lo suficiente en su inútil carrera hacia la mansión del señor Presidente: «Pero el vehículo no rodaba, ella sentía que no rodaba, que las ruedas giraban alrededor de los ejes dormidos, sin avanzar, que siempre estaban en el mismo punto» (220).

Como podemos apreciar, dicha inmovilidad suele estar sadísticamente intensificada con pinceladas de falsa esperanza. En tales casos, la novela deja que las víctimas logren algo, pero en el último instante, cuando creen que ya están a salvo, les da el portazo fatal. La esposa de Carvajal, por ejemplo, está segura de que la detención del Licenciado ha sido un error y que el señor Presidente lo pondrá en libertad tan pronto como ella le aclare el asunto.

Camila está segura de que su tío le va a abrir la puerta (130) y felizmente da todos menos el último paso para salir del país (288). Cara de Ángel no ve la cortedad de su pihuela y huye sin darse cuenta del tirón que lo espera en el puerto de partida (279). Abel Carvajal, como es inocente, está convencido de que el coche que lo lleva al calabozo de los condenados a muerte lo va a dejar en su casa (214). La revolución del general Canales se lleva a cabo sin trabas hasta el primer momento de la batalla (260).

No hay, pues, movimiento definitivo ni verdadera esperanza. Ésa es la ley, y ahí está el Auditor de Guerra para imponerla: «¿Cuándo entenderás que no hay que dar esperanzas? En mi casa, lo que todos debemos saber, hasta el gato, es que no se dan esperanzas de ninguna especie a nadie» (244).

Resumen

La complejidad de causas y efectos que constituyen la estructura interior de *El señor Presidente* se resuelve en un desproporcionado proceso de desintegración social. No hay nada positivo, y parte del mecanismo del todo negativo está articulado por el encadenamiento de adversidades que hemos apuntado: el enajenamiento del individuo produce y es resultado de la mentira; la mentira, de la confusión; la confusión, del estancamiento; el estancamiento, de la encarcelación; la encarcelación, del enajenamiento, y así sucesivamente, en un ciclo infernal.

Asturias, entonces, no inventa nada, sino que desnuda la realidad de una dictadura hispanoamericana para que el lector le vea bien las entrañas. Y como no fija ni espacio, ni tiempo, ni hechos particulares, esa misma visión se presta fácilmente para esclarecer la esencia de cualquier tiranía.

La «Trilogía Bananera» *de*
Miguel Ángel Asturias

Ángel Luis Morales

La novela antiimperialista contemporánea

En la corriente más caudalosa de la novela hispanoamericana contemporánea, la novela de *problemática social,* conocida también como novela *de denuncia,* y dentro
de cuyo género hay que reconocer varias especies —novela
de la revolución mexicana, novela *indigenista,* novela del
negro, novela *proletaria* y novela *política*— se destaca una
subespecie: la de la novela *antiimperialista,* que puede darse como matiz de cualquiera de las especies anteriores. Tiene como propósito central denunciar el dominio económico
y político que ejercen los Estados Unidos de América sobre los pueblos de Hispanoamérica por medio de grandes
consorcios inversionistas en connivencia con destacados hijos del país, y hasta —en muchas ocasiones— de las propias autoridades políticas.

Este imperialismo, principalmente *económico,* pero a
veces —como en el caso de Cuba hasta la abolición de la
Enmienda Platt o de Puerto Rico hasta el día de hoy— también directamente *político,* tiene su origen a fines del siglo XIX, y en otro lugar lo he sintetizado del siguiente modo:

...A fines del siglo XIX, los Estados Unidos abandonan su
actitud de indeferencia expectante respecto de Hispanoamérica, y comienzan a interesarse en ella como mercado para
sus productos y como *campo de inversión para su capital.* Comenzó por México, a fines del siglo XIX, invirtiendo en empresas mineras y ferroviarias, y a medida que la actividad
industrial cobraba impulso y el capital, fortalecido, demanda-
ba expansión, se fue extendiendo a todo el continente sud-
americano. La apertura del Canal de Panamá puso ambas
vertientes del continente al alcance del comercio y la inversión norteamericana. Resultado de este proceso fue la clara
hegemonía económica norteamericana en el Nuevo Mundo y

la dependencia de Hispanoamérica respecto del nuevo imperio económico. Esto, unido a los factores políticos y militares de las relaciones entre ambas Américas de que hablaremos inmediatamente, trajo como consecuencia un creciente resentimiento y animadversión hacia los «gringos» o los «yanquis» que vino a sustituir la admiración casi idolátrica que se le profesara durante el siglo XIX. (Hernández Sánchez Barba 7, II, pp. 416-433.)

La conducta de Estados Unidos en el plano político y militar fue otro factor fundamental en el cambio de actitud de Hispanoamérica respecto a su poderoso vecino del Norte. Primero la Guerra Hispanoamericana (1898) en la que la nueva y pujante nación derrotó con toda facilidad a la vieja y exhausta nación española, con la consiguiente «independencia» de Cuba y el paso a poder de los norteamericanos de Puerto Rico, Guam y las islas Filipinas; y luego una serie de intervenciones armadas —con pretexto o sin él, arrogándose el papel de gendarme continental, según el corolario de Roosevelt a la Doctrina de Monroe— o diplomáticas, en Cuba, Panamá, Venezuela, República Dominicana, Nicaragua y Haití «convirtieron el Mar Caribe en un verdadero 'mare nostrum'». La intervención armada en México, Veracruz, 1914, es un acto más de la política del *big stick*. Todo ello —y la frecuente intervención política por medio de funcionarios diplomáticos o del servicio de inteligencia— propiciando regímenes, a veces nada democráticos, o golpes de estado y revoluciones contra gobernantes no favorecedores de los intereses norteamericanos —la última gran denuncia: la del presidente Gallegos en 1948— junto al factor económico antes señalado, son la causa del intenso antinorteamericanismo que todavía hoy, a pesar de Franklin D. Roosevelt y John F. Kennedy, sienten los hispanoamericanos...[1]

Consecuencia de este imperialismo económico —con sus consecuencias política— o político —con sus consecuencias económicas— es un grupo de novelas que se propone *denunciar* esa situación, mostrando al desnudo la explotación y los atropellos de que son víctimas los pueblos hispanoamericanos bajo su garra. Precursora de esas novelas es, en cierto modo, *Doña Bárbara* de Gallegos. Nadie que haya leído esta novela podrá olvidar al significativo norteamericano, cuyo solo nombre —Mr. Danger— encierra una intención simbólica y cuya partida describe en el capítu-

[1] Ángel Luis Morales: *Literatura hispanoamericana. Épocas y figuras* (San Juan, Puerto Rico), Editorial del Departamento de Instrucción Pública, 1966, volumen II, pp. 149-150.

HOMENAJE A MIGUEL ANGEL ASTURIAS

lo XIII (Los derechos de 'Mr. Peligro') de la primera parte de la novela, en la siguiente sugestiva forma: «Y se marchó, haciendo resonar el suelo duro y sequizo bajo sus anchas plantas de conquistador de tierras mal defendidas.» (Subrayado nuestro.)

Esa novela antiimperialista puede ser al mismo tiempo de la revolución mexicana, como Panchito Chapopote (1928) de Xavier Icaza; o puede ser indigenista, como Tungsteno (1931) del gran poeta César Vallejo, o como la famosa Huasipungo (1934) de Jorge Icaza; o puede ser proletaria y versar sobre la explotación del petróleo, como Sobre la misma tierra (1943) de Rómulo Gallegos, o sobre la explotación del banano, como Los ojos de los enterrados (1960), de Miguel Ángel Asturias; o puede ser política, y plantear el problema colonial de Puerto Rico, como Los derrotados (1956) y El derrumbe (1960) de César Andreu Iglesias, etcétera. Es por esta razón que veo la novela antiimperialista como una subespecie de las demás especies del género de la novela de problemática social.

El imperialismo de la United Fruit Company

A la novelística antiimperialista ha contribuido Miguel Ángel Asturias con cuatro obras: su trilogía bananera —Viento fuerte (1950), El Papa Verde (1954), Los ojos de los enterrados (1960)[2]— y su libro de relatos sobre la invasión «liberacionista» de Castillo Armas en 1954, Weekend en Guatemala (1957). Las tres primeras, objeto de estos comentarios, estudian el imperialismo económico-político de la United Fruit Company en Centroamérica; la última obra subraya más el imperialismo político. Como nuestro propósito se limita a estudiar la trilogía mencionada, veamos, como fondo necesario, la comprensión de las obras, los datos más importantes relacionados con la United Fruit Company, tal como los ve Miguel Ángel Asturias, y, por ello, tal como le han servido de fuente de inspiración.

La explotación bananera en Hispanoamérica data, se-

---

[2] Viento fuerte, Guatemala, Ediciones del Ministerio de Educación Pública, 1950; El Papa Verde, Buenos Aires, Editorial Losada, 1954; Los ojos de los enterrados, Buenos Aires, Editorial Losada, 1960.

gún el historiador Francisco Morales Padrón, desde 1870. En 1899, la Boston Fruit Company se funde con la compañía de los hermanos Keith, y surge así la United Fruit Company. Inicia sus actividades centroamericanas en Costa Rica, sembrando banano traído de Jamaica. Estimulada por las concesiones que le hace Costa Rica, extiende sus actividades a Honduras, más tarde a Nicaragua, y finalmente a Guatemala. En estos países adquiere grandes extensiones de tierra, logra establecer el monopolio de la producción de la fruta, y como consecuencia, se convierte en una fuerza económica y política que gravita decisivamente sobre el destino de esos pueblos. Sobre los efectos de la dominación económica de la United Fruit Company se ha expresado el citado historiador del siguiente modo:

> ...Las consecuencias son variadas. Políticamente, en algunos países —Costa Rica y Honduras— el papel de la United ha sido trascendental. Ha decidido elecciones presidenciales, ha alimentado revoluciones y ha merecido ser llamada «un Estado sin Estado». Económicamente, ha implantado el monocultivo, se ha hecho con grandes extensiones de terreno y su gran flota blanca ha transportado a los mercados norteamericanos la producción centroamericana y traído los productos estadounidenses y las armas revolucionarias. Otras consecuencias, positivas y negativas, han sido la implantación de mejoras sanitarias, construcción de líneas de comunicación, escuelas, iglesias, campos de aterrizaje, casas para empleados, tendido del teléfono y telégrafo, fundación de ciudades como New Tecla, Puerto Limón, Puerto Castilla, Puerto Barrios, etcétera. Naturalmente que todo ello ha llevado parejo la subordinación total de los empleados a la compañía y el crecimiento del capital de ésta de tal manera, que es superior al de los presupuestos estatales centroamericanos [3].

En Guatemala la United Fruit Company contó con la decisiva coperación del dictador Estrada Cabrera. Llegó, según Asturias, atraída por la generosidad mostrada por el dictador con la compañía norteamericana del ferrocarril:

> ...Pronto se presentó para reelección, apoyado por el ejército y también las compañías norteamericanas encargadas de la construcción del ferrocarril nacional, Guatemala había terminado ya de construir su propio ferrocarril desde la capital

---

[3] F. Morales Padrón: *Manual de historia universal*, t. VI, *Historia general de América*, Madrid, Espasa-Calpe, S. A., 1962, p. 580.

hasta el puerto de San José en el Pacífico; tenía hechas ya las tres cuartas partes del camino hasta Puerto Barrios en el Atlántico. Estrada Cabrera entregó todo a la compañía ferroviaria norteamericana. Así nació el imperialismo en Guatemala. El tratado de 1904 le regaló todo. Así fue como empezó Estrada Cabrera a obtener el apoyo de los Estados Unidos. Atraídos por los beneficios de esta primera concesión... no tardaron en llegar otros intereses norteamericanos al país. Pronto hizo pie firme en las tierras bajas la United Fruit Company [4].

Más tarde contó también con la protección del dictador general Jorge Ubico, a cuya caída, y especialmente durante los regímenes de Juan José Arévalo y de Jacobo Arbenz, se vio privada de muchos de sus privilegios, e incluso, como consecuencia de la reforma agraria de Arbenz, le fueron expropiadas algunas de sus tierras, que la compañía pretendía se le pagaran en términos de lo que ella calculaba su valor real, mientras que el gobierno lo hizo al precio en que habían sido declaradas para fines contributivos. La disputa llegó a los tribunales y el gobierno ganó el caso. La United Fruit Company, por medio de la prensa controlada por sus intereses, comenzó entonces a propagar la idea de que el gobierno de Arbenz era comunista; apoyó la invasión «liberacionista» del coronel Carlos Castillo Armas, quien con un ejército mercenario de ochocientos hombres, con armas y aviones norteamericanos, invadió procedente de Honduras. Traicionado por el ejército, Arbenz tuvo que refugiarse en una embajada extranjera. Castillo Armas despojó de sus tierras a los agraristas, a quienes les habían sido concedidas y las devolvió a la United Fruit Company y otros propietarios, terminando así los intentos de justicia social de Arévalo y de Arbenz [5].

Veamos ahora cómo novela Asturias esta materia social, económica y política, en su «trilogía bananera».

«Viento fuerte»: la novela
de los cosecheros independientes

En 1950, en Guatemala, después de *Hombres de maíz*, publica Asturias la primera de las novelas que componen la

---

[4] Luis Harss: *Los nuestros*, Buenos Aires, Editorial Sudamericana, 1966, página 90.
[5] *Ibid.*, pp. 118-120.

«trilogía bananera»: *Viento fuerte,* cuyo título tiene una doble dimensión figurada y literal. La alusión al «viento fuerte», al temible huracán tropical que todo lo destruye, aparece por primera vez con sentido figurado, metafórico, simbólico: el viento fuerte de las reivindicaciones sociales conquistadas por el pueblo, en perjuicio, naturalmente, de los privilegiados que hasta entonces lo han explotado:

> —Las conclusiones están a la vista, no hay que sacarlas ni enunciarlas. ¿Para qué, si se ve? Por unos puñados de dinero, por el dominio de estas plantaciones, por las riquezas que, aun fragmentadas en dividendos anuales, son millones y millones de dólares, perdimos el mundo, no la dominación del mundo, esa la tenemos, sino la posesión del mundo, que es diferente, ahora somos dueños de todas estas tierras, de estas tentaciones verdes, somos señores; pero no debemos olvidar que el tiempo del demonio es limitado y que llegará la hora de Dios, que es la hora del hombre...
> —¡El «viento fuerte»!—dijo el ingeniero Smollet, para cortar por lo sano; él era un hombre práctico y aquella perorata le parecía un mal sermón dominical.
> —El ingeniero lo ha dicho; pero no el «viento fuerte» que él ha explicado aquí como algo espantoso, como una fuerza incontrastable de la naturaleza... La hora del hombre será el «viento fuerte» que de abajo de las entrañas de la tierra alce su voz de reclamo, y exija, y barra con nosotros... [6]

Y al final del diálogo, concluye el ingeniero:

> —Estos amigos son el diablo mismo, qué diablo verde—dijo el ingeniero a Lester Mead—; pero, efectivamente, lo que a ellos les ha parecido un motivo de danza, va a ser danza macabra si no se rectifican los procedimientos. *El viento fuerte, como usted ha dicho, será la revancha de esta gente trabajadora, humilde, sufrida, explotada...* [7] (Subrayado nuestro.)

Este «viento fuerte» de la reivindicación popular que traiga la justicia social para las grandes masas obreras explotadas, no hace presencia todavía en la novela; pero llega el otro, el real, provocado por el conjuro de la palabra mágica del brujo Rito Ferraj, destruyéndolo todo a su paso y dejando trunca una magnífica iniciativa de cooperativis-

---

[6] *Viento fuerte,* tercera edición, Losada, 1962, p. 110.
[7] *Ibid.,* p. 111.

mo industrial en favor del pequeño terrateniente guatemalteco.

A pesar de lo que pudiera pensarse de la cita anterior,
la novela no plantea el conflicto de las clases trabajadoras
con la bananera, sino el del *pequeño plantador independiente* a quien la Tropical Platanera, S. A., quiere destruir para
lograr el monopolio de la producción y venta del banano.
Aunque novela de masas, como son casi siempre las de Asturias, la novela gira en torno a un norteamericano, vendedor ambulante de artículos de costurero, extravagante y
raro, a quienes los vecinos conocen con el nombre de Cosi.
Después de casarse con Leland Foster, bella divorciada de
un alto oficial de la Tropicaltanera, compra una pequeña
plantación para dedicarse al cultivo del banano. Cuando los
precios que la compañía ofrece por el banano resultan rui-
nosos, pues ni siquiera bastan para pagar los gastos de
producción. Cosi, ahora con su nombre real de Lester Mead,
viaja a Chicago a entrevistarse con el presidente de la compañía, sin éxito alguno. Por el contrario, empeora la situación, pues el presidente da orden de no comprar a ningún
precio. Decide entonces unirse a varios pequeños plantadores independientes (vecinos suyos, que, procedentes de la
montaña, al oír las noticias del oro verde de la costa, se
trasladaron, compraron tierritas y se dedicaron al cultivo
del banano), forman la sociedad «Mead, Lucero, Cojubul y
Auyuc Gaitán» y deciden operar independientemente de la
bananera, vendiendo su fruta en el mercado local, para lo
cual se compran un camión, ya que el ferrocarril propiedad
de la bananera se niega a transportar su fruta. La Tropicaltanera emplea toda clase de procedimientos para destruir-
los: la competencia ruinosa, subvencionando a otro productor para que venda a más bajo precio; el regalo de la fruta, para eliminarles mercados; el atentado criminal a las
vidas y las propiedades; la prisión, por cualquier pretexto,
de los socios nativos de la sociedad. Ajustándose a un extraordinario régimen de ahorro, gastando sólo en lo indispensable, guardando hasta el más mínimo centavo, logran sobrevivir y hasta acumular el suficiente capital para insta-
lar un pequeño molino para la fabricación de harina de
banano, poniéndose así a cubierto del riesgo de perder una
cosecha por falta de mercado para la fruta. Todos estos

planes resultan posibles, porque en realidad Cosi-Lester Mead era un millonario, accionista de la Tropicaltanera, de la línea de pensamiento del «imperialismo moderado» o «emporialismo», opuesto al «imperialismo rudo» de la compañía. Había venido a Guatemala a estudiar personalmente la situación, e indignado por el atropello, la injusticia, la corrupción, se pone del lado de los pequeños productores independientes. Denuncia, ante una reunión de accionistas, los métodos brutales y corruptos de la compañía, y acaudilla una facción moderada con el fin de sustituir al presidente. Desgraciadamente, poco después de inaugurado el molino de harina de banano, un «viento fuerte», un tremendo huracán tropical, deja, entre su saldo de muerte, a Lester Stoner —verdadero nombre de Cosi-Lester Mead— y a Leland Foster, su esposa. Queda, de este modo, trunca la obra que comenzara.

Esta trama central, alrededor de la cual se tejen algunas historias secundarias relativas a los socios nativos de Mead-Stoner —los Lucero, Cojubul y Ayuc Gaitán— y algunos oficiales y empleados de la Tropicaltanera, sirve para poner de relieve el dominio de la compañía sobre la vida económica y política de Centroamérica. Unas palabras de Lester Mead sobre el Papa Verde —el presidente de la compañía— lo sintetiza perfectamente:

> —El Papa Verde, para que ustedes lo sepan, es un señor que está metido en una oficina y tiene a sus órdenes millones de dólares. Mueve un dedo y camina o se detiene un barco. Dice una palabra y se compra una República. Estornuda y se cae un Presidente, General o Licenciado... Frota el trasero en la silla y estalla una revolución. Contra ese señor tenemos que luchar [8].

Sobre los métodos corruptos y corruptores de la bananera, veamos el siguiente pasaje, en que describe métodos que nos son familiares:

> ...el Papa Verde puede hacer todo eso que él hace, porque cuenta con nuestras debilidades humanas; si no, vean ustedes lo que pasa en sus dominios: los que debían ser nuestros aliados, como hijos de estas tierras, son los peores enemigos, por estupidez, por egoísmo, por maldad, por lo que ustedes quie-

---

[8] *Ibid.*, p. 91.

ran; a unos les han enseñado a gastar cantidades tan fabulosas
de dinero, que han llegado a creer que el dinero no vale nada
y por eso, aunque ganen muchísimo jamás verán su liberación,
porque los han esclavizado así, dándoles sueldazos que ellos
derrochan; a otros les dan facilidades para que echen la mano
a retozar y por sus propios robos tienen agarrados; a otros los
han hecho cómplices de su iniquidad en acciones de bandole-
rismo... [9]

Se destaca de este modo el extraordinario poder de la
bananera y los métodos corruptos que emplea para el desarrollo de sus fines de explotación brutal e inicua de la
riqueza centroamericana.

«El Papa Verde»: la vida
de un moderno pirata de los negocios

La segunda novela de la trilogía, *El Papa Verde* (1954),
implica un retroceso temporal respecto de *Viento fuerte*. En
vez de tomar la acción donde quedó en la primera novela y
continuarla hacia adelante, vuelve, por el contrario, hacia
atrás, para hacer la historia del origen, desarrollo y auge de
la Tropical Platanera, S. A., así como la de su fundador, jefe
local por muchos años, accionista retirado más tarde, y,
finalmente, presidente de la compañía: el Papa Verde. Aquí,
de nuevo, el personaje más destacado es otro norteamericano, cuyo nombre porta claras resonancias simbólicas: Geo
Maker Thompson (Geo —griego, *tierra*— y Maker —inglés,
hacedor, constructor). Thompson es la imagen negativa, la
contrapartida del millonario filántropo Lester Stoner, de
Viento fuerte: es un pirata de los negocios, un hombre de
presa, cínico, inescrupuloso, frío, sin piedad, imagen perfecta del «ugly american», y representante de la línea de
pensamiento del «imperialismo duro», es decir, de la explotación brutal, egoísta, atenta sólo a los dividendos para los
accionistas, sin respeto ni consideración alguna para el país,
por el cual no siente más que desprecio. Joven aventurero
—sólo cuenta veinticinco años —del Caribe, capitán de un
vaporcito destartalado en el cual transporta pasajeros y
mercancías entre las repúblicas centroamericanas, llega a

[9] *Ibid.*, p. 93.

Guatemala con la encomienda de establecer ahí la Tropical
Platanera, S. A. Con mano de oro para unos —gobierno, autoridades locales, prensa, a los que soborna directa o indirectamente— y de hierro para otros —campesinos, pequeños
propietarios, a quienes si se resisten a vender sus tierras los
despoja por la fuerza quemando sus ranchos so pretexto de
evitar enfermedades contagiosas, y matándole sus animales— el impasible Geo Maker Thompson logra establecer con
base sólida la Tropical Platanera, S. A., en la costa del Caribe, en la zona de Bananera, convirtiéndose en su jefe local.
Logra del gobierno toda clase de concesiones, incluso la cesión de territorio y propiedad nacional. Así, en su informe
al presidente de la bananera, Thompson afirma:

> ...—El gobierno actual de ese país nos cedió el derecho de
> construir, mantener y explotar su ferrocarril al Atlántico, el
> más importante de la República, del que tenían construido los
> cinco primeros tramos; y nos lo ha cedido sin gravamen ni re-
> clamo de ningún género.

Y luego añade:

> ...—Se estipula, además, en el contrato por el que nos cede
> el ferrocarril, que en dicha transferencia se comprenden, sin
> costo alguno para nosotros: el muelle del puerto, de su puerto
> mayor en el Atlántico, las propiedades, material rodante, edi-
> ficios, líneas telegráficas, terrenos, estaciones, tanques, así
> como todo el material existente en la capital, como son dur-
> mientes, rieles... [10]

Lograda de ese modo la «anexión económica» del país,
Thompson aspira a la anexión política con ambiciones de
ser su gobernador. Consideraciones de tipo político internacional —los intereses de Inglaterra en la vecina Belice, y
los de los cafetaleros alemanes en el propio país—, por un
lado, y por otro, el informe condenatorio de los atropellos,
abusos y arbitrariedades de la compañía rendido por el accionista Richard Wotton —quien disfrazado de arqueólogo
estudió toda la situación— hacen fracasar los planes de anexión. Por otro lado, a punto de obtener la presidencia de la
compañía, cosa que ya se da por descontada, Thompson, que
no había vacilado ante el asesinato de un importante accio-

---

[10] *El Papa Verde*, tercera edición, Losada, 1966, p. 110.

nista que censuraba su política de «imperialismo duro», lleno de remordimiento por haberle dado muerte al hombre equivocado, y decepcionado de su hija Aurelia, que se ha dejado seducir —para herirlo— por su enemigo Wotton, renuncia a la presidencia y se retira a la vida privada.

Hasta aquí la primera parte de la novela, compuesta de ocho capítulos. La segunda se aleja al principio del Papa Verde para reanudar la historia de los herederos de Lester Stoner, los siete socios nativos de la sociedad «Mead, Lucero, Cojubul y Ayuc Gaitán». Ricos con la herencia de Stoner, Cojubul y sus tres cuñados Ayuc Gaitán se dejan seducir por la compañía, se marchan a Estados Unidos, donde hasta cambian de nombre, reniegan de su tierra atentos sólo a sus intereses, y en un conflicto de intereses económicos —a punto de degenerar en guerra con el país vecino por cuestión de límites— favorecen a la compañía «Frutamiel», rival de la «Tropicaltanera» en el país vecino. Sólo los hermanos Lucero, por un profundo sentimiento de afecto y agradecimiento a Lester Stoner, y por un atávico e instintivo arraigo a la tierra, continúan, por un tiempo, fieles a la línea de conducta del millonario filántropo.

La novela retoma el hilo de la vida de Geo Maker Thompson en el capítulo XV. Ya viejo, vive retirado —como uno de los accionistas principales de la bananera— en una lujosa casa en las afueras de la capital. El conflicto económico entre la «Frutamiel» y la «Tropical Platanera», a punto de degenerar en una lucha armada propiciada por el consorcio bananero que hará un gran negocio vendiéndole armas a los dos países, impulsa al Papa Verde a volver a la vida activa en una atrevida aventura de pirata de los negocios. Se apodera, comprándolas a precios irrisorios, de la mayoría de las acciones de la compañía —cuya derrota ante la «Frutamiel» se da por cosa hecha, sembrando el pánico entre los accionistas que venden a lo que le den con tal de salvar algo—; logra, mediante sobornos, que el tribunal de arbitraje que estudia la cuestión de límites falle a favor de su país, logrando así la ambición de toda su vida.

Esto, por lo que se refiere a la trama argumental de la novela. En el plano ideológico, el aspecto más importante es el de la confrontación de dos formas o conceptos de imperialismo: el «imperialismo moderado» o *«emporialismo»*

representado en la novela por el accionista Jinger Kind, que
se propone extraer de los países subdesarrollados el máximo
de beneficio, pero por medios lícitos, legales, y, llevando a
cambio, al país, progreso y civilización; y, de otro lado, el
«imperialismo rudo» de Geo Maker Thompson que consiste
en explotar los recursos, sin escrúpulo alguno, empleando
toda clase de medios, y sin consideración alguna para el
bienestar y progreso del país. El siguiente diálogo ilustra
claramente la contraposición:

> Creo que estos países pueden llegar a ser verdaderos em-
> porios. El emporio del banano... No el «imperio», como quie-
> ren algunos.
> La amplísima frente del joven gigante se iluminó con las
> centellas que fulgían en sus ojos castaños al coronar de risa
> lo que decía.
> —¡Emporialistas en lugar de imperialistas!
> Las dos cosas. Emporialistas con los que nos secunden en
> nuestro papel de civilizadores, y con los que no muerdan el an-
> zuelo dorado, sencillamente imperialistas [11].

La posición crudamente «imperialista» de Thompson se
pone de manifiesto en este otro diálogo con Kind:

> ...Dominar, sí, pero no por la fuerza; por la fuerza, no,
> vale más el convencimiento. Mostrarles las ventajas que saca-
> rán si les hacemos producir sus tierras.
> —En Chicago prefieren oír hablar de dividendos...
> —Pero es que tampoco es eso... Dividendos... Se trata de
> civilizar pueblos, de substituir el egoísmo y la violencia de
> los europeos por la política de tutela del más capacitado.
> —¡Música celestial, señor Kind! ¡Domina el más fuerte!
> ¿Y para qué domina?... ¡Para repartirse tierras y hombres! [12]

«*Los ojos de los enterrados*»:
el amanecer de la conciencia obrera

Las dos novelas anteriores, tomando su materia narrativa
en orden cronológico, nos presentaron, primero el origen,
desarrollo y auge de la bananera (*El Papa Verde*) y, luego,
su conflicto con los pequeños productores independientes a
quienes intenta eliminar para asegurarse el monopolio ab-

---

[11] *Ibid.*, p. 21.
[12] *Ibid.*, p. 15.

soluto de la producción y venta de la fruta (*Viento fuerte*). Ahora, en *Los ojos de los enterrados* (1960), Asturias nos presenta la participación del pueblo obrero en el proceso que lleva a la caída de la dictadura y al triunfo sobre la bananera. El obrero explotado, aunque siempre presente en todas las novelas, hasta ahora era una presencia secundaria y hasta un tanto marginal. Consciente de la injusticia de su suerte, quejoso —en alguna ocasión vengativo, como el Hermenegildo Puac de *Viento fuerte*, causante del huracán que asola la costa pacífica..., no ha cobrado conciencia todavía de la enorme fuerza que posee si se *organiza* debidamente en sindicatos que se dediquen a luchar por sus derechos. En esta novela se nos presenta esta tercera fase: la aparición de una clase obrera organizada que en colaboración con estudiantes, intelectuales y profesionales de conciencia social, se enfrenta al mismo tiempo a la dictadura y a la bananera, logrando el triunfo sobre ambas. Amanece la justicia social, y los enterrados —que según la creencia indígena permanecen con los ojos abiertos mientras predomina la injusticia— ahora podrán cerrar sus ojos y descansar.

El asunto de la novela se centra precisamente en los esfuerzos de un organizador obrero revolucionario, Octavio Sansur —también conocido con sus nombres de lucha Juan Pablo Mondragón y Tabío San— para crear conciencia de clase en los obreros campesinos de la compañía, organizarlos en sindicatos, insuflarles espíritu revolucionario y llevarlos, finalmente, a participar en una huelga general contra el gobierno iniciada por estudiantes y profesores, respaldada luego por médicos, jueces, profesionales y comerciantes. Tras muchas dificultades y zozobras, se logra el triunfo por medio de la huelga general: el dictador renuncia y la bananera accede a todas las reclamaciones obreras. Llega la hora de la justicia, y los enterrados pueden cerrar sus ojos.

Los ojos de los enterrados, mucho más extensa que las dos novelas anteriores, junto a esta línea central del conflicto obreropatronal, teje las vidas de muchos personajes, entre las que sobresalen las de Octavio Sansur; la de su novia Malena Tabay (también conocida como Rosa Gavidia), maestra de escuela que se une a los esfuerzos sindicalistas de Octavio y coopera organizando a los maestros; la de Bobby Maker Thompson, el nieto del Papa Verde, residente en el país, ya que la madre teme un bombardeo alemán a Chicago; la de Juambo Sambito, el mulato criado personal del Papa Verde; la de los capitanes Salomé y Cárcamo; etcétera. La trama argumental, tejida por tantos hilos, y con frecuentes retrospecciones —entre otras, las síntesis de las novelas anteriores para enterrar al lector— resulta muy complicada y ello explica, a su vez, su notable extensión.

Desde el punto de vista ideológico, la novela se caracteriza por un rechazo y condenación de *todo imperialismo* —benigno o rudo— y por la exaltación de la extraordinaria fuerza del *movimiento obrero organizado*, fuerza eficaz para luchar tanto contra la dictadura como contra las fuerzas económicas imperialistas. La siguiente perorata de Octavio Sansur resume ambos puntos de vista.

> —¡Ni con los que nos explotan sin piedad ni con los que hablan de humanizar los métodos de trabajo de la Compañía, creando la falsa imagen del explotador bondadoso, imagen que el «viento fuerte» sepultó en la persona de Cosi, aquel millonario que engendró en nuestra gente la perniciosa creencia de esperar de los de arriba, lo que con sus manos no sabían, no podían o no querían forjar! ¡Ahora la lucha es diferente, porque nosotros nos hemos fortalecido frente a un enemigo que ha comenzado a calumniarnos, llamándonos asesinos..., rechazando a nuestros delegados, anulando de una plumada las ofertas que había hecho... ¡Compañeros, la lucha no nos agarra desprevenidos ni desarmados! ¡Estamos juntos y la unidad nos dará el triunfo, hoy, mañana, no nos interesa cuándo, porque de lo que estamos seguros, absolutamente seguros, es de poder más que ellos con todos sus armamentos, sus millones, y sus intrigas! ¡Lo importante es permanecer unidos, hombro con hombro, formando un solo frente de batalla, permanecer juntos como estamos ahora que vamos a responder con la huelga, sus provocaciones! [13]

Algunas consideraciones técnicas

El escenario general de las tres novelas, aunque no se menciona por su nombre, es Guatemala. Asturias rehuye la identificación abierta: así, en *El Papa Verde*, cuando el presidente del consorcio bananero informa a la junta de directores sobre el conflicto de límites entre Guatemala y Hon-

---

[13] *Los ojos de los enterrados*, segunda edición, Losada, 1961, p. 475.

duras, conflicto provocado por la «Frutamiel», dichos países se identifican como «el país A» y «el país B» sin mención de nombres. Las alusiones geográficas —el río Motagua; las zonas bananeras de Tiquisate y Bananera; la cercanía de Belice, etc.— no dejan lugar a dudas respecto del país de que se trata. Lo cual se refuerza con algunos datos históricos: la cesión del ferrocarril a los intereses norteamericanos, llevada a cabo por Estrada Cabrera en 1904 (*El Papa Verde*) o la huelga general que dio al traste con la dictadura de Ubico (*Los ojos de los enterrados*).

La acción se reparte entre la costa sur del Pacífico, la zona de Tiquisate, con ligeras incursiones a la capital (*Viento fuerte*) y la costa norte del Caribe, la zona de Bananera (*El Papa Verde*). En Los ojos de los enterrados se abarca la totalidad de las dos zonas.

Por lo que respecta al tiempo, las tres novelas abarcan desde comienzos de siglo hasta 1943: desde la llegada de la bananera, en las personas de Jinger Kind y Geo Maker Thompson (*El Papa Verde*) hasta la caída del general Ubico, 1944 (*Los ojos de los enterrados*). Ni en el grupo total de la trilogía (pues en orden cronológico los sucesos de *El Papa Verde* son anteriores a los de *Viento fuerte*) ni dentro del mundo interno de cada novela, debido a la presencia de frecuentes retrospecciones o retrocesos temporales, se sigue un orden lógico y cronológico.

Dada la naturaleza fundamentalmente rural del escenario de las novelas —Tiquisate y Bananera— como fondo vivo, colorido, intenso, a veces alucinante, siempre encontramos la exuberante naturaleza tropical con la gran riqueza de su flota —en menor proporción, de su fauna—, con sus imprevistas variaciones atmosféricas, con la eterna presencia de su mar, con su calor asfixiante, con su sol cegador y el zumbido pertinaz de sus insectos. Abundan, pues, los pasajes descriptivos de la naturaleza. Veamos uno del primer capítulo de *Viento fuerte*:

> El mar, aquí más bravo que en la otra costa, formaba el fondo de todo con el eco de sus turbulencias. Horizonte auditivo que se hacía visible línea de fuego azul, cuando alguien se encaramaba en un cerro a echarle a la divisada, desde muy lejos o de más cerca; los recién llegados, curiosos por saber cómo era el mar Pacífico, se subían a los palos y lo encontra-

ban con su color creolina de leche verdosa en la mañana y,
por las tardes, igual que un aguacate partido con la pepita
roja.
Prójima peligrosa la costa. La vegetación chaparra, enmarañada, lo cubría todo y, en esa telaraña verde de pelos enredados, la única señal de existencia animal libre eran bandadas
de pájaros de matices tan violentos como fragmentos de arco
iris en contraste con gavilanes de ébano y zopilotes de azabache, todos destacados en la profundidad de la atmósfera que,
con la vegetación, formaban una sola ceguera caliente. (*Ed.
cit.*, p. 10.)

En el siguiente pasaje, de calidad expresionista, la naturaleza, vista a través del estado de ánimo excitado de los
personajes, cobra un matiz alucinatorio:

Por ese lado de la bahía quedaban los islotes. Un viento
color de fuego soplaba de la tierra candente al horizonte en
ascuas de la tarde. (...)

El no parar del viento, del soplar del viento, del soplar y
soplar del viento, embriagaba a la pareja que había perdido
el habla y seguía adelante por donde el islote ya no era islote,
sino adivinado espinazo de lagarto petrificado, un pie tras otro
pie, Mayari con los brazos abiertos en cruz para guardar el
equilibrio, mínima garza morena con las alas extendidas, y él
con mudez de hipnotizado, gigante tímido al penetrar en el
mundo desconocido de un espejo que formaba en el aire el reflejo del agua. Peces tontos y bocudos, aletas y burbujas, otros
ojizarcos y llagados de rubíes, entre sesgadas lluvias de pececi-
llos negros, se materializaban en la coagulada y cristalina profundidad del mar quieto como la atmósfera en que de ellos
dos sólo quedaba la imagen, habían perdido el cuerpo, ella
adelante en su encontrar y no encontrar las piedras bajo los
pies desnudos y él a la zaga sin poder darle alcance, encendido
su cabello de pirata. (*El Papa Verde*, ed. cit., p. 23.)

En las tres novelas, el punto de vista narrativo es del
autor ommisciente, sólo que un autor omnisciente con *mente
mítica popular* que le hace percibir el misterio y la magia
que envuelven y rodean las cosas, misterio y magia inaprensi-
bles a los sentidos y la mente racional. Por eso en estas
novelas, el *realismo* más meticuloso, a veces crudo y repugnante, se yuxtapone, sin transiciones, a la fantasía mágica.
Baste recordar los amores de Lino Lucero y la sirena, o «el
viento fuerte» desencadenado por el conjuro del brujo Rito
Ferraj, en *Viento fuerte;* o las bodas de Mayarí Palma con

el río Motagua, en *El Papa Verde;* o la escapada de Octavio Sansur a través de las cavernas subterráneas, o la visita de Boby Maker Thompson, ya muerto, a su abuelo moribundo, en *Los ojos de los enterrados.* Aunque en las tres novelas predomina *lo realista,* lo mágico y mitológico fantástico nunca está ausente. Incide Asturias, pues, una vez más, en la fórmula artística del *realismo mágico.*

La narración directa de este autor omnisciente de mentalidad mítica, se desarrolla en alternativas de largos trozos de narración panorámica con frecuentes pasajes de presentación escénica, casi siempre dialogada. Es, por otro lado, narración objetiva, en el sentido de que el autor se limita a presentar los sucesos, sin emitir opinión, sin analizarlos ni comentarlos. Lo que no significa que es neutral o imparcial respecto de los problemas planteados; no, pero su *compromiso,* su posición, se manifiesta en la *selección de los materiales* y en su presentación narrativa, no en la prédica propagandística del autor. La propaganda, en estas novelas, es indirecta, desde el punto de vista del autor.

El estilo

Escritor de clara y perseverante *vocación poética* —se inicia en el quehacer literario precisamente con un poemario, *Rayito de estrella* (1925) al que han seguido varios otros, en ediciones privadas— y de una extraordinaria *conciencia lingüística,* ambos rasgos se unen para hacer del estilo de Asturias uno de los más personales y originales de un novelista moderno. Se trata, especialmente en *El Papa Verde* y *Los ojos de los enterrados,* de un estilo poético, lírico; barrocamente profuso —es notable su gusto por las largas *enumeraciones* de palabras o frases—; lleno de *reiteraciones;* con un marcado gusto por toda clase de *juegos fonéticos* —especialmente *aliteraciones* y *onomatopeyas,* o de conceptistas *juegos de palabras* de todo tipo; de una extraordinaria riqueza de imágenes sensoriales, simples o sinestésicas, así como de símiles, metáforas, símbolos y toda clase de recursos estilísticos. Las oraciones son unas veces cortas, dinámicas; otras, largas, de complicada y sinuosa sintaxis, barrocas en fin. Estilo que justifica plenamente el calificativo de «poeta narrador» con que le designara Atilio Jorge Castelpoggi [14].

Todo esto, propio del estilo *personal* de Asturias, va de la mano en ocasiones —en el aspecto *funcional* del estilo sobre todo— con la prosa más realista y descarnada, que no rehuye la palabra obscena o procaz y en que ésta se emplea con la misma naturalidad que la más delicadamente poética. Así cuando los personajes populares hablan, Asturias reproduce con toda fidelidad su pronunciación, su léxico, su sintaxis y su morfología, sus reticencias, etc., y no se arredra ante el vocablo procaz y obsceno.

Vemos el siguiente pasaje, en que por medio de reiteraciones y enumeraciones, Asturias da dramática expresión a la angustiosa huida de los campesinos despojados de sus tierras por la bananera:

> Se le calcinaban los pies aterronados. Pedazos de *tierra que se va*. *Pies* desnudos. Interminables filas. *Pies* de campesinos arrancados de sus cultivos. Imagen de la *tierra que se va,* que emigra, que deja escapar pedazos de su gleba buena, caída de los astros, para que no permanezca donde ha sido privada de raíces. *No tenían caras. No tenían manos. No tenían cuerpos.* Sólo *pies, pies, pies, pies* para buscar *rutas, repechos, desmontes* por donde escapar. *Las mismas caras, las mismas manos, los mismos cuerpos,* sobre *pies* para escapar, *pies, pies, sólo pies,* pedazos de tierra, *con dedos,* terrones de barro *con dedos, pies, pies, pies,* sólo *pies, pies, pies, pies...* Se les ve donde van, ya no están en sitio alguno, van, *marchan sin* hacer ruido, *sin* levantar polvo, *marchan, marchan, marchan,* brasa y humo las viviendas, y el descuaje de los bosques semisumergidos en el agua, humedad jabonosa donde sólo impera el *zompopo,* la *abeja* negra, nubes de *insectos, guacamayas* y *monos.* (*El Papa verde,* ed. cit. p. 80.)

Los juegos de palabras —que a veces envuelven juegos fonéticos— son de diversos tipos. En *Los ojos de los enterrados* abundan los de tipo aliterativo y onomatopéyico:

> —¡Ña... ña... ña...! —chicharra de teléfono con estertor de niño de teta— ...!ñaaa... ñaaa... ñaaa...! (*El Papa Verde,* página 294.)

---

[14] Atilio Jorge Castelpoggi: *Miguel Ángel Asturias,* Buenos Aires, Editorial Sudamericana, 1961, p. 21. Castelpoggi, sin embargo, emplea el concepto en un sentido más restringido, aplicándolo a un aspecto de la obra de Asturias: *Leyendas de Guatemala, El Señor Presidente* y *Hombres de maíz.*

—Habla, habla, mala bestia —se dirigió el presidente al quedar solo, a la voz carraspeada en el teléfono— que esta vez tengo el gusto de no oirte... ¡Ja, ja, ja, ja, ja!... Gra, gra, gré, gri... A eso se ha quedado reducido tu palabrerío amenazante. Gre, gra, gre, gri, gra, gru... ¡Blofista!... ¡Loro... loro... loro!... —y el aparato verde realmente parecía un loro hablando solo. (*El Papa*, p. 296.)

—¡Chuuuuuuppp! ...¡Chuuuuuuppp!

...Ya era escandaloso e insultante la forma como aquellos pequeños bandidos succionaban el poco jarabe que les quedaba ...¡chuuuup!..., ¡chuuuuppp!..., ¡chuuuuuuuppp!... (*Los ojos de los enterrados*, 366.)

¡Exigen! ¡Exigen! ¡Exigen! ¡Exigen! ¡Exigen!

Teque, teque, teque..., ¡exigen!... ¡exigen!... *teque, teque, teque, teque...,* ¡exigen!..., *teque, teque, teque...,* ¡exi... *teque, teque, teque!,* ¡ex...!, ¡ex...!, *teque; teque, teque, teque, teque, teque, teque...* nada... no exigían nada ya colgados del humo de las ametralladoras... (*Los ojos...,* 376.)

...les pesaba el abodocado deletrear de las mismas letras por los mismos sapos... ae... ae... ao... ao... ae... ao... (*Los ojos...,* 382.)

¡Soy tu sangre y seré tus huesos y seré tus huesos! ¡Auuuu..., auuuuu..., auuu... —aullaba—, auuuuu..., auuu..., auuu! (*Ibid.,* 384.)

—Chacla..., chacla..., chacla..., chicle... —se oyó decir al del chicle hablar y masticar; pero no se entendió lo que dijo, algo así como «míster Lucero tiene mucha culpa...—, chicle..., chacla..., chicle... —saber míster Lucero Boby corría peligro...»—, chacla-chi-cle-cha-chi-chi... (*Ibid.,* 465.)

En otras ocasiones se trata de juegos conceptuales asociados a juegos fonéticos:

—¡Emporialistas en lugar de imperialistas! (*El Papa...,* supra) ...Y al que le venga el cuante que se lo plante... Hay que justipreciar y justijuzgar que este nos es miadero... (*Ibid.,* 282.)

...Se refería a los «lobisones», sujetos que a la luz de luna se convierten en lobos... Una vulgar superstición. Algo que no puede existir y que, sin embargo existe..., en Washington mismo, en el Capitolio, donde hay hombres que a la luz del oro se transforman en «lobbystas». (*Ibid.,* 300-301.)

...—La primera vez sí, no lo voy a negar, fue locura, capricho, gana de *encimismarme* con él, de encimismarme con «ce», porque viene de encima, como corrigió una vez aquel profesor «ronquillo» (*Los ojos...,* 452) [15]

---

[15] Le gusta, incluso, jugar con las frases hechas, alterándolas ingeniosamente: «...*señor de cheque y cuchillo*...» (*El Papa Verde*). «El orden de los factores no altera la *borrachera*» (*Los ojos de los enterrados*).

El siguiente pasaje, altamente poético, puede ilustrar los demás rasgos señalados: riqueza de imágenes sensoriales —simples y sinestésicas—, de símiles y de metáforas, así como el contraste de oraciones breves y dinámicas, con oraciones largas, complicadas, barrocas:

> El contacto de la luna y el agua transparente era música. Se oía. Se oía un canto enmadejado, profundo, sacudido entre las olas, apagándose en las playas, rozando las rocas, desnudando el miedo batracio de las piedras medio sumergidas en la corriente. No es fácil decir lo que le falta al agua para hablar, pero su fábula de cristal y espuma saca lenguas de astilladas puntas diamantinas para decir adiós a los que se quedan en las riberas: los árboles vetustos, las fluviales enredaderas de quiebracajetes, las palmatorias nevadas de cera de los izotales, las huellas verdes que en el aire semejan las tunas; y para decir vamos a lo que en el fluir de sus moléculas rodantes le acompaña, desde la arena movible revuelta con oro hasta pedazos de montaña.
>
> ... ...
> Esta vez sería la esposa feliz de un río. Probablemente nadie se da cuenta de lo que es ser la esposa de un río, de un río como el Motagua, que riega con su sangre las dos terceras partes de la sagrada tierra de la Patria, por donde hicieron camino los mayas, sus antepasados, que viajaban en balsas de coral rosado, y más tarde frailes buenos, encomenderos y piratas en grandes o pequeñas barcas movidas a remo a pica por esclavos encadenados, desde los rápidos, hasta donde la corriente, en la desembocadura, pierde impulso y se torna sueño de talco entre cocodrilos y eternidades.
>
> Mayarí sabe que las lágrimas son redondas, esféricas inmensidades líquidas que acaban por ahogar a los que aman sin ser correspondidos. Por eso no le arredra morir en la gran lágrima rodante de su esposo. Mejor morir en el río que ahogada en su propio llanto. Pero, ¿cómo llamar muerte a la que se tiende en la horizontal blandura de la mártir que flota a la deriva? ¿Cómo no pensar que sobre su frente, mientras descienda dormida, vestida de blanco, acunada en su velo como una nube, girarán nueve estrellas, nueve, como las perlas del sartalito de Chipó? (*El Papa Verde*, 54.)

Consideraciones finales

Con la trilogía bananera que acabamos de estudiar, el arte novelesco de Míguel Ángel Asturias, en que hasta este momento predominaba lo mágico y mitológico —*Leyendas de Guatemala, El señor Presidente* (en armónica combinación con elementos realistas) y *Hombres de maíz*— toma, pues, una dirección decididamente *realista y social*, iniciando así la segunda de las dos tendencias o corrientes que cabe distinguir en su obra. Tenemos ahora una novela en que, sin que lo mágico desaparezca por completo, lo fundamental es el retrato de Guatemala —aunque sin mencionarla— y sus problemas. Y esto, hecho con todo realismo, y a veces hasta con crudeza naturalista, pues nuestro autor no rehuye ni aun lo sórdido o repugnante, cuando considera que es necesario para el impacto de una fuerte impresión.

Se trata, pues, de lo que solemos llamar *literatura comprometida de tipo antiimperialista*. Son novelas que se proponen denunciar, desenmascarándolo a la faz del mundo, el imperialismo económico y político de la United Fruit Company —«Tropical Platanera, S. A.», en las novelas— protestando de los abusos, atropellos e injusticias de todas clases, de este monopolio frutero, en su patria. Esa denuncia, como ya se ha visto, no se hace mediante prédica o propaganda directa de Asturias, cuya voz, a este respecto no se deja oír, sino por la selección de los hechos y sucesos presentados y la manera de presentarlos.

Se trata, por lo tanto, de novela de masas, de novela de problemas colectivos, no de conflictos personales. Por eso, la acción y el ambiente se destacan más que los personajes, y estos mismos, existen en ellas en función de los problemas económicos y políticos que representan, más que como individualidades. Ello explica la forma sumaria en que el autor trata a sus personajes: poca descripción, poco comentario, poco análisis; el personaje, en realidad, se revela a sí mismo por su palabra y su acción o por la perspectiva que otros tienen de él. Muy pocos personajes quedan en la memoria después de leídas estas novelas: Lester Mead, Geo Maker Trompson —quizá el más fuerte de todos—, Octavio Sansur. Leland Foster y Malena Tabay. Resulta, por el contrario, curiosa la forma en que algunos personajes secundarios —algunos de paso fugaz— dejan una fuerte impronta en el lector: personajes como Chipo Chipó, de *El Papa Verde*, o como los capitanes Cárcamo y Salomé, o el Padre Fejus, de *Los ojos de los enterrados*.

Al servicio de esta novela realista de denuncia, pone Asturias una técnica y un estilo modernos, sabio de todas las lecciones de las literaturas europeas de vanguardia: cubismo, expresionismo, dadaísmo y suprarrealismo. Con todo ello crea un estilo profuso, complicado, barroco. De un barroco más conceptista que culterano; un barroco en que predomina el ingenio y la agudeza, en la forma de juegos de sonidos, palabras, frases, hipérboles, etc.; un barroco, en fin, más cerca de Quevedo que de Góngora [16]. Cuando ese estilo se pone al servicio de la expresión de lo subconsciente o de estados anímicos anormales, produce extrañas páginas, alucinantes, pero de una rara y original belleza. *Intención social y expresión poética*: esa es la síntesis de estas novelas.

Finalmente, hay que señalar también en estas novelas —aunque en forma más atenuada que en las de tendencia mágica y mitológica— la mezcla de *realismo*, a veces de la índole más cruda, con la *fantasía mágica*, incidiendo de ese modo en la corriente estética del *realismo mágico*. En esta forma, colocándose en la perspectiva de la *mente mítica* del nativo guatemalteco, Asturias parece rechazar los rígidos esquemas de una visión positiva del mundo, regida sólo por lo sensorial y lo racional, poniendo de manifiesto, por el contrario, todo lo que de misterio y de maravilla oculta tiene la realidad.

Con todos estos elementos produce Asturias una obra que, al mismo tiempo que eficaz en la denuncia de una deplorable situación económica y política —imperialismo y dictadura— lo es también en la creación de una prosa poética que, aprovechando al máximo todas las virtualidades de la palabra —conceptuales, musicales y expresivas— da como resultado una de las manifestaciones novelísticas —del tipo social antiimperialista— más hermosa y originales de las actuales letras hispanoamericanas, y con el resto de su obra, es clara prueba de la justicia con que se le concediera el Premio Nobel de Literatura de 1967.

---

[16] Obsérvese este pasaje caricaturesco a lo Quevedo: «¡La jaula está abierta! ¿Qué esperan? ...El coronel era sólo una nariz larga, húmeda, gotero de sudor frío sobre el castañetear de sus dientes, y el capitán un par de hombreras gigantes que mantenían a flote una cabecita que se iba hundiendo a medida que se doblaban las piernas en un temblor que más era terremoto.» (*Los ojos de los enterrados*, p. 183.)

Mito y realidad en «Los ojos de los enterrados»
de Miguel Ángel Asturias

Adalbert Dessau

Uno de los problemas fundamentales de la novela moderna es el de las relaciones entre la realidad que circunda a los hombres y la conciencia que éstos tienen de ella. En algunos autores y críticos este problema se presenta en la interpretación existencialista de la dicotomía de la realidad exterior y la interior o humana del hombre.

En una forma bastante original, las relaciones entre la realidad y la conciencia de los hombres caracterizan lo que en la novela latinoamericana se dio en llamar «realismo mágico», del que Miguel Ángel Asturias es uno de los mayores representantes.

Los críticos hablan a menudo de «dos vertientes que alimentan... la obra de Miguel Ángel Asturias, la mitológica y la realista» [1], y Luis Justo cree que estas dos vertientes representan dos elementos espirituales, el europeo (racional) y el indio (mágico), que coexisten en la mente del autor [2]. Sin embargo, el propio Asturias declara que su obra se fundamenta en una concepción más dialéctica y profunda.

En numerosos reportajes se destaca que Asturias habla constantemente de la «solidaridad... entre el escritor y su pueblo» [3], deduciendo de eso la tarea fundamental del escritor latinoamericano:

> En la obra a realizar en América, el escritor debe buscar, de preferencia, el tema americano y llevarlo a su obra literaria con lenguaje americano. Este lenguaje americano no es el uso del modismo, simplemente. Es la interpretación que la gente

---

[1] M. A. Asturias: *Mulata de tal* (Buenos Aires, 1963), texto de la sobrecubierta.

[2] L. Justo: «Miguel Ángel Asturias: *Mulata de tal*», en *Cuadernos del Congreso por la Libertad de la Cultura,* no. 81, febrero 1964, p. 91.

[3] J. Corrales Egea: «Tres escritores hispanoamericanos en París. II: Miguel Ángel Asturias», en *Ínsula,* no. 197, p. 12.

de la calle hace de la realidad que vive: desde la tradición
hasta sus propias aspiraciones populares [4].

Estas observaciones confirman lo siguiente: Asturias, que
muchas veces había dicho que «la miseria de estas poblaciones» era la base de todas sus obras, exige la representación de la realidad americana en su totalidad a la vez material y espiritual. Es de importancia que Asturias se refiera
específicamente a los pueblos de América Latina, es decir, a
los seres humanos, y no principalmente a las distintas formas de la realidad objetiva americana, inclusive las condiciones en que viven los hombres. De ese modo, el tema americano deviene sobre todo la conciencia y autoconciencia de
los hombres de extracción popular. Este fundamento po-
sibilita que el autor supere con obras de una nueva categoría las variantes de la novelística latinoamericana anterior, como la costumbrista, la naturalista y buena parte de
la indigenista.

A base de estas premisas proporcionadas por el propio
Asturias, resulta interesante analizar las relaciones entre
mito y realidad en una de sus novelas marcadamente «sociales», *Los ojos de los enterrados*, que corona su conocido
ciclo bananero.

El tema fundamental de todas las novelas de Asturias es
directa o indirectamente el pueblo [5], sobre todo la población campesino-india en la «interpretación que... hace de la
realidad que vive». La conciencia de la población campesina de los países latinoamericanos está compenetrada de
elementos numerosos, que nacen de las peculiaridades de la
confrontación con la naturaleza, de tradiciones étnicas y de
las condiciones de la sociedad semifeudal en que vive. Por
consiguiente, el concepto del mundo que guía las acciones
de esta población no es racional. En eso consiste la gran dificultad que Asturias tiene que dominar en sus obras:

> ...el hecho tan corriente entre nosotros... de sucesos reales que
> la imaginación popular transforma en leyendas o de leyendas
> que llegan a encarnar acontecimientos de la vida diaria. A mí

---

[4] J. C.: «Miguel Ángel Asturias en Montevideo», en *Repertorio Americano*,
10 de marzo de 1950, p. 82.
[5] Véase J. A. Castelpoggi (*Miguel Ángel Asturias*, Buenos Aires, 1961), página 66.

me parece muy importante en el existir americano esa zona en que se confunden, sin límite alguno, la irrealidad real... de lo legendario con la vida misma de los personajes [6].

Así resulta que en la obra de Asturias no domina una vertiente de la dicotomía mencionada de lo mágico-espiritual y lo objetivo-real, sino una tendencia fundamental más homogénea: la representación de la realidad humana de América Latina en el sentido de la vida espiritual de la población [7], su confrontación con el mundo y sus conflictos sociales. Eso es la «recreación del mundo americano» [8] que constantemente ha preocupado a Asturias.

Es notable que esta preocupación constante se realice en la obra literaria de Asturias a base de un largo proceso cognoscitivo con respecto a los problemas de su pueblo. Así, la trayectoria de su obra parte de la fundamentación del ser guatemalteco en la unidad bifacética que constituyen la grandeza espiritual de las tradiciones en *Leyendas de Guatemala,* y la miseria espiritual presente en *El señor Presidente,* y llega hasta *Los ojos de los enterrados,* abarcando el largo camino que va desde un humanismo espiritual hasta posiciones francamente favorables a la revolución. Después de verse privado del contacto directo con la vida y lucha de su pueblo y Latinoamérica en general, el autor vuelve a recrear el patrimonio mitológico y legendario de su país en *Mulata de Tal* y *El Espejo de Lida Sal.*

Dentro de esa trayectoria ocupa un lugar destacado la trilogía bananera con *Viento fuerte* (1950), *El Papa Verde* (1954) y *Los ojos de los enterrados* (1960).

Viento fuerte es una obra contradictoria. Por un lado, el autor, según sus propias explicaciones, quiere transponer al terreno de la novela lo que leyó en el libro *El imperio del banano,* de Kepner y Soothill. Por otro lado, relaciona esta materia narrativa con la vida del pueblo y sus conceptos mágicos en los capítulos finales que describen el «viento fuerte» desencadenado por el brujo Rito Perraj. La génesis del

[6] R. Trigueros de León: «Miguel Ángel Asturias», en *Perfil en el aire* (San Salvador, 1955), p. 130.
[7] Véase V. N. Kuteisikova: *Roman Latinskoj Ameriki v XX veke* (Moscú, 1964), p. 268.
[8] R. Trigueros de León, *op cit.,* p. 122.

libro explica que mito y realidad, en *Viento fuerte*, no están plasmados en una unidad perfectamente lograda.

En *El Papa Verde* estos dos elementos tampoco forman una unidad perfecta. Sin embargo, el autor descubre nuevas dimensiones del mito en el sentido de que éste no es tanto un concepto mágico, sino más bien un anhelo a la libertad o a la realización de los hombres en la plenitud de la vida. Desde esta posición Asturias capta la dialéctica en la vida de Geo M. Thompson y crea nuevos mitos, sobre todo el de Mayarí, la novia de Thompson, que se suicidó en una noche de honda significación ritual para escapar al matrimonio con quien había quitado la tierra y —en un sentido más amplio, lo más hondo y esencial de la vida—, a sus compatriotas.

Al final de *El Papa Verde*, los protagonistas y el lector se encuentran frente a muchos mitos derrumbados por una realidad cruel y el nuevo mito de Mayarí que se sacrificó trágicamente y sin resultado directo para su gente. El lector también sabe que entre los campesinos de Bananera cunde la rebelión. Con el grito de «Chos, chos, moyón con», ellos mantienen despierta su conciencia. La comparación de *Viento fuerte* y *El Papa Verde* muestra que Miguel Ángel Asturias ha conservado el elemento central de su imagen del hombre, la idea de la esperanza como fuerza motriz de sus acciones. Pero el tratamiento de lo mágico ha cambiado. Así, el autor procede distintamente con la historia del viento fuerte y su motivación mágica. La retoma cuando Rito Perraj se queja resignadamente de que la tempestad le haya traído a la compañía bananera el maleficio, pero sin obsequiar al pueblo la justicia esperada [9]. Sin embargo, más adelante, Rito Perraj es convertido en el guardián de la esperanza de la justicia: «Esperar que amanezca es tu papel supremo. Transmitir de generación en generación esta virtud de la esperanza, tu designio» [10], y para la realización de esta misión Rito Perraj pronostica un «viento fuerte formado por masas humanas que barrerían con la 'Tropicaltanera'...» [11]. Con eso Asturias atribuye al mito, además de la

---

[9] Miguel Ángel Asturias: *El Papa Verde*, segunda edición (Buenos Aires, 1957), p. 164.

[10] *Ibid.*, p. 167.

[11] *Ibid.*, p. 267.

representatividad nacional y popular, una relevancia social directa, empezando a convertir la conciencia mágica de sus protagonistas en una fuerza revolucionaria.

Este tratamiento del mito y la magia como elementos orientadores de la actuación social de los hombres culmina en *Los ojos de los enterrados*.

Ya en *El Papa Verde* hay una alusión a la leyenda de los muertos que cierran los ojos cuando hay justicia [12]. Con esta leyenda, que no sólo pertenece al pueblo guatemalteco, sino que es conocida universalmente, se define la posición que el libro ocupa en la trilogía bananera. La novela expresará el comienzo de la edad de la justicia. La motivación se menciona en relación con la expulsión de los campesinos por Geo M. Thompson; la edad de la justicia, por ende, no se puede medir sino por la reparación de este acto cometido contra el pueblo.

Por eso la perspectiva de esta novela ha cambiado considerablemente en comparación con las otras dos partes del ciclo. La trama de *Los ojos de los enterrados* resulta posible sólo cuando el pueblo guatemalteco, como protagonista activo, se convierte en el personaje central de la novela. De ahí que Asturias alcanza en este libro, como escribe Iverna Codina, «en esa línea ascendiente de la toma de conciencia de un pueblo... una magistral descripción de masas en marcha» [13].

La novela está obviamente construida sobre esta base conceptual, ya que su acción se extiende desde el fracaso de la huelga de los trabajadores en la costa del Atlántico hasta la caída de Ubico en 1944, y trata, en un sentido más estrecho, la expansión del movimiento huelguístico al territorio de la costa del Pacífico [14].

La conexión indisoluble entre la dominación de la compañía frutera y la dictadura se fija claramente:

> Derrocar a la fiera militar de turno dejando a la frutera intacta, era engañarse, y atacar a la compañía, con el dictadorzuelo encima, era imposible. Había que acabar con los dos al mismo tiempo [15].

[12] *Ibid.*, p. 51.
[13] I. Codina: *América en la novela* (Buenos Aires, 1964), p. 59.
[14] Véase M. A. Asturias: *Los ojos de los enterrados*, segunda edición (Buenos Aires, 1961), p. 48.
[15] *Ibid.*, p. 250.

El movimiento empieza con demandas como el uso de la moneda nacional, el empleo del idioma español en vez del inglés, y el permiso de izar la bandera patria en vez de las franjas y estrellas [16]. Con el correr del tiempo, el grito de «Chos, chos, moyón con» se convierte en el lema de la rebelión para todo el país. La realidad tratada en *Los ojos de los enterrados* es, pues, la de la revolución y sus causas.

Siendo así, no es de admirar que Asturias explore detalladamente y en varios lugares el problema de la revolución, entrelazándolo con consideraciones históricas. Su protagonista, Tabío San, participa primero en una conspiración para asesinar al dictador. Después del fracaso observa: «...operaba con gentes que no comprendían demasiado y no se les ocultaba que en una revuelta popular, ellos también peligraban, sobre todo sus intereses...» [17] Más tarde comenta las manifestaciones estudiantiles contra Ubico: «Era comienzo de un tiempo de ficción», para continuar más adelante:

> Hubiera querido no decir aquella frase literaria. Pero, ¡cómo designar de otra manera el paréntesis de luz que se abría en el cotidiano vivir de gentes de pan y sueño, sino como un tiempo de ficción democrática, si los trabajadores organizados no le daban un contenido que fuera más allá del arrebato estrujador y embriagante de la libertad altibelisona...! [18]

El hecho de que en *Los ojos de los enterrados* Asturias dejó detrás las ideas liberales, se debe evidentemente al proceso cognoscitivo mencionado, cuya trayectoria se hace patente si se compara la obra de Asturias con las novelas de su contemporáneo guatemalteco más importante, Mario Monteforte Toledo [19].

La posición y el objetivo del autor tienen consecuencias muy grandes para la elaboración de la novela. El problema que resulta de ello es múltiple: El autor tuvo que conectar la novela con sus predecesores, por lo cual son dados el lugar principal de la acción, Tiquisate, y un extenso grupo

---

[16] Véase M. A. Asturias: *Los ojos de los enterrados,* ed. cit., p. 376.

[17] *Ibid.,* p. 181.

[18] *Ibid.,* p. 393.

[19] Tal comparación podría efectuarse con respecto a la perspectiva de las novelas, sobre todo a base de *Donde acaban los caminos* (1953) y *Una manera de morir* (1957).

de personajes con una prehistoria correspondiente. Sin embargo, la revolución de 1944 tuvo lugar principalmente en la ciudad de Guatemala. Asturias resuelve el problema de manera que la confrontación de los trabajadores con el *trust* ocurre bajo la influencia de los acontecimientos en la capital. Esto facilitó la solución de otro problema: había que presentar cómo los obreros de Tiquisate se alistaron en el movimiento revolucionario. Por consiguiente era inevitable presentar a éste como un proceso que se extiende a Tiquisate y organiza a los trabajadores. La trama de *Los ojos de los enterrados* resulta de esta problemática. Dos asuntos se combinan y entretejen: el desarrollo del movimiento revolucionario en Guatemala —encarnado en los personajes de Tabío San y Malena Tabay— y el destino de los personajes de la región bananera ya conocidos por el lector.

Es interesante cómo en la historia de Tabío San y Malena Tabay, Asturias combina su humanismo integral con sus ideas sobre la revolución. En lo político, revolución quiere decir liberación de la dominación combinada de la empresa bananera y el dictador y reinstalación de la justicia perdida. Su medio, la huelga general, es considerada como «desintegración integradora»[20], y la inquietud del pueblo está expresada por la paráfrasis del *Pater noster*: «¡Nuestro país de cada día, dádnoslo hoy!»[21]. Eso revela que, según Asturias, detrás de la acción política existe un anhelo profundamente humano: la restitución de la esperanza, del mito y de la renovada posibilidad de una vida plenamente realizada. Por consiguiente, la revolución no es sólo un proceso socio-político, una empresa práctica, sino la liberación del hombre en todos los aspectos de su vida, en la totalidad de su humanidad.

Es obvio que en *Los ojos de los enterrados* Asturias continúa un humanismo integral que ya puede observarse en *Viento fuerte* y otras obras anteriores, pero lo sitúa en un contexto social visto de una manera diferente. Por eso hay un significado muy profundo cuando la leyenda de *Los ojos de los enterrados* es interpretada del modo siguiente por un personaje secundario:

---

[20] Véase M. A. Asturias: *Los ojos de los enterrados,* ed. cit., p. 212.
[21] *Ibid.,* p. 442.

Sí, el día de la justicia resucitarán los muertos, pero no los que están bajo la tierra, sino los enterrados en vida, estos hombres que son como esqueletos de carnes transparentes como las alas de las moscas [22].

La misma transfiguración del elemento mitológico se hace patente cuando Tabío San discute la leyenda del *Viento fuerte:*

Esperar, como es de creencia aquí, que otro Hermenegildo Puac dé su cabeza al brujo, y que se desencadene un nuevo «viento fuerte», es dejar en manos sobrenaturales problemas que tenemos que resolver nosotros... [23]

Lo que determina en adelante el destino de los mitos originados durante el transcurso de la trilogía bananera es la categoría de su mensaje, su significación social. Las ideas e imágenes concretas que encubren esta significación sucumben a la nueva realidad. Por eso mito y magia, en sus aspectos netamente cognoscitivos, es decir, no adecuados a la realidad, pierden su función en la vida de los protagonistas y ocupan cada vez más una posición periférica en la novela.

Así resulta que Juambo el Sambito no interpreta la leyenda de *Los ojos de los enterrados* según su verdadera significación, sino al pie de la letra. La relaciona con asuntos personales y quiere reparar una injusticia que cree haber cometido contra su padre, trabajando como jalador de frutas. Después de algún tiempo desentierra el cadáver de su padre para ver si tiene los ojos cerrados [24], mientras que al mismo tiempo los otros trabajadores preparan la huelga. El mito, privado de su significado social, se convierte en una superstición inútil y sin trascendencia.

La transfiguración de los mitos es el problema más importante para la consideración de la relación entre mito y realidad en *Los ojos de los enterrados.* El mito se justifica en esta novela según el grado en que puede ser factor tradicional y orientador —portador de la esperanza— en la gesta libertadora del pueblo.

Sin embargo, eso es sólo la mitad del problema. En el

---

[22] *Ibid.,* p. 394.
[23] *Ibid.,* pp. 474-75.
[24] *Ibid.,* pp. 380, 382 ff. y otras.

fondo, casi todas las novelas de Miguel Ángel Asturias son creaciones de mitos. Eso ocurre también en *Los ojos de los enterrados*, y ha sido confirmado por el autor en cuanto, según él explicó la refundición de esta obra, quería al final dar expresión a una esperanza. De ese modo creó un nuevo mito libertador.

Vale la pena investigar los procedimientos usados por Miguel Ángel Asturias. La victoria de la revolución guatemalteca sobre la dictadura en 1944 ocurrió del modo siguiente. Después de la caída de varios dictadores centroamericanos, una serie de acciones de protesta tuvieron lugar también en Guatemala, principalmente en la capital, y efectuaron la caída de Ubico. La manifestación más importante tuvo lugar cuando en junio de 1944 los estudiantes dieron al presidente el ultimátum de veinticuatro horas para reabrir la Universidad y garantizar la libertad de la palabra [25]. El 22 de junio empieza la huelga. Más tarde maestros, médicos y miembros de otras profesiones se unieron a ellos. Después de una manifestación iniciada por los estudiantes el 26 de junio, Ubico trató de sofocar el movimiento, pero sin éxito. Éste se ensanchó, y el 29 de junio Ubico tuvo que retirarse.

Asturias sigue los acontecimientos hasta este punto, y de aquí en adelante, ellos influyen en los trabajadores de Tiquisate. Pero hay que notar que el 29 de junio de 1944 una junta de generales bajo Federico Ponce se apoderó del gobierno y trató de continuar el régimen de Ubico con nuevo equipo. Sólo el 19 de octubre una insurrección de jóvenes oficiales e intelectuales logró el triunfo de la democracia, y este acontecimiento fue casi en nada precedido de manifestaciones populares [26].

Hay dos momentos en que Miguel Ángel Asturias interpreta libremente los acontecimientos históricos: primero, cuando la dictadura cae, el 29 de junio, y segundo, cuando el autor relaciona este suceso directamente con la lucha de los trabajadores bananeros contra el ·*trust*. Eso también es una corrección literaria de lo que ocurrió en 1944, con el

---

[25] Véase W. Krehm: *Democracia y tiranías en el Caribe* (Buenos Aires, 1959), p. 97.
[26] *Ibid.*, pp. 101-106.

propósito de dar expresión a una esperanza, es decir, proyectada hacia el porvenir.

Este manejo libre del material real y concreto es característico del modo de presentación de Asturias. Seymour Menton comenta:

> ...Todos sus libros se basan fuertemente en los acontecimientos y personajes históricos de Guatemala, sólo que Asturias lo convierte todo en fantasía por medio de su estilo vanguardista [27].

También en este respecto se puede observar algo esencialmente nuevo en *Los ojos de los enterrados*. Los mitos hasta entonces creados por el autor eran, en cierto modo, entresacados del material histórico, y sin duda han desempeñado un papel en la toma de conciencia del autor y sus lectores, pero sólo en el sentido de una esperanza incierta. En *Los ojos de los enterrados*, al contrario, se crea, de acuerdo con la concepción de la novela, el nuevo mito o, como dice Manuel Tuñón de Lara, la prefiguración del día de la realización [28] a través de una corrección literaria de los acontecimientos de 1944.

Dentro de la novela latinoamericana actual, *Los ojos de los enterrados* ocupa un lugar destacado y, en cierto sentido, único entre las dos tendencias del realismo mágico y la novela de tipo existencialista. Con las dos tiene en común que Asturias trata de captar y presentar a sus personajes desde adentro, desde su conciencia. Se distingue de la novela de tipo existencialista por su imagen del hombre que considera como un ser social y popular que sueña en su plena realización como tal. Parte del realismo mágico que considera como expresión de un ser no enajenado y reproducción del espíritu nacional vivo sobre todo entre los campesinos indígenas a través de un rico patrimonio mitológico y legendario.

La temática de la trilogía bananera planteó el problema de la confrontación del pensamiento mágico con la situación actual del país. Ante este problema Asturias desarrolló

---

[27] S. Menton: *Historia crítica de la novela guatemalteca* (Guatemala, 1960), página 234.

[28] Véase M. Tuñón de Lara: «Un romancier social des tropiques: Miguel Ángel Asturias», *Les Temps Modernes*, 107 (París, noviembre 1954), p. 657.

considerablemente sus ideas acerca del mito como fuerza espiritual orientadora de las acciones de los hombres. Descubrió la diferencia entre magia y mito, es decir, entre forma y contenido de la espiritualidad de sus personajes.

La magia como forma que reviste el mito resulta históricamente relativa. Es un elemento cognoscitivo condicionado por circunstancias históricamente lejanas, superado por la realidad moderna y los instrumentos cognoscitivos que ésta brinda a los hombres. Ante el saber humano (y humanístico) moderno, el saber mágico tradicional resulta supersticioso si se considera como método de conocimientos.

Algo distinto sucede con el mito que Asturias tiende a identificar con la esperanza que, a su vez, considera como un anhelo innato del hombre. Es obvio que, directa o indirectamente, esta idea es una prolongación del pensamiento espiritualista bergsoniano. Desde muy temprano Asturias asocia esta metafísica humanista a la idea del «jornal ganado», como escribe en una de sus primeras poesías [29], es decir, a la ética del trabajo y el deber. Esto le permite ver, en *Los ojos de los enterrados*, la realización creadora y libre de los hombres, precisamente en la vida activa de los deberes diarios del hombre de extracción popular, que describe como el forjador de su destino.

Así, pues, el mito resulta un contenido que, según las circunstancias históricas, reviste formas distintas: desde la mágica hasta la científica. Si estas formas se revelan como relativas, el mito, como lo concibe Asturias, es un elemento constitutivo del ser humano y, por ende, duradero.

A base de esa distinción dialéctica entre mito y magia como contenido y forma, Miguel Ángel Asturias logró descubrir una nueva dimensión para el llamado realismo mágico y abrir a la novela latinoamericana una interesante perspectiva de desarrollo.

---

[29] Véase Miguel Ángel Asturias: *Obras escogidas* (Madrid, 1955), I, páginas 933-934.

«Hombres de maíz»
El mito como tiempo y palabra

Ariel Dorfman

Aunque sus orígenes se pierden en remotas regiones y sus coordenadas socioculturales todavía se discuten, la novela hispanoamericana actual tiene una fecha de nacimiento bastante precisa. Es el año 1949 cuando salen a la luz pública *El reino de este mundo*, de Alejo Carpentier, y *Hombres de maíz*, de Miguel Ángel Asturias. A esta última obra, vertiente y vértebra de todo lo que hoy se escribe en nuestro continente, le ha cabido un extraño destino, como tanta obra que abre una época y que clausura el pasado.

Buena parte de los ensayistas han opinado que es deficiente, señalando en particular su falta de unidad, su segmentación desgarbada y escurridiza, su vacilación genérica, frente a esa sólida catedral (iglesia satánica) de coherencia dinámica, *El señor Presidente*, la novela más famosa, la de más ediciones, la más traducida, premiada y comentada de Asturias. Muchos dedican a *Hombres de maíz* sólo un par de líneas, o la ignoran del todo, irritados por esa confusa, explosiva astilla que no parece insertarse normalmente dentro del ordenado y cómodo desarrollo del autor hacia lo político en su posterior trilogía bananera, ansiosos por pasar de la novela sobre la tiranía interna de un país a las que retratan la tiranía externa del imperialismo. Los lectores deben encontrarla aburrida y difícil, conclusión que deduzco de múltiples conversaciones y, lo que es más probatorio, de las escasas tres ediciones (1949, 1954, 1957) del libro, hasta que, con un atraso de diez años, la Editorial Losada, forzada por el Premio Nobel, ha sacado la cuarta.

Otros, los menos, han reconocido su extraordinaria calidad, aunque por lo general no alcanzan a rebatir los argumentos de sus detractores, afirmando su grandeza, a pesar de sus defectos, defendiéndose más que atacando. Giuseppe Bellini, el que le ha dedicado la más cariñosa y atenta consideración, al justificar la novela, asevera que la unidad no se halla en la trama, sino en el «clima», en la atmósfera. Acepta la dispersión de la obra como una cualidad, algo inevitable para transmitir el «espíritu de Guatemala». También, para apuntalar su singular estructura, se la ha calificado de «poética», de «poema sinfónico», o se llama la atención hacia su mezcla de lo social y lo mítico. Sin embargo, el uso de estos términos, vagos e insuficientes, sintomatizan una básica incomprensión del texto, y son inadecuados para describir una obra que ha contribuido a fundar una dinastía de lo real, una nueva manera de ver lo americano. La única forma de entender la relación de *Hombres de maíz* con el futuro que enciende su semilla, y que nos permita, de paso, resolver el problema de su unidad, es un análisis detallado de sus seis partes, que algunos han criticado por ser discontinuas y que otros han tratado de unificar y ensamblar mediante la atmósfera de un lenguaje poético que verbalizaría mágicamente conexiones inexistentes, algo «menos que epopeya, más que novela» [1].

---

[1] Vale la pena reseñar brevemente las reacciones ante la novela.

Seymour Menton, que ha escrito el mejor análisis que conozco sobre *El señor Presidente* («La Novela Experimental y la república comprensiva de Hispanoamérica», *Humanitas*, Anuario del Centro de Estudios Humanísticos, Universidad de Nueva León, año I, núm. 1, pp. 409, 464), se equivoca en relación a *Hombres de maíz* en su *Historia Crítica de la Novela Guatemalteca* (Guatemala, Editorial Universitaria, 1960), mencionando «el método artificial que emplea el autor para atar todos los cabos sueltos, o mejor dicho para entrelazar con hiedras los distintos troncos individuales», sugiriendo que Asturias echó a perder «una magnífica antología de cuentos y de folklore maya», debido a que «desgraciadamente... insistió en revestir el libro de forma novelesca». Esta opinión, que comparten, entre otros, Anderson Imbert, Zum Felde, encuentra su manifestación excelsa en la actitud de Francis Donahue, quien en «Miguel Ángel Asturias: su trayectoria literaria» (*Cuadernos Hispanoamericanos*, núm. 186, junio, 1965), sólo le dedica, en un ensayo de 20 páginas, cuatro líneas a *Hombres de maíz,* fenómeno grave si se considera que este caballero ha escrito una tesis doctoral (que no ha leído por razones obvias) sobre Asturias.

Podríamos compilar una larga lista de juicios semejantes, que hablan de «ininteligibilidad», «falta de solidez arquitectónica», «un alto en el camino novelístico», pero como muestra debe bastar este trozo sacado del ensayo de José Antonio Galaos, en «Los dos ejes de la novelística de Miguel Ángel Asturias» (*Cuadernos Hispanoamericanos*, núm. 154, octubre 1962); «pertenece al género novelístico, porque es en éste donde se sitúa cuanto en literatura es inclasificable. Unas veces semeja una serie de relatos unidos entre sí por el simple vínculo geográfico y étnico; otras, meras evocaciones de esos personajes y esas gentes... es una enorme retorta donde se han mezclado cosas tan dispares como la poesía y el más insoportable prosaísmo».

También hay defensores. Fernando Alegría (en su *Breve Historia de la No-*

vela Hispanoamericana, Ediciones Andrea, México, 1959) la considera la obra de «mayor envergadura» de Asturias, pero no ha probado sus juicios con un análisis detallado de la novela. Bellini (*La Narrativa di Miguel Ángel Asturias,* Milano, La Golliardace, 1966?) afirma que la trama importa menos que el clima y «Giò che ad Asturias interessa è rendere, in sostanza lo spirito del Guatemala, la sua consistenza fenomenica, ma sopratutto la sostanza spirituale, che lo rende entità permanente nel tempo. Perciò egli situa la sua vicenda in un succerdersi diluito di eventi, i quali sono unicamente un pretesto per raggiungere il fine indicato», es decir, acepta el desorden como necesario, agregando además que el quinto episodio (María Tecún) «presenta tenui legami con la trama centrale del libro». A pesar de estas limitaciones, su estudio es el mejor que se ha publicado acerca de *Hombres de maíz,* comprendiendo a la novela como una superación de un modo de ver pasatista. Atilio Jorge Castelpoggi, en *Miguel Ángel Asturias* (Ed. La Mandrágora, Buenos Aires, 1961), que ha hecho el único análisis serio de la trilogía bananera, demostrando la calidad que tantos críticos le han negado, halla la unidad de *Hombres de maíz* en el último capítulo, que considera un resumen, una cifra, de los anteriores, pero no la examina a lo largo del texto y no explica en qué consiste esta «notable unidad», aunque sí tiene juicios certeros («el libro de Asturias vive de esta confrontación de lo invisible y de lo presente, de la magia y de la realidad»). Juan Carlos Ghiano, citado por Castelpoggi, op. cit., p. 71), afirma que el libro es «menos que epopeya, más que novela» lo que agrega bien poco a nuestros conocimientos. Orellana Riera, en una memoria inédita (*Miguel Ángel Asturias, El Señor Presidente* y otras obras, Santigo de Chile, 1954), advierte que *Hombres de maíz* «es un profundo poema sinfónico, donde no se excluye ninguna nota del pentagrama nativo; así, es una novela folklórica por lo colorido de las descripciones de costumbres típicas, de tradiciones religiosas, por el empleo de giros lingüísticos de acentuado sabor popular; novela social por el cuadro sórdido del indígena, y el perfil áspero de su explotación; novela mitológica por la sucesión de hechos fantásticos, trabados en una línea de exaltación legendaria y mágica». El análisis de Ray Ángel Verzasconi, en una tesis doctoral no publicada, «*Magical Realism* and the Literary World of Miguel Ángel Asturias» (University of Washington, 1965), es un intento por encontrar la unidad en algo dentro del texto, en los personajes y sus problemas, y no en una entidad impalpable y vaga: la lucha entre venganza y fertilidad, la unión de los personajes en torno a un conflicto sicológico que da sentido al desarrollo aparentemente desordenado de las acciones. El problema principal del libro sería la lucha entre la tierra y el maíz, la creación reiterada, la generación que muere para revivir, la lucha entre hombre y mujer («On the one hand, the male is moved by his instinctual desire to propagate his race —the 'hombre de maíz' is the symbolic fertile kernel of corn. On the other, the female stimulates her partner's instinct, but at the same time, she acts as a barrier afainst unlimited procreation». «Gaspar Piojosa, Machojón, Tomás Machojón, María Tecún, Goyo Yic and Nicho Aquino are all involved in this life and death struggle»). Estas exploraciones freudianas me parecen poco convincentes.

El mejor defensor de *Hombres de maíz* resulta ser el propio autor, que en dos ocasiones ha señalado los caminos que ha de seguir quien intente comprender su libro. «Toda mi obra se desenvuelve entre estas dos realidades: la guatemalteca; la otra imaginaria, que les encierra en una especie de ambiente una social, política popular, con personajes que hablan como habla el pueblo y de paisaje de ensueño» (citado por Claude Couffon, «Miguel Ángel Asturias v el realismo mágico», *Alcor,* Asunción, marzo-junio, 1963) v «Una novela en la que presento como aspecto social de la vida americana el hecho tan corriente entre nosotros, y que todos hemos vivido, de sucesos reales que la imaginación popular transforma en leyendas o de leyendas que llegan a encarnar acontecimientos de la vida diaria. A mí me parece muy importante en el existir ame-

Gaspar Ilóm

El primer capítulo cuenta cómo Gaspar Ilóm, el cacique
de las tierras de Ilóm, inicia una guerra en contra de los
que siembran maíz con fines comerciales. El señor Tomás
Machojón, a instancias de su esposa, Vaca Manuela, da veneno al cacique, y éste, abandonado por su mujer, la Piojosa Grande, se bebe el río para apaciguar sus entrañas, logrando salvarse, pero de nada le vale, ya que el coronel
Chalo Godoy ha aprovechado su ausencia para matar a los
luchadores indios. Gaspar se arroja al río para no tener que
sobrevivir a sus guerreros.

Esta acción debe ser descifrada por el lector, que se su-
merge en una abejorreante chorrera de palabras que flotan
ensoñadamente entre lo real y lo ficticio, una atmósfera que
se desarrolla, densificándose, lloviendo claridad y oscuros
colores que luchan en nubarrones verbales. Hay que interpretar, desencantar los hechizos lingüísticos, desenterrar de
esa fluyente caverna el perfil de un sentido. Este modo narrativo sirve para indicar que nos encontramos frente a un
momento, al principio del libro, en que sueño y realidad
cohabitan, en que lo mitológico aún se encarna plenamente
en el hombre, en que lo humano y lo natural son idénticas
conjugaciones, fusionados hasta por el uso intercambiable
de los mismos términos designativos.

Utilizando ciertas fórmulas iterativas, mágicas, el «suelo» trata de despertar a Gaspar Ilóm, que duerme, enterrado, «sin poder deshacerse de una culebra de seiscientas mil
vueltas de lodo, luna, bosques, aguaceros, pájaros y retumbos que sentía alrededor del cuerpo». La tierra «cae soñando», pero no puede seguir en su dormir, porque no
hay sombra, no hay vegetación, «despierta en las que fueron
montañas, hoy cerros pelados de Ilóm», se la ha violenta-
do, sacándola fuera de su estado natural, sagrado, imposi-
bilitando la mágica unión de hombre y naturaleza, el primordial vínculo que es posible en una etapa prelógica, irreal,
donde todo duerme y todo sueña, no como ahora, presente

---

ricano esa zona en que se confunden, sin límite alguno, la irrealidad real, como
diría Unamuno, de lo legendario con la vida misma de los personajes» (en una
entrevista que reproduce Ricardo Triqueros de León, *Perfil en el Aire*, El Salvador, Ministerio de Cultura, 1955).

en que existe «tierra maicera de agua hedionda de tanto
estar despierta». Provocada por la acción de los maiceros
que queman la vegetación para poder crecer maíz para su
venta, ofendida por la destrucción de sus bosques sombrea-
dores para convertirlos en inútil oro, necesitando desesperadamente volver a dormir y a magiar, la naturaleza exige
que Gaspar Ilóm extermine a los sembradores, que instau-
re una simetría de la retribución, haciendo con ellos lo
que ellos han hecho con la tierra: «Trozar los párpados
a los que hachan los árboles, quemar las pestañas a los que
chamuscan el monte y enfriar el cuerpo a los que atajan el
agua». Se proclama la purgación de los males, el retorno
al equilibrio, la venganza contra quienes han separado al
hombre de la naturaleza, haciendo inevitable la explotación.
Esta pérdida del origen, tema que recorre toda la obra de
Asturias, trae consigo necesariamente la opresión, sea la de
un dictador local, de un conquistador español o del imperialismo norteamericano. El maíz «sembrado para comer
es sagrado sustento del hombre que fue hecho de maíz.
Sembrado por negocio es hambre del hombre que fue hecho
de maíz». Hay dos tipos de hombres de maíz: los que viven
la mágica plenitud de una continuación sensual con la naturaleza, formas de un sueño, de un dormir, y los que son
el despertar, el hambre, la muerte. Estos últimos se des-
arraigan, pierden su raíz, no sólo en un sentido metafórico,
sino de una manera literal y efectiva, se convierten en vagabundos sobre la tierra, negadores del sacro crecimiento
vegetal. Por eso la semipresencia de lo picaresco en toda
la producción de Asturias y en esta obra en particular: el
movimiento insensato en busca de sustento, el peregrinaje
absurdo, viento que pasa y repasa y se hace ruina, «des-
merecerá la tierra y el maicero se marchará con el maicito
a otra parte, hasta acabar él mismo como un maicito des-
colorido en medio de tierras opulentas», con la nostalgia
del reposo en el viento de sus ojos, el recuerdo de la inmovilidad primera que imitaba el Gaspar Ilóm, y que equivale
al paraíso perdido. *Hombres de maíz*, como veremos luego, es una visión de ambos tipos de hombres de maíz, los
que viven el exilio del nunca-descanso y los que se fijan
en el mito.

En su lucha Gaspar tiene el auxilio de las fuerzas

cósmicas, los conejos amarillos para quienes «no hay secreto, ni peligro, ni distancia», el espíritu de fuego que guerrea
más allá de la muerte del mismo cacique, que es una ema-
nación del orden natural buscando perdurar en su ser. Todo
lo que se refiere a Gaspar se ve a través de lo mítico, huma-
radas de aparente caos, donde todo vibra con la secreta
vertebración de lo ritual. El lenguaje exacerbado, su barroca sintaxis de serpiente, un mundo que avanza culebreando,
unión de elementos disímiles, transfiguración por medio del
verbo, sagrado, solemne, lejano, entrevisión de lo que sucede, todo recrea en la mente del lector el proceso del pri-
mitivismo envolvente que el personaje mismo está viviendo, y fuerza a nivelar el sueño y la realidad, lleva a mezclar
ficción y *factum* sin poder —y sin querer— separarlos [2].
El tema principal de la novela, la relación entre el mito y
lo real, tiene en esta fusión su correlato narrativo y lingüístico, pero sólo se da plenamente en el primer capítulo,
donde la piel mitológica cubre todo. El hecho de que leyenda y realidad, palabra y hecho, sean una misma experiencia para lector y personaje, contrastará con el resto de los
capítulos, donde justamente la distancia y la cercanía de estas dimensiones se problematizan, impidiendo una unión
enseñada, como la que se da, por ejemplo, al narrar el
envenenamiento de Gaspar Ilóm.
    Si tratáramos de dar a este momento un orden crono-
lógico o meramente lógico, encontraremos dos secuencias
sucesivas, quizá paralelas, que coinciden en ciertas recu-
rrencias (el Gaspar es envenenado, el veneno está constituido
por dos raíces blancas, la Piojosa Grande huye), pero cuyo
entrelazamiento no permite ubicar con exactitud cada acontecimiento ni imponerle un orden a esa turbamulta de imágenes, vaticinios, prefiguraciones. Una de las dos secuencias (¿cuál de las dos?, ¿y si fueran ambas?) es un sueño
premonitorio (o recordatorio) de la Piojosa Grande. La repetición, una vez en sueño, otra vez en realidad, sin poder
definir cuál es cuál, desdibuja y borronea el modo habitual
en que las cosas ocurren en nuestro mundo. El lector debe
simplemente absorber lo que pasó, debe interpretar eso,
convertido a su vez y de golpe en mago. Lo que se sueña y

---

[2] «Il confine tra realità e leggende è cosi tenue che i piani dell' una si
fondonno con quelli dell'altra, fluctuando continuamente», Bellini, *op cit.*, p. 71.

lo que se vive son inextricables, y esto significa que todo esfuerzo de quien lee por ordenar ese mundo lo falseará y terminará en un fracaso. Así como sus personajes luchan contra la civilización y contra la fría realidad cotidiana, Asturias proseguirá en el resto de la obra, si bien en forma más apagada, con el empeño de destruir la mentalidad racional, utilizando, aunque menos desaforadamente, todo procedimiento viable para hacer hervir el lenguaje: soltando desórdenes en el tiempo, entretejiendo puntos de vista impersonales e interiores, confundiendo el habla popular y el pensamiento de los personajes con la supuesta objetividad de las acciones, silenciando a los hombres y animando a la materia vegetal-animal, desligando los puntos de referencia, barriendo los moldes de las convenciones académicas, gran experimento, gran parto del futuro. El fuego, uno de los protagonistas de la novela, es también el principio formal de ella: las palabras son llamas, chisporrotean, no se encasillan, saltan, conejos amarillos centelleantes, bajan y suben como el incontenible ritmo de la venganza, la consumación por el fuego-abuelo-hijo, el castigo, y hemos llegado al segundo capítulo, que narra cómo se castiga a los que traicionaron a Gaspar Ilóm.

Machojón

Al morir el cacique, los brujos de las luciérnagas habían augurado la muerte de todos los conductores del veneno y de sus hijos y que «su semilla de girasol sea tierra de muerto en las entrañas de sus mujeres...». La maldición comienza a cumplirse en el segundo capítulo, con la muerte del señor Tomás y su hijo Machojón, así como la de Vaca Manuela.

El que primero desaparece es Machojón, que iba camino a pedir la mano de su novia, Candelaria Reinoso. Nadie sabe qué ha sido de él; sólo nosotros, los lectores, presenciamos directamente la maravilla sobrenatural de su absorción por las luciérnagas, ese fuego que salta desde las palabras de los brujos: «Del sombrero le chorreó tras las orejas, por el cuello de la camisa bordada, sobre los hombros, por las mangas de la chaqueta, por los empeines ve-

lludos de las manos, entre los dedos, como sudor helado el
brillo pabiloso de las luciérnagas, luz de principio del mundo, claridad en que se veía todo sin forma cierta.»

De pronto corre el rumor de que Machojón cabalga cada
vez que se quema una tierra, en ese momento anterior a la
siembra del maíz. Esta versión origina en la visita que una
misteriosa mujer le hace a Candelaria Reinoso. Todo indica que ella es una creatura semimaginaria: no se sabe quién
es ni de dónde viene, se la refiere como «mujer fantasma»,
otro cliente no la ve, se mencionan varias veces «sus dientes blancos como manteca» y «la ropa mantecosa», lo que
es significativo si se piensa que Candelaria vende precisamente manteca y lo que afirma es también vago: «Sí, niña,
los que salieron a quemar, quién se lo dice a usté, vieron
entre las llamas a Don Macho montado; dicen que dicen
que iba vestido de oro.» Perdida en el decir ajeno, anónimo, desconocido, coincidente con lo que el narrador ya ha
desvelado, la leyenda de Machojón nace a la realidad. De
inmediato «cerró los ojos Candelaria Reinoso y soñó o
vido que de lo alto del cerro en que estaban quemando
bajaba Machojón en su macho cerrero...». Se deja en suspenso si ella vio eso o lo soñó.

Candelaria, a su vez, transmitirá lo que ha escuchado,
o lo que ha deseado, o lo que ha imaginado al señor Tomás, quien comenzará a ceder tierras para la roza, con tal
de ver a su hijo que «se aparecía en lo mejor de las quemas,
montado en su macho, todo de oro..., las espuelas como
estrellas y los ojos como soles». El señor Tomás consolida
la leyenda, trata de provocar la presencia de lo sobrenatural, aunque él nada puede ver, y los maiceros se aprove-
chan de su debilidad, ya que les conviene obtener tierras
para sus siembras «sin cerrar ningún trato», alientan su locura asegurando ver a Machojón paseándose entre las llamas, repitiendo las mismas palabras que ya están en boca
de todos. Así, esta leyenda, que tiene un origen humano y
que se inventa desde las necesidades diarias de cada hombre y mujer, acrecentará la acción del fuego, más y más,
hasta que llega la noche en que el señor Tomás, dándose
cuenta, por boca de los niños y los locos (que se burlan
del cuento y transforman a Machojón en un espantapája-
ros), decide disfrazarse de Machojón, imita la aparición de

su hijo tal como se lo describe en la jerga popular, prende fuego a los maizales secos «para pasear entre las llamas montado en el macho y que lo creyeran Machojón». Él quiere que ese Machojón de oro exista (a pesar de que no puede verlo, sabe que es real), y quiere que los maiceros (que dicen poder verlo, pero que no creen en su realidad) sean los testigos. De a poco, el fuego se propaga, se retorna al tono del primer capítulo, el fuego del señor Tomás se convierte en el fuego mítico de las luciérnagas, en el vengador que fluye desde las palabras de los brujos: «Una luciérnaga inmensa, del inmenso tamaño de los llanos y los cerros.» Primero se dice que es «igual a orejas de conejos amarillos, por pares, por cientos, por canastadas de conejos amarillos, huyendo del incendio, bestia redonda que no tenía más que cara, sin cuello, la cara pegada a la tierra, rodando, bestia de cara de piel de ojo irritado, entre las pobladas cejas y las pobladas barbas del humo». De la comparación («igual a») se pasa a la metáfora, y de ahí la presencia plena y real, no sólo narrativa o narrada, de los conejos amarillos, del elemento mitológico: «Las orejas de los conejos amarillos pasaban sin apagarse por los esteros arenosos de aguas profundas.» Así, en la simultaneidad de un instante, los hombres crean una acción (incendiar) y en efecto, provocan otra (la venganza de los conejos amarillos), son los sirvientes del fuego y de la leyenda que se ha convertido en realidad. El origen del fuego y del mito se encuentra en acciones humanas, pero tiene su fundamento, su razón de ser, en el mundo mágico, en el cumplimiento de una maldición. El señor Tomás, los maiceros, y también Vaca Manuela, son consumidos por el incendio que ellos prendieron, que es al mismo tiempo el fuego cósmico castigando su traición.

Justamente, Gaspar Ilóm es el que «había logrado echar el lazo de su palabra al incendio que andaba suelto en las montañas de Ilóm, llevarlo a su casa y amarrarlo, para que no acabara con los árboles trabajando a favor de los maiceros negociantes y medieros». La muerte del indígena significa la libertad del fuego, porque «El fuego es como el agua cuando se derrama. No hay quién lo ataje». Los hombres se transforman en «meñiques de una voluntad oscura que pugna, después de milenios por libertar al cauti-

vo del colibrí blanco, prisionero del hombre en la piedra
y en el ojo del grano de maíz», ese fuego que está ahí, pronto a desatarse: «El cautivo puede escapar de las entrañas
de la tierra, al calor y resplandor de las rozas y la guerra.»
Cuando hay guerra (los hombres destruyen a los hombres)
o hay rozas (se destruye la tierra), el fuego puede salir,
contagiado por la acción humana, ayudado por los gestos de
los seres que, sin saber el ilimitado, mítico, poder de su instrumento, lo utilizan para fines propios, liberando el gran
fuego universal que busca vagar libre y destructor. «Su cárcel es frágil y si escapa el fuego, ¿qué corazón de varón
impávido luchará contra él, si hace huir a todos despavori-
dos?» Por eso, por ser mágico, sólo la *palabra* podía atar
el fuego «para que no hiciera perjuicio». Lo sobrenatural
no puede intervenir arbitrariamente, debe ser invocado desde lo humano, debe originarse en el quehacer de cada día,
tal como la leyenda, que tiene su origen en la pequeña palabra humana, se proyecta gigantesca, porque una vez que
el hombre la ha lanzado comienza a crecer, hincharse, por
su propia cuenta. El mito, como el fuego, está frágilmente
encarcelado, y bastará una minúscula chispa para permitir
la conflagración final, una palabra en una desconocida boca
llena de dientes que se caen, una nada que habla, para que
un relato salga victorioso a recorrer mundo y se apodere de
la realidad. Las palabras de los brujos se cumplen. La leyenda de Machojón termina por ser lo réal, creando un incendio, provocando una imitación que lleva a la venganza
deseada.

Se ha afirmado que el tema fundamental de Asturias es
la libertad [3]. A mí me parece que, por el contrario, lo que
más le preocupa es la tiranía, la enajenación, la deforme
presencia del castigo, en cualquiera de sus formas, en un
mundo decaído. La dictadura, que en *El señor Presidente*
se manifestaba en lo político, es ahora una dictadura del
fuego y de la palabra, pero siempre una tiranía que el hombre mismo pide, adora, ayuda a construir. Tal como el señor Presidente puede ejercer su mandato porque está sus-
tentado en el miedo y en el apoyo consciente o involutario
de otros, así la leyenda puede imponerse a la realidad por-

---

[3] «Il quale, in sostanza, non canta che un unico grande tema, la libertà...»
Ibid., p. 13; «su tema novelístico es la libertad», Galaos, *op. cit.*, p. 126.

que el hombre la vive plenamente como modo de rescatar su humanidad, y así el fuego cósmico puede desatarse, porque el hombre concurre con su esfuerzo para liberarlo. Los «bultitos humanos» del mundo de Asturias terminan por destruirse, por ser desintegrados por las mismas fuerzas que ellos soltaron o suplantados por las palabras que emitieron. Los antropólogos sociales han demostrado de qué manera la ley de una comunidad primitiva nace de la maldición, cómo la justicia ordenada depende de la magia, hecho que menciono debido al paralelo que es posible trazar entre el mundo político y el mundo mágico de Asturias. Aunque es viable argumentar que la tiranía política es antinatural y antihumana, y que la tiranía del lenguaje y de la tierra es una ley, esencial para que el cosmos se desenvuelva armoniosamente, es de todos modos indudable que el fantasma de poderes inhumanos enredado al hombre recorre toda la obra de Asturias, desde *El Alhajadito* hasta la victimización que sufre el hombre en Tierrapaulita, ese mágico y pantagruélico dominio de *La Mulata de Tal*. El consuelo que Asturias le deja al hombre es que el ser humano es responsable de esta condición suya.

Y la venganza prosigue.

Venado de las Siete-Rozas

Los hermanos Tecún matan a todos los Zacatón. Ostensiblemente es para terminar con el embrujo con que los Zacatón han «prejuiciado» a la señora Yuca, al «meterle por el ombligo un grillo»; pero en efecto se trata de castigar a los Zacatón por haber sido los farmacéuticos que vendieron el veneno que se utilizó contra Gaspar, como recién sabremos en el último capítulo. Es el curandero el que logra que una acción sobrenatural se encauce por manos humanas. Para saber quién había causado el daño, era «menester un fuego de árboles vivos para que la noche tenga cola de fuego fresco, cola de conejo amarillo», e intuimos que los Tecún son el portavoz del fuego, son el instrumento mediante el cual lo mágico cobra su venganza: «El curandero se acuñó a la puerta, bañado por los grillos, mil pequeños hipos que afuera respondían al hipo de la enferma, y estuvo

contando las estrellas fugaces, los conejos amarillos de los
brujos que moraban en piel de venada virgen, los que po-
nían y quitaban pestañas de la respiración a los ojos del
alma.» Los hipos y los grillos que tiene la madre de los Tecún son de hecho una parte de la naturaleza, provocados
por el curandero en conjunción con los conejos amarillos.
Y las cabezas decapitadas de los Zacatón serán quemadas,
consumidas por las palabras, llamas verbales, de los brujos: «Las llamas, al olor de la sangre humana, se alargaron,
escurriéndose de miedo, luego se agazaparon para el ataque,
como trigres dorados.»

Como segunda parte del capítulo se narra la muerte del
Venado de las Siete-Rozas, que es en realidad el curandero.
Comienza con esto el tema del animal y el hombre como
una sola entidad: «Eran uno. El curandero y el Venado de
las Siete-Rozas, como vos con tu sombra, como vos con tu
alma, como vos con tu aliento.»

Pero hay en este breve capítulo otro foco de interés. Ya
han transcurrido siete años desde la muerte del Gaspar.
Asturias nos ha alejado paulatinamente de ese momento,
abriendo una brecha de tiempo que permitirá la creación
de una leyenda. El libro entero está lleno de diálogos en
que se discute el pasado y se ritualiza un acontecimiento
hasta moldear su permanencia lingüística. A veces este suceso, ya presenciado por el lector, se repite tal cual, palabra por idéntica palabra, se vuelve a contar lo ocurrido.
Otras veces, el intercambio que comenta eso anterior va de-
formando el hecho original, va transformando su sentido.
En todo caso, el significado de estos diálogos es claro: la
leyenda se hace no sólo en el momento fundador, en la acción humana, sino también en la transmisión, en la eleva-
ción o caída de ese instante olvidable e inolvidable [4]. A medida que pasan las páginas, entreverado con la vida de los
hombres de maíz, cosido con el tiempo impreceptible, el
mito se va haciendo residuo, se dinamiza en presente y futuro, se rehace, resbala hacia el porvenir acompañando al
hombre. Y es esta presencia del tiempo, esta dimensión
fundamental para toda la narrativa americana actual, la que
va a cambiar la interrelación, distancia y cercanía, entre

---

[4] «La leyenda que no muere, porque oralmente, o por la intuición que
transmite la sangre, sigue a través de lo popular», Castelpoggi, *op cit.*, pp. 68-69.

mito y realidad. Para Asturias, el tiempo transcurre ahí donde el hombre se hace hombre, fuente de toda mentira y de todo conocimiento, sitio donde se tocan la imaginación y la historia: el lenguaje [5].

Coronel Chalo Godoy

En ese mundo poblado de decires, de «según asigunes de habla antigua», de sucesos transformándose en recuerdos, las palabras de los brujos pesan cada vez más en la memoria del último maldito, el coronel Chalo Godoy. Durante toda la cabalgata en el postrer día de su vida, la luz va jugando con él, rodeándolo lentamente de signos de su próxima desaparición, gusanos de fuego, «resplandor de caos», que él no sabe interpretar, hasta que será quemado vivo.

La forma en que se narra su muerte es singular e indica otra etapa en la evolución del mito y de lo real. Nunca presenciamos la agonía de Godoy como un hecho objetivo, nunca tenemos seguridad de cómo ocurrió, no estamos apoyados por el conocimiento omnisciente del narrador, que rehúsa relatar esa muerte, entregando la voz a uno de sus personajes, Benito Ramos, que, por haber hecho un pacto con el diablo, tiene los dones proféticos necesarios para contarnos, a pesar de que está a mucha distancia de los hechos, cómo murió (o cómo está muriendo en ese instante, lejos del sitio donde galopa Benito) el coronel. Ese acontecimiento, por lo menos para nosotros, nunca existe fuera de las palabras de Ramos. El hecho es memoria antes de que suceda, eco antes de ser voz, leyenda antes que realidad. Lo fabuloso, alejándose del eje mitológico a medida que pasan los años, desdibujándose en un mundo posarcádico, se hace verosímil, una íntegra y plena parte de lo real al partir de la perspectiva de un personaje. Sumidos en lo cotidiano, exiliados de lo mágico, pero aún capaz de invocar su presencia desde la leyenda gargantándose real, los hombres de maíz originan, como en una creación continua, sin respiros, lo sobrenatural que los acompaña.

---

[5] Asturias mismo ha dicho, acerca del lenguaje americano: «Este lenguaje no es el uso del modismo simplemente. Es la interpretación que la gente de la calle hace de la realidad que vive: desde la tradición hasta sus propias aspiraciones personales», palabras que reproduce Salvador Cañas, en «Homenaje a Miguel Ángel Asturias» (*Repertorio Americano*, marzo, 1950, p. 82).

Benito, con su versión, resulta un colaborador de la venganza, fija para siempre la forma en que esos hechos (que pudieron haber ocurrido en múltiples acciones humanas que se van mencionando como de paso, sin hacer mayor hincapié en ellas: el puro de Godoy quedó prendido, los Tecún atraparon al coronel e incendiaron el bosque donde estaba, y muchos años —muchas páginas— después, se nos avisará lo que decía el parte oficial, la mentira oficial: «En el parte que dio el gobierno apenas decía que el coronel Godoy y su tropa, de regreso de un reconocimiento, perecieron por culpa de un monte que agarró fuego») quedarán en la imaginación popular, la manera de su verdad confundida con la manera de su transmisión.

Y es el fuego nuevamente el centro de la venganza, el elemento que une lo real y lo ficticio: uno de los círculos que rodea al coronel y le da muerte «parece jarrilla hirviendo, y está formado por incontable número de rondas de izotales de dagas ensangrentadas por un gran incedio... Sus cuerpos los forman las luciérnagas, y por eso, en invierno, están por todas partes, brillando y apagando su existir». Es la séptima roza, época profetizada para la muerte de Godoy: «Y la séptima... será de fuego de búho dorado que desde el fondo de sus pupilas lanzarán los búhos.» Y este fuego, creándose mitológico desde los ojos interiores del hombre, desde las lenguas que resbalan como humo y brasas en torno a su esencia, es simultáneamente el mismo fuego con que la tierra se quemaba, el fuego que se utilizaba y se utiliza para destruir y comerciar, venganza del fuego que fue muerte de la tierra y ahora es muerte del hombre que traicionó a Gaspar: «La huelencia, sin embargo, ya era fuego en el aire, fuego de roza, de quema de monte.» Más irónica resulta esta muerte si se toma en cuenta que el coronel jugaba con el fuego: «Guerrear con guerrillas», dice unos momentos antes de morir, «es como jugar con fuego, y si yo le pude al Gaspar Ilóm fue porque desde muy niño aprendí a saltar fuegarones, vísperas de Concepción y para San Juan». Su muerte coincide con la momentánea resurrección del curandero, cuya presencia es necesaria para que comience el fuego mortífero: «Reviví, y sólo para sacar de en medio al que también le llegó su séptima roza.» El fuego se identifica con el tiempo, se hace ubicuo, elemento con el cual se mide la vida: en vez de años, rozas.

Los primeros cuatro capítulos, por lo tanto, muestran una evidente unidad, desarrollándose en torno a la muerte de Gaspar Ilóm y la venganza que se ejerce sobre sus verdugos, castigo que se realiza por manos humanas y por razones sobrehumanas, destrucción que es realidad y a la vez leyenda. El paso del tiempo permitirá ir consolidando cada episodio en un cuento, mitificado por cada generación posterior. El quinto capítulo, sin embargo, parece fugarse de esta unidad. Se ha comentado que es una joya en sí misma, pero reiteradamente se ha afirmado que se trata de un episodio independiente de los demás, sin relación orgánica con el resto del libro.

María Tecún

Parecería, a primera vista, que los críticos tienen razón. ¿Qué relación con lo anterior podría tener esta historia del ciego Goyo Yic, quien recupera la vista para poder buscar a la mujer María Tecún, que lo ha abandonado? Sólo tenues hilos argumentales unen este episodio con los cuatro anteriores, parecería desarrollarse en otro período de tiempo, casi en otro espacio geográfico [6].

No obstante, esta historia es esencial al desarrollo profundo del libro. De hecho, el capítulo narra el proceso de un olvido, la pérdida progresiva de una mujer dentro de los senderos de la memoria, debido al paso pasito del tiempo.

El herbolario opera a Goyo Yic para que pueda emprender la búsqueda de María Tecún; pero al recobrar colores y formas y distancias y luz, se da cuenta de que «los ojos le eran inútiles», porque María Tecún era su «flor de amate..., flor invisible a los ojos que ve por fuera y no por dentro, flor y fruto de sus ojos cerrados, en su tiniebla amorosa que era oído, sangre, sudor, salida, sacudimien-

---

[6] Verzasconi, *op. cit.*, pp. 155-160, une este episodio con los demás a raíz del tema de la fertilidad y en el paralelismo con la Piojosa Grande, utilizando tanto el Popol Vuh como la tradición judeo-cristiana. Es la única interpretación que trata de relacionar este capítulo con el resto de la novela. Menos convicente resulta el paralelismo que trata de descubrir entre Gaspar Ilóm y Goyo Yic.

to vertebral», y el mundo cotidiano, que entra por los ojos,
sustituye su visión imaginativa interior, su relación original
con esa mujer que lo abandonó. Él la había creado adentro, en la conjunción de todos sus sentidos; al asemejarse
a los demás hombres, pierde esa experiencia que lo man-
tenía conectado con María Tecún [7]. Se relata cómo va trai-
cionando involuntariamente esa imagen real, cómo pierde
en el transcurrir de las fechas su vínculo con la mirada primera, la que tenía cuando aún era ciego, cuando aún su
mundo se creaba como un sueño, se hacía imagen fantasmal
y segura desde una invisibilidad tangible. «Buscaba a la María Tecún, pero en lo remoto de su conciencia ya no la buscaba. La había perdido.»
  Una noche ve su sombra a la luz de la luna. Es la de
un tacuatzín, «con una bolsa por delante, para cargar sus
crías», su nahual, su animal protector, pero más que eso,
es su esencia guardiana, el aspecto fundamental de su alma
magnificada, animalizada. Tal como el venado para el curandero, el tacuatzín es el doble de Goyo Yic, pasión domi-
nante de su personalidad: «Vos sabés que los hijos los lleva
el hombre en las bolsas como tacuatzín.» Este animalito
que lo acompaña por todas partes es el símbolo de su necesidad de encontrar a María Tecún y a sus hijos, tanto
que «Goyo Yic era conocido más que por su nombre, por
el apodo de Tacuatzín». Pero al tener relaciones sexuales
con otra mujer, desaparece el tacuatzín, la posibilidad de
encontrar a su mujer a pesar de haber perdido la flor de
amate: «La flor de amate, convertida en tacuatzín, acababa
de dejar el fruto vacío, escapando para que, como a la María Tecún, no la viera el que no estaba ciego, el que ya veía
a otras mujeres. A la mujer verdaderamente amada no se
la ve, es la flor de amate que sólo ven los ciegos, es la flor
de los ciegos, de los cegados por el amor, los cegados por
la fe, los cegados por la vida.» Después de la huida de su
animal guardián, Goyo Yic vaga por tierras, cayendo en un
olvido salpicado de recuerdos, como palomas entre humo:
«Sólo cuando oía hablar mujeres, acordaba Goyo Yic que

  [7] «Quando il cieco Goyo Yic recupera la vista perde ogni possibilitá di
comunicazioni con il mondo che sta oltre le aparenze della realta, l'unico vero, a
contatto del quale era vissuto fino allora, in intima comunicazione, proprio per
la dua desgrazia», Bellini, *op. cit.*, pp. 71-72.

andaba buscando a la María Tecún. Últimamente ya no pensaba mucho en ella. Pensaba sí, pero no como antes, y no porque estuviera conforme, sino porque... no pensaba.» Es el tiempo el que cava entre la mujer y su recuerdo, el tiempo que amontona experiencias entre un momento y otro: «Los años, la pena que no ahorca con lazo, pero ahora, los malos climas en que había estado viviendo a la quien vive, en sus vueltas de achimero, registrando todos los pueblos y aldeas de la costa, y el paño de hígado en la cara de tanto beber aguardiente para alegrarse un poco el gusto amargo de la mujer ausente, lo fueron apocando y apocando, hasta darle la condición de uno que no era ninguno.» Y al final del capítulo llega a confesarle a su compadre, Domingo Revolorio, con quien irá a la cárcel como supuesto contrabandista: «Pero ha pasado tanto tiempo, que ahora ya no siento nada. Antes, compadre, la buscaba para encontrarla; ahora para no encontrarla.»

De hecho, todos los seres humanos viven la experiencia de Goyo Yic, su borroneado pasado, su deformación imprescindible de lo que ha vivido, su distanciamiento de un oscuro momento inicial, y todos, como él, andamos en busca de esa pureza previa, perdiendo su huella en la cascada gota por gota, ritmo de tiempo interviniendo y golpeando. Goyo Yic se va alejando de su identidad original tal como los otros personajes se separaban de los acontecimientos anteriores a ellos, esos momentos que personalmente no han vivido, pero que conocen de oídas, que han quedado en forma de palabra, de recuerdo conversado. Goyo Yic se despide de la primera imagen que él tenía de María Tecún, pierde la flor de amante, pierde su ceguera y su tacuatzín, pierde su yo arcaico, mastica su pasado y recuerda ennubecidamente algo que le sucedió a otro Goyo Yic, lejano a él, y entre uno y otro se ha ido acumulando picaresca y realidad y mujeres y caminos, eso que caracteriza a los hombres de maíz vagabundos. Esta incapacidad para seguir siendo él mismo, el desgajamiento de su continuidad en el tiempo, permite a la vez que su vida quede separada del modo en que aconteció, es el primer paso hacia su deformación, su esencialización en la mentalidad popular. Lo que él hace con el primitivo Goyo Yic y con la anterior imagen de María Tecún es lo que hará el pueblo con la

historia de su vida; la transformarán en leyenda, y su mi-
tificación es posible y hasta necesaria debido al deseo de
recuperar mediante la memoria, mediante la palabra, el
primigenio ser perdido.

Así, Goyo Yic experimenta el mismo fenómeno que se narra en el resto de la novela, el mismo proceso de alejamiento y pérdida de un hecho primitivo, sólo que aquí corpori-
zado en un hombre determinado, en el cual se auscultan las
raíces psicológicas de una realidad que parecía sólo social.
Goyo Yic vive una determinada experiencia de olvido, sub-
jetividad absorbida por la picaresca del tiempo. Es lo mismo que sucede en el resto de *Hombres de maíz*, donde algo
se vive o se hace para que posteriormente permanezca en
la palabra futura, se aleje de su forma actual al reflejarla,
engañoso espejo que deforma, pero que captura la esencia
palpitante mediante le leyenda, trascendiendo la triste certeza de lo cotidiano. Ese capítulo, por ende, permite fundar
la constitución de la leyenda en la experiencia humana individual del tiempo, en la desintegración interior que todo
hombre sufre. Lo que a Goyo Yic le ocurre en su transformación mental es lo que sucede con la humanidad en su
transformación histórica. El alejamiento del ex ciego de sí
mismo, este desdoblamiento entre realidad y ficción en la
vida del hombre depositario de esa experiencia, es el primer
paso hacia le leyenda posterior. El primero en turbar la
realidad, en transmutarla, es el sujeto mismo, que se hace
cómplice en el proceso de conversión. En los episodios anteriores, los que deformaban el hecho original eran seres que
no habían vivido esa experiencia, seres que no eran testigos
sino meros puentes de comunicación de aquello que no habían presenciado.

Claro que la raigambre psico-biográfica de lo ficticio no
ocurre sólo en este capítulo, sino que recorre toda la novela.
Uperto, uno de los Tecún, vive un fenómeno similar: «Con
los ojos de la imaginación veía al venado muerto por Gau-
dencio, en lo oscuro del monte, lejano al monte; y con los
ojos de la cara, el cuerpo del Curandero allí mismo tendido.
«Esta diferencia entre los ojos de la imaginación y los de la
cara es la que sustenta toda relación, conflictiva o de cooperación, entre lo real y lo imaginado. En el caso de Goyo Yic,
los ojos de la cara desplazan a los ojos de la imaginación,

sustitución necesaria, corrupción implacable del origen, fuente de toda verdad futura, ventana para que el mito sople en el centro vital de cada hombre. Podemos observar algo similar en el señor Tomás: él no ve con los ojos físicos a Machojón, pero sí lo ve con los ojos de la fantasía. Ve la verdad profunda, su castigo, crea su destino y su muerte de acuerdo con esa verdad, pasa más allá de la superficie e instala para siempre la leyenda de su hijo en el tembloroso núcleo, el eternizarse, de la conversación cotidiana.

Al hacer individual y personal el fenómeno mítico en el presente capítulo, al hacerlo coincidir con el ciclo vital de cada hombre, su irremediable distensión y pérdida de sí mismo, Asturias ha explorado, ahora desde un nuevo ángulo, la creación de lo legendario, insistiendo en partir desde el concreto minutero que tic-tac-triza nuestras vidas, desde aquello que destroza plasmado el mito, un acontecer más allá de nosotros mismos, un rozar a otros desde bocas que nos reproducen y lenguas que nos repiten.

Correo-coyote

Para que estas leyendas corporicen realidad, es esencial que el tiempo pase, que los hombres se alejen de ese pasado, para que la acción que ocurrió no desmienta la palabra que la transmite. En este último capítulo, ya muchos años han fluido. Un personaje menciona que «un tatita mío contaba que él vio patente un curandero que se cambiaba en venado de las siete rozas; pero todo eso es tan antiguo...» y «cada vez son más los terrenos ruineados por los maiceros». Siempre, al hablar del pasado, al reubicar y reiterar las leyendas de Gaspar, de Machojón, de Chalo Godoy, los personajes tratan de dar la impresión de una distancia vasta, infranqueándose hacia atrás, lo irreversible detenido en abismo. La transformación del pasado en mito arroja a los personajes a un tiempo eterno, inconmensurable confusión de cronologías y lejanía de puntos de referencia. Se destruye o se ignora la duración habitual, al hombre ilimitado no se lo puede medir con el reloj. La historia de Machojón, por ejemplo, no sólo va de boca en boca, autónoma, alterada («Creyó ver luciérnagas, tan presente llevaba el recuerdo de aquel jinete Machojón, que se volvió luminaria del cielo cuando iba a la pedimenta de la futura», cuento que se repite con variaciones, unas seis veces en el capítulo), sino que se ha fusionado con el vocabulario popular que se utiliza para interpretar la realidad, palabra que aflora automáticamente al ser adecuado su uso, una estructura mental que el hombre aplica desde su inconciencia hasta que los hechos que los lectores presenciaron sólo perviven en dichos populares, ese diccionario que nace de la conversación diaria: «convertido en un Machojón de granizo» y un personaje pasa por una talabartería donde ve caballos «casi con movimiento de luciérnagas... se le figuraba ver al Machojón, como dicen que se ve cuando está rezando. Pura luminaria del cielo».

Esta incorporación del pasado a la imaginación de cada presente se enfatiza por los frecuentes diálogos, tal como ya vimos, en que la leyenda se va haciendo desde la palabrería de los hombres. Se vuelve a vivir eso que parecía pasado, cambiándolo («oír todo aquello que pasó antes como si estuviera sucediendo ahora»), para evadirse de la cárcel del tiempo regular («quizá la historia se haya inventado para eso, para olvidar el presente»). Es la metamorfosis de lo impersonal en una voz humana individual: el acontecimiento, que antes existía como palabra al nivel del narrador, pasa a ser palabra en boca del personaje. El conocimiento «objetivo» a que tenía acceso el lector mientras los personajes sufrían la tiranía de los hechos, para integrarse al mundo, digerido por mil estómagos anónimos, devuelto a lo concreto para que pueda seguir rodando. Se ha independizado de su situación factual y vive solo en su situación lingüística, accede de alguna manera a lo intemporal.

Pero para que exista esta otra dimensión, este más allá de un contexto comunicativo que engañe al reloj, el tiempo es necesario. En este sentido, Asturias entronca con Proust, Mann, Joyce, que han mostrado la aparición de lo eterno, de lo mítico, en la corrosión de cada momento, en la muerte minúscula de cada objeto.

Por eso no resulta paradojal que, frente a esa vaga acronología, frente a ese naufragio de fechas, haya también menciones concretas a un tiempo medible, regular, tal como frente al lenguaje mágico y asociativo encontramos los giros prosaicos de un hablar cotidiano. Es en el gran mosaico de lo que crece envejeciendo, de las vidas desarrollándose, donde la leyenda puede aparecer y transformarse. Entre la primera página de la novela y la última media no más de cincuenta años, aunque también los separa una eternidad. Candelaria Reinoso, novia de Machojón, aún está en edad de casarse al finalizar la novela; Benito Ramos (que se casó con María Tecún) está pronto a morir; Musús, otro acompañante del coronel, se ha casado; María Tecún, que sólo tenía un año cuando murieron los Zacatón, es una mujer madura, con hijos mayores, al término de la novela; el ciego Goyo Yic ha cumplido tres años y siete meses en prisión. Muchas de estas menciones se contradicen entre sí y hasta impedirían aparentemente que le leyenda se cimentara (por ejemplo, en el caso de María Tecún, que casi se convierte en palabra antes de haber vivido), pero permiten encerrar a los personajes dentro de límites fijos, aunque fluctuantes, desde donde lo mítico se hace cercano y lejano a la vez. Este contraste entre dos tipos de tiempo, el vivir entre una y otra dimensión, que puede también advertirse en *El señor Presidente* (como lo ha hecho Ricardo Navas Ruiz [8]) y en las demás obras, esta eternidad y esta sujeción, entrelazan aún más la ficción y la realidad, duplican temporalmente los planos fundamentales de la novela.

Por otra parte, esta prisión arrolladora en que maduran y se pudren los personajes, es el castigo por haber roto el reposo en que la tierra se soñaba una con el hombre, el movimiento que aplasta a los hombres de maíz comercial, otrora maíz divino, signo de un mundo degradado, repleto de seres enfermos, mendigos, ciegos, personajes predilectos de Asturias en toda su producción. Así, la deformación del mundo en el lenguaje, las vertiginosas metáforas que exprimen los objetos más allá de todo reconocimiento, el reino de lo grotesco, ese espejo donde el tiempo y el verbo se enjuagan en monstruosa copulación, es mucho más que recurso literario o una influencia del surrealismo europeo. Es trasunto de un deseo de plasmar el horror por la pérdida de lo mágico, manifestar la decadencia de un mundo a través del barroquismo de las carnes disolviéndose, significar una reali-

---

[8] Ricardo Navas Ruiz ha analizado el fenómeno en *El señor Presidente* («Tiempo y Palabra en Miguel Ángel Asturias», *Quaderni Ibero-Americani*, número 29, 1963), aunque con un enfoque diferente.

dad demoníaca por medio de los torcidos lentes de lo bestial. Tal vez sea, en el fondo, el problema de esa fuerza misteriosa que nos controla y que deseamos exorcizar, una conjura que repite la imagen del infierno que quiere alejar [9].

La magia todavía reina en ese mundo donde vagan sin descanso y con escasa esperanza los exiliados, pero ya no evidencia el primitivo y benéfico poder que sustentaba el sueño de Gaspar Ilóm. Si antes hermanaba todo en un gran animismo primordial, eje de esencias buscándose, ahora es la unión de lo disimilar, la presencia caricaturesca de desencuentros y aullidos, zona donde lo diabólico busca manifestarse. Y, sin embargo, en ese vestigio de la magia que continúa, venganza en el tiempo que corrompe, descomposición de las formas, muerte del origen en la boca desdentada de las eras cayendo sin fin, en la sombra que dejó el sol al extinguirse, en el castigo encuentra el hombre, a la vez que su nada, su libertad humana. El mito, nostalgia de lo que se ha perdido, falsificación de lo original, es también un modo de recuperación, un recobrarse para algo tal vez mejor.

¿Cómo es posible, entonces, que este mito, que cambia y tritura lo que ocurrió en un principio, puede a la vez ser depositario de la verdad humana?, es decir, ¿cómo se encuentran en la leyenda el tiempo y la eternidad?

La respuesta que Asturias da a esta interrogante puede dilucidarse a través de un examen de los dos episodios más importantes del sexto capítulo de *Hombres de maíz*.

La mujer de Nicho Aquino, el correo de San Miguel, lo ha abandonado. Se repite, por lo tanto, la situación básica de Goyo Yic, cuya historia, hecha leyenda, ha sufrido considerables variaciones. A toda mujer que huye se le llama «tecuna» (tal como en el caso de Machojón, el nombre propio ha pasado a ser un sustantivo de uso común) y todo hombre abandonado es un «ciego»: «acuérdate de lo que cuentan que le pasó al ciego que se embarrancó por andar siguiendo a la María Tecún. La oyó hablar y en el momento en que iba a darle alcance, recobró la vista, sólo para verla

[9] Es de especial interés Wolfgang Kayser, *The Grotesque in Art and Literature*, Bloomington, Indiana University Press, 1963. (Hay trad. española). Véase en particular, pp. 34-37 y 184-189. Kayser separa lo grotesco y el movimiento surrealista, lo que podría llevar a repensar la relación de Asturias con este movimiento europeo.

convertida en piedra y olvidarse de que estaba a la orilla del precipicio.» Esta misma versión, adornada de una u otra manera, la repiten muchos otros personajes demostrando que de la historia original de Goyo Yic y María Tecún queda muy poco. La imaginación popular ha tijereteado lo inútil, la superficie que no representa la verdad esencial de lo humano y ha dejado lo que puede recordarse, aunque la versión final (que cambiará a su vez en el tiempo) dista mucho de corresponder con exactitud a los hechos efectivos. El hombre, a su vez, queda atrapado en la leyenda: su comportamiento se orienta por esa historia y es atraído por ella, hasta que la realidad comienza a imitar la ficción.

El ejemplo más típico de esto lo vemos en la supervivencia de la maldición de los brujos. Ellos habían dicho que los responsables de la muerte de Gaspar Ilóm no podría tener hijos. Pero lo significativo es la forma en que esto se cumple: si la mujer de Benito Ramos tiene un hijo, la única explicación posible es que ella lo engañaba; cuando Musús tiene uno, «es un hijo suyo de otro». No se puede poner en duda la leyenda, que resulta ser tan real que determina la conducta de los hombres y su interpretación. Por el solo hecho de haber sido emitida, la maldición surte efecto; al dársele crédito, ya logra su cometido. Todo lo que ocurre cobrará certeza o se invalidará según el convencimiento *a priori* de los hombres. «Esos seres se sacrifican para que viva la leyenda», dice don Déferic, y agrega: «Nada importan las víctimas con tal que se alimente el monstruo de la poesía popular». Todo arquetipo, que parte de una situación individual, casi insignificante, crece hacia su eco justificatorio.

Pero esta dictadura («Desaparecieron los dioses, pero quedaron las leyendas, y éstas, como aquéllos, exigen sacrificios; desaparecieron los cuchillos de obsidiana para arrancar del pecho el corazón al sacrificado, pero quedaron los cuchillos de la ausencia que hiere y enloquece») es posible debido a que existe una internalización de esa dimensión imaginaria, una caída hacia las regiones más profundas, universales, de lo humano: «El grito (de María Tecún) se perdió con el nombre bajo una tempestad de acentos en la profundidad de sus oídos, en los barrancos de sus oídos. Se cubrió los oídos y lo siguió oyendo. No venía de afuera, sino de

adentro. Nombre de mujer que todos gritan para llamar a
esa María Tecún que llevan perdida en la conciencia». El
desarrollo supuestamente arbitrario de la leyenda es en realidad un movimiento hacia lo humano perdurable, va mode-
lando el deber ser del hombre, y en su imitación se desliga
de toda forma contingente que no sea útil: «¿Quién no ha
llamado, quién no ha gritado alguna vez el nombre de una
mujer perdida en sus ayeres? Quién no ha perseguido como
ciego ese ser que se fue de su ser, cuando él se hizo presente, que siguió yéndose y que sigue yéndose de su lado, fuga.
'tecuna', imposible de retener, porque si se para, el tiempo
la vuelva piedra.» Y al final de la novela, después de que
Nicho ha descendido hacia su nahual (el coyote) en busca de
su mujer, el curandero (venado de las siete rozas) explicará
que la piedra de María Tecún es en realidad María la Lluvia,
la Piojosa Grande, que «erguida estará en el tiempo que está
por venir, entre el cielo, la tierra y el vacío». De pronto, nos
acordamos de esa otra mujer, la primera que huyó de su
marido, Gaspar Ilóm; la misma situación ha circulado tres
veces por el libro, en cada ocasión variando, disfrazándose,
cada vez constituyendo a la leyenda, a la necesidad de relatar bajo una forma intemporal, el hecho de la separación, la
pérdida del pasado y del origen, la necesidad de hacerse roca
contra el tiempo.

Un personaje, sin embargo, no cree en las «tecunas», y
con esto llegamos a la segunda secuencia del último capítulo: el arriero Hilario Sacayón ha inventado una leyenda,
que se ha independizado de su creador, creciendo por su
cuenta, objetivizada por el pueblo. «¿Quién no repetía aquella leyenda que él, Hilario Sacayón, inventó de su cabeza,
como si hubiera sucedido? ¿No estuvo él en un rezo en que
se rogó a Dios por el alivio y descanso de la Miguelita de
Acatán? ¿No se ha buscado en los libros viejos del registro
parroquial, la partida de bautizo de aquella criatura mara-
villosa?» Es la famosa Miguelita, «que nadie conoció y de
quien todos hablan por la fama que en zaguanes de recuas
y arrieros, fondos, posadas y velorios, le había dado Hilario
Sacayón.» Aquí, por primera vez, Asturias enfoca el problema de la leyenda desde el inventor, al que saca de la anoni-
midad para enfrentarlo al desmesurado crecimiento autóno-
mo de su propia mentira, producto de borracheras y ale-

grías. Es aún otro ángulo para el binomio mito-realidad. Hilario Sacayón no acepta la veracidad de las historias que lo rodean porque sabe que el origen de cada leyenda (sea de Machojón, de un nahual, de Gaspar Ilóm, de María Tecún, de Miguelita) reside en falsas nubes de alcohol.

En vano Ña Moncha le explica que «uno cree inventar muchas veces lo que otros han olvidado. Cuando uno cuenta lo que ya no se cuenta, dice uno, yo lo inventé, es mío. Pero lo que uno efectivamente está haciendo es recordar, lo que la memoria de tus antepasados dejó en tu sangre...» Hilario se niega a ser el puente hablante que comunica con un pre-existente pasado, se niega a ser el que «salvó del olvido» esa historia, para que pudiera «seguir como los ríos». Pero una de las leyendas en que él no cree se apoderará de su ser, y lo hará admitir la realidad de ciertos mitos.

Nicho Aquino ha partido con el correo a la capital. Don Déferic temiendo que éste se desbarranque en la legendaria piedra de María Tecún, contrata a Hilario para que le dé alcance y lo acompañe al cruzar el punto difícil. Hilario no lo encuentra, pero ve un coyote al pasar por la piedra: «Allí estaba la duda, en que lo vio bien, vio que no era un coyote, porque al verlo tuvo la impresión de que era gente y gente conocida» [10]. Y la idea de que es Nicho a quien ha vislumbrado se va hundiendo en su ser como un parásito, muy de a poco, contra su racional voluntad, lo mágico se apodera de su mente y lo obsesiona con su posibilidad: «él ya casi lo sabía y ahora ya estaba convencido de lo que no quería convencerse, de lo que rechazaba su condición de ser humano, de carne humana, con alma humana, el que un ser así, nacido de mujer, parido, amamantado con leche de mujer, bañado en lágrimas de mujer, pudiera a voluntad volverse bestia, convertirse en animal, meter su inteligencia en el cuerpo de un ser inferior, más fuerte, pero inferior.» Así, el que inventó una leyenda debe reconocer que lo imaginario e imposible es verdadero, debe en el fondo aceptar que él no ha inventado «su» leyenda, sino que pertenece a otros hombres

---

[10] Hilario piensa, después, en cómo contará la aparición del coyote: «que alcancé a ver al correo Aquino en forma de coyote, aullando (esto ya sería arreglo mío)», y en esas palabras, «esto ya sería arreglo mío», estamos presenciando la transformación de lo cotidiano en mito y su aproximación hacia la verdad que late por debajo de las apariencias: el nahual *es* el hombre. La mentira estaría imitando, involuntariamente, la realidad.

y que ningún individuo puede negar su vinculación mágica con otro mundo, no cotidiano, ya que el sentido profundo, auténtico, de la historia corregirá esa invención y el hombre la utilizará para explorar su propio destino. Hilario acepta ser un punto en una cadena minuciosa de ficciones verdaderas: «él lo sabía, con todas las potencias del alma que no están en los sentidos, lo sabía, irremediablemente aceptado por su conciencia como real lo que antes para su saber y gobierno sólo había sido un cuento.»

La verdad, para Asturias, no se halla en la correspondencia que se puede establecer entre un cuento y los sucesos factuales que relata y que le dieron origen, sino que algo es más real mientras más profundamente transmute esos hechos hacia lo inolvidable, rescate el mito de su circunstancial inicio, aunque para eso tenga que destruir y desmemorizar parte de lo que aparentemente sucedió. Los seres humanos, ciegos, perdidos en un mundo bajo, sólo poseen sus mitos para orientarse en la oscuridad, para comprender su esencia desperdigada en el tiempo. La realidad comienza a imitar esa leyenda, el hombre se transforma en el instrumento que prolonga a otros seres, que toca para otros oídos. Así, en el acto poético, el de Asturias y el de sus personajes, se encuentra el individuo con su ser social, se palpan lo real y lo imaginario, el tiempo se eterniza y la eternidad se hace mortal, se reconcilian los dos tipos de hombres de maíz, cuya oposición y lucha se ha mostrado por fin como una intensa síntesis solidaria, dos dimensiones de un único hombre irreductible. Mito y movimiento se sostienen mutuamente, se necesitan para poder existir: la eternidad se alimenta en la vagabunda movilidad de los seres humanos, fluctuaciones imperfectas en las venas del tiempo, y ese correr es posible porque se sustenta en el acompañamiento perdurable de lo imaginario.

Esta unidad de los hombres de maíz encuentra su correlato en la evolución unitaria de todo el texto: lo que parecía caos es un orden más profundo, lo que se despreciaba como irregularidad narrativa es la inauguración de una nueva cosmovisión, lo que parecía disperso es de hecho la temporalización de realidades volviéndose palabras. Asturias narró está experiencia (tiempo, mito, realidad, lenguaje, interiorización de lo social, América, nuestra América) de la única manera posible en que se podía narrar. Nunca Ña Moncha dijo tanta verdad (y hablaba con Asturias, que la inventó como Hilario inventó a Miguelita) como al explicar que «si no hubieras sido vos, habría sido otro, pero alguien lo hubiera contado pa que no por olvidada, se perdiera del todo, porque su existencia, ficticia o real, forma parte de la vida, de la naturaleza de estos lugares y la vida no puede perderse, es un riesgo eterno, pero eternamente no se pierde».

«Mulata de Tal»

Adelaida Lorand de Olazagasti

Miguel Ángel Asturias es el novelista que mejor y más profundamente ha penetrado en el alma del indio guatemalteco para revivirla y eternizarla en sus maravillosas páginas, y así en el tiempo. Es Asturias la salvación de ese mundo ancestral mágico, remoto, pero aún latente en la idiosincracia del indio de su tierra. Descubre o más bien desentierra las raíces hondas del indígena para traerlas a flor de tierra, traduciéndolas en expresiones poéticas, febriles y exóticas. Despierta, vuelve a dar carne, en sus *Leyendas de Guatemala, Hombres de maíz* y *Mulata de Tal* al quiché que en estas obras se respira en todas las manifestaciones de la naturaleza. Cada leyenda, cada mito, cada tradición; todos los diablos, todos los brujos y todos los espíritus fantasmales se confrontan con la realidad ineludible del mundo industrial, materialista y perentorio de la civilización contemporánea. *Mulata de Tal* es un relato embrujante en donde aparentemente el autor se ha desviado de la lógica para perderse en el cosmos de la irracionalidad. Sin embargo, detrás de esta vida de sueño (sueño que en *Mulata de Tal* es pesadilla espeluznante) encontramos la otra vertiente, la real, pues captamos en seguida la miseria y abandono en que vive el indio guatemalteco. Toda su vida está sumergida en un pasado mítico y telúrico que pesa sobre sus espaldas como cacate y que le impide salir a flote. Tampoco puede hundirse en el fondo de su principio ancestral porque el presente no se puede eludir y menos en una civilización mecanizada en donde el esfuerzo, la voluntad y la energía son indispensables para sobrevivir. Así se crea la tensión existencial del indio que se mueve entre dos fuerzas inevitables: la mítica y la realidad.

Asturias ha recogido y transmitido magistralmente en sus *Leyendas de Guatemala, Hombres de maíz* y *Mulata de*

Tal esta existencia suspendida entre el pasado quimérico y un presente siempre urgente. Se sitúa el autor en guardia frente al destino del indio guatemalteco con la certeza de que el porvenir de Guatemala y tal vez de toda la América, reside en un reencarnar consciente de aquella tradición que hizo grandes a los pueblos precolombinos del continente. Pero ir al pasado no es suficiente, pues sí hay que despertar y conservar la tradición, pero confrontándola con la vida moderna con miras a una mayor y más profunda humanización. Hay mucho bueno que debe conservarse de la tradición, pero hay demasiado malo que debe erradicarse de la vida contemporánea:

> Poco se miraba ya del caserán. Y barría la realidad. Todo perdía consistencia alrededor de su escoba, frente a su escoba, debajo de su escoba, atrás de su escoba. Le parecía seguir allí, pero en sueños. Barrer la realidad es temerario, pero barrer lo que de ella queda en el sueño, es la locura. La escoba, barrido lo real, barrida la luz, barrido el ruido, empezó a barrer el suelo, la sombra, el silencio, y en redor y dentro de la casa de los grandes brujos se hizo el vacío total, imposible de imaginar por mente humana. Ni ruido, ni silencio, ni luz, ni oscuridad, ni realidad, ni sueño... [1]

La novela *Mulata de Tal* se basa en una leyenda muy divulgada en Guatemala que trata de un hombre que le vendió su mujer al diablo. La obra se desarrolla físicamente en dos localidades de Guatemala de honda tradición quiché. Empieza en Quiavicús y termina en Tierrapaulita. Celestino Yumí, vecino de la aldea de Quiavicús, se pasea por las Ferias de San Andrés Milpas Altas, San Antonio Papoló y San Martín Chile Verde con la bragueta entreabierta, cumpliendo con un convenio que hizo con Tazol, el diablo de las hojas de maíz. Yumí incitaría a las mujeres a pecar yendo con la bragueta abierta y el diablo le daría riquezas sin fin. También en el contrato entraba la mujer de Yumí, la Catalina Zabala o Niniloj como cariñosamente la apodaba. Yumí amaba a su esposa, pero Fausto indio, vendió todo lo que poseía a cambio de dinero. Para facilitar la venta, Tazol acusó a la Catocha (otro apodo de Catalina Zabala) de haberle sido in-

---

[1] Miguel Ángel Asturias, *Mulata de Tal*, Buenos Aires, Editorial Losada, 1962, p. 235.

fiel dos veces con el compadre de Yumí, Teo Timoteo Teo. Yumí lo dudó, pero optó por creer lo que quería creer para saciar su sed de dinero. Así, pues, se concertó la entrega de la Catocha a Tazol en medio de un temporal en la oscuridad de la noche. Celestino, desde entonces, lloró por su esposa, dándose cuenta que el dinero no da la felicidad plena en la vida, pues hay cosas que no puede comprar el pisto [2]. Rico ya, Yumí y Timoteo Teo van a la Feria de San Martín Chile Verde, en donde Yumí encuentra a la Mulata de Tal. El autor hace una reproducción viviente y pintoresca de las ferias indias celebradas en Guatemala. Borracho, Yumí se caso a lo civil con la Mulata de Tal, que era un ser anormal, por no decir sobrenatural.

> La mulata era terrible. A él, con ser él, cuando estaba de mal humor, se le tiraba a la cara a sacarle los ojos. Y de noche, tendida a su lado, lloraba y le mordía tan duro que no pocas veces su gran boca de fiera soberbia embadurnábase de sangre, sangre que paladeaba y se tragaba, mientras le arañaba, táctil, plural, con los ojos en blanco, sin pupilas, los senos llorosos de sudor. Y esto a veces una noche y otra, sin poder dormir, temeroso siempre de que la fiera despertara y lo agarrara desprevenido, explosiones de furor coincidentes con las fases de la luna. No era una mujer, no era una fiera. Era un mar. Un mar de olas con uñas, en cuya vecindad dormía sobresaltado [3].

Esta mulata tenía una necesidad innata de destruir. Era lunar y bestial que jamás daba el frente en el juego del amor. La Mulata representa a la Luna que, según la leyenda quiché, jamás le puede dar el frente al Sol, porque se engendrarían monstruos.

> Porque de espaldas al sol, éste no la puede hacer sus muchachitos. ¡Guárdenos quien, si se volviera y aceptara yacer con el sol de frente y tener hijos, pues serían monstruos! [4]

La Mulata es hermafrodita, «de género neutro»:

> ...pero no es hombre y tampoco es mujer. Para hombre le falta tantito tantote y para mujer le sobra tantote tantinto [5].

---

[2] Pisto = dinero.
[3] Miguel Ángel Asturias: *Mulata de Tal*, p. 43.
[4] *Ibíd.*, p. 56 (también en la p. 53).
[5] *Ibíd.*, p. 52.

Celestino desea deshacerse de la Mulata y recuperar a
Niniloj. Un día Tazol devolvió a Yumí a la Catocha convertida en una enanita a la que la Mulata puso el nombre de
Lili Puti. Al principio, la mujer lunar la trataba como a una
muñequita, pero luego la maltrató. Niniloj se valió de una
droga para encerrar a la Mulata en la cueva del Pájaro Eno-
jón, pero ésta se lo comió y se fugó de la cueva de la luna,
provocando un cataclismo que destruyó la aldea de Quiavicús y en el que Yumí perdió todas sus riquezas. La descripción del volcán en erupción es un pasaje de realidades
apocalípticas: «La lava caldosa lo iba sepultando todo» y
los vecinos de Quiavicús huyeron. Nuestros personajes se
fueron a Tierrapaulita «la ciudad universitaria de los brujos» para estudiar el arte de la brujería. En el camino a la
ciudad de los demonios tuvieron extrañas aventuras con los
Salvajes o los «hombres-jabalíes» [6] y al no poder vencer las
nueve vueltas del diablo tuvieron que regresar a Quiavicús,
ya viejos y muy pobres. Intentaron de nuevo llegar a Tierrapaulita, pues la Catocha quería ser bruja-curandera y Yumí
brujo-zahorí. Ahora ella se llevó un amuleto que los resguar-
daría de todo mal. Consistía de unas árganas en forma de
cruz hechas de hojas secas de maíz, de tazol, «el maíz es
dios, el Tazol es el diablo», pero si el Tazol se pone en forma de cruz pierde todo su poder de diablo. ¡Al fin Tierrapaulita! Hasta Tazol luchó por escapar de esta tierra, parecían huir de Tierrapaulita. Lo primero que había que hacer
era «mercar» las oraciones del Ánima Sola, la Cruz de Cara-
vaca, la del Justo Juez, la de la Santa Cruzada y la de la
Santa Camisa para que entre todas los protegieran en la
ciudad infernal de Cashtoc, el diablo de tierra colorada. De
aquí ya habían salido mil trece brujos y muchas curanderas
y curanderos. Sólo el cura no podía salir porque el gran diablo Cashtoc se lo impedía. Lo tenía atrapado en sus redes
y ya había frustrado su fuga dos veces.

Yumí y Niniloj trataron de fugarse de esa tierra inhós-
pita escondida en las entrañas de los cerros que se parecía
a Xibalbá [7].

---

[6] La leyenda de los hombres-jabalíes dice que en un baile los hombres que
danzaban borrachos con máscaras de jabalíes fueron castigados por Tazol y ya
no pudieron quitarse el disfraz, y así engendraron hijos...

[7] Xibalbá = infierno indígena.

...Jamás ojos humanos han divisado un camino, con más hambre, como Celestino y su mujer que ya se sentían fuera de Tierrapaulita huyendo, comiéndose con los pies aquella faja de tierra, entre peñascos recubiertos de helechos, árboles escasos de ramas y postes del telégrafo con hilos que Cashtoc interrumpía sembrando loritos a todo lo largo de los alambres... [8]

Hasta aquí podemos hacer un relato de *Mulata de Tal* más o menos coherente, pero ahora se enfrascan nuestros personajes Yumí y Niniloj en una serie de aventuras que pertenecen al mundo de las alucinaciones, de la embriaguez o de los estupefacientes. Aparecen todos los diablos, duendes, fantasmas, criaturas que son y no son, arañas gigantes, puercoespines, gigantes, enanos, escorpiones. Son los demonios de Tierramaldita («por falta de agua bendita»).

Hemos ya entrado muy adentro en el mundo fantástico guatemalteco y Miguel Ángel Asturias va a hundirse en la floresta virgen, multiplicando los relatos, los personajes y las metamorfosis de una tierra en donde visiblemente nadie ha leído *El Discurso del método* .

Entran nuevas criatural del folklore guatemalteco bajo la batuta de Cashtoc, el Inmenso, demonio destructor del hombre que tiene «pies de fieltro, piernas de piedralumbre, cara de obsidiana, máscara de jade, ojos de fuego fatuo, voz inaudible por humanos, cresta de gallo» [10].

Además, hacen su estreno en *Mulata de Tal* el Cadejo, «el perro-león-tigre-danta-ternero. Piel de río peludo, narices achatadas, orejas de tábanos de tabaco encendido». El Sisimite, el Gran Principal del Monte, malvado, engañador, pequeño demonio de los campos, con calor sofocante y saltarín. Las dos Siguanas: la Siguanaba, mujer de guerra de los barrancos solitarios. Pesa menos que el aire y humo, la que camina en el vacío de su sexo. Ciega al caminante y éste cae siempre de cabeza por los barrancos; la Siguamonta, mujer de guerra de los montes poblados, bella y trigueña, hiere lo que anhela. Da convulsiones de amor y de muerte al hom-

---

[8] Miguel Ángel Asturias: *Mulata de Tal*, p. 100.
[9] Kleber Haldens: *Guatemala en Europa* en *Mulata de Tal*. El Imparcial, Guatemala, 24 de julio de 1965, p. 15.
[10] Miguel Ángel Asturias: *Mulata de Tal*, p. 196.

bre lascivo que anda de noche tras las mujeres. La Llorona
de los Cabellos de Agua «que llora por los hombres que
mueren sin haber sido suyos, y suyo hombre ninguno fue
jamás», pues era virgen. Más tarde aparecerán también la
Huasanga, la enana robasexos, con taparrabo fosforescente.
Siempre iba de la mano de un mono con el que no se podía pelear porque estaba formado de moscas que se dis-
persaban en el aire en medio del combate y dejaba de ser
mono. Cabracán, dios o diablo de los terremotos, hermano
de Huracán, el de un solo pie. Cal Cuj (cerro), el demonio
que se alimenta de cabezas humanas, mata a los hijos, malvado de ojos colorados, abuelo y padre de la cizaña, la in-
juria y la calumnia. El Sombrerón, enano, con la plaza como
sombrero. La Tatuana, «caliza sin facciones, tan marinera
con los ojos de brújula». Zipacnac, diablo de tierra. Malinali,
demonio de los matorrales. Jel, el que divide el reino de la
brujería. El Tipumal y la Tipumalona y otros duendes, si-
guapates, culebras de espejo, popiques, cocos, coleletines.
Desde luego aparecerá más tarde con el cristianismo Cadanga, el diablo ladino, de ojos azules, mezcla de español e indio que maneja prostitutas, degenerados y afeminados. Este
entró a Tierrapaulita después del terremoto, o sea, con la
colonización española, entablándose una lucha entre Cashtoc, el diablo de tierra colorada, y Cadanga, dios cristiano.
Este último se asociará con el lascivo Mandinga, el diablo
negro que siempre está de fiesta.

Con todas estas criaturas arrancadas de Xibalbá (infierno indio) tienen que enfrentarse Yumí y la Catocha. Pero
algo singular pasa a la pobre mujer que quiso ser bruja-
curandera. Ha quedado encinta de Tazol (el diablo de las
hojas de maíz). Lo llevaba en cruz en las árganas que iba
cargando como amuleto para que la protegiera de todo mal,
pero Tazol «le engendró su criatura por el ombligo». Así nació Tazolito o Tazalín y la Niniloj se convierte ahora en la
grande Giroma. Ella convierte a Yumí en el enano Chiltic.
Tazolito le regaló unos zancos a Yumí o Chiltic, con los que
bailaba en las fiestas y plazas. Una noche, en el Baile de
los Gigantes, Chiltic creció y creció y se convirtió en gigan-
tón y se llamará ahora Goliat. Pero esa noche hubo un temblor de tierra que hizo huir a los que bailaban. También el
cura viejo, vencido por la magia negra, salió de Tierrapau-

lita, pues los indios decapitaron a todos los santos de la iglesia. Pasada la tormenta, diablos de tierra y hombres regresaron a la tierra de infieles para encontrar que ahora el diablo Cadanga, el ladino cristiano, era el que dominaba la Tierrapaulita. Con él vino el cura nuevito, el Padre Chimalpín con su sacristán, Jerónimo de la Degollación de los Santos Inocentes. El Padre, en seguida, reta al diablo cristiano, Cadanga, que pregonaba e incitaba a los indios a engendrar hijos, ya que necesitaba almas para su infierno. También estaban de vuelta en Tierrapaulita todos los demonios indígenas, pero el poder de éstos fue debilitado por el del extranjero. Termina la obra con un cataclismo horrible en el que toda la ciudad universitaria de la brujería quedó sepultada bajo los montes y la lava de los volcanes. Nadie se salvó, sólo el cura, que contrajo un tipo de lepra lo llevan al hospital. El pobre Yumí murió con su cabeza aplastada y su cuerpo intacto. La mulata, que se había vuelto a casar con Yumí «para toda la muerte», en una misa de réquiem en el Viernes Santo, comenzó el deshuesamiento del cadáver de Yumí para apoderarse del esqueleto de oro de éste. Haciendo el descuartizamiento fue traspasada por los rayos de la Luna que la «incendiaron inclinada sobre la culebra». Niniloj fue aplastada tratando de oponer sus brazos «a las masas de los cerros que se desprendían sobre Tierrapaulita».

Temas

En las novelas de Miguel Ángel Asturias nos percatamos en seguida que el autor siempre entrelaza diferentes aspectos de la vida del indio; pero esencialmente están presente lo telúrico y lo mágico en confrontación con el mundo real circundante. Asturias parte de la leyenda o el mito para canalizar la atención en el mundo social en que se mueven sus personajes. Sí hay un desenterrar de la mística de los magos y sabemos que el autor así se lo ha propuesto hacerlo. Pero no es menos cierto que la problemática socio-económico es un ineludible tema en todas sus obras. Su compromiso con su tierra y con su raza sufrida es patente. Las interrogantes que se plantea Asturias no tienen paralelos en la literatura guatemalteca. El mismo autor enuncia que no es auténtica la vida del indio guatemalteco de hoy y de siempre, sin la consideración de estas dos vertientes en que se mueve. El indio está suspendido entre el pasado y el presente y no puede concebir la vida de otra manera. En él, el pasado es su presente, así como el presente es su pasado. Su realidad cotidiana está dominada, guiada por una tradición saturada de leyendas, mitos y supersticiones, que no es posible desenredar de la mentalidad india.

> Generalmente se me pregunta por qué hay esta mezcla de lo telúrico, de lo mítico, de lo puramente primitivo y de los aspectos de una vida más desarrollada, del trabajo en las grandes plantaciones, de la situación de los peones, etc. Creo que no se puede diferenciar totalmente ese tema de la leyenda, del tema de la vida de «sueño», de la vida sumergida en el pasado, y al mismo tiempo presente, en que viven aquellos pueblos de Guatemala [11].

Añade Asturias en otra entrevista:

> ...el surrealismo de mis libros corresponde un poco a la mentalidad indígena, mágica y primitiva, a la mentalidad de esta gente que está siempre entre lo real y lo soñado, entre lo real y lo imaginado, entre lo real y lo que se inventa. Y creo que es esto lo que forma el eje principal de mi pretendido surrealismo [12].

En *Mulata de Tal,* el tema principal tiene connotaciones éticas. Es la lucha de las fuerzas del mal representadas por los demonios, ya sean éstos indígenas o cristianos, que tienden a desorganizar ese orden natural que obedece a la armonía de las cosas creadas por Dios y que representan las fuerzas del bien. El indio precolombino tenía un mundo en que todo marchaba armónicamente. Como siempre, el bien y el mal tenían su casualidad y sus repercusiones en la vida

---

[11] Luis López Álvarez: *Magia y Política,* Revista «Índice», núm. 226, Madrid, España, p. 38.

[12] Guillermo Yepes Boscan: *Asturias y el Lodo Sagrado de las cosas,* Revista «Imagen», núms. 14-15, Caracas, 15-30 de diciembre de 1967, p. 13.

del hombre. Su organización social, económica, religiosa, familiar y política eran una proyección del orden del cosmo y de lo que lo integraba: los elementos, dioses, demonios, hombres, animales, plantas, astros, ríos, cerros, leyendas, mitos, etc. La existencia, ninguna ni aún la de las rocas, se daba individualizada. Todo era parte del todo. Cualquier agente o intromisión que dislocara esta visión integral del mundo indígena era una anomalía y como tal había que erradicarla porque «eso es malo». (Hoy, dicen los indios «no es el costumbre»). El mundo maya está dividido en tres partes, una sobre la otra: arriba, el Corazón del Cielo, en donde conviven los dioses y los Balam (sacerdotes del pueblo quiché); en el centro está el Corazón de los Llanos, o la Tierra, el plano del hombre; debajo está Xibalbá, en donde se encontraban los diablos. Los gigantes sostienen esta estructura. A todos, dioses, hombres y diablos, los unen un origen común en el sagrado grano del maíz. Todo nos indica que *Mulata de Tal* se desarrolla en el plano inferior, el de Xibalbá comprendido en Tierrapaulita, «la ciudad universitaria de la brujería». Pero aún Xibalbá o Tierrapaulita tiene que someterse a las leyes universales, las leyes de siempre, que no pueden mancillarse sin que traigan funestas consecuencias. De ahí los cataclismos apocalípticos que describe Asturias con horripilantes frases de pesadilla. La lucha del bien y del mal tendrán su campo de acción en Tierrapaulita, que se había convertido en tierra de infieles en la que la magia negra era el principal negocio de los que traficaban con la religión. Ya antes de llegar a Cadanga, el demonio cristiano, esta ciudad era temida por los indios de las aldeas vecinas. Hay suficientes parlamentos que lo atestiguan:

—¡Hasta Tazol, que es demonio, tiene miedo de entrar a Tierrapaulita!
—Aquí, como mirujeas, no hay nada derecho, como nos lo tenían contado. Las calles torcidas, como costillares de piedra, torcidas las casas, torcida la plaza y la iglesia [14].

Aquí están los indios que quieren dedicarse a la magia negra ya con el propósito de hacer el mal, de ser temidos

---

[13] Miguel Ángel Asturias: *Mulata de Tal*, p. 90.
[14] *Ibid.*, p. 91.

por sus vecinos, por el lucro del dinero, y por otras razones que no están dentro de la normalidad. Por esto Tierrapaulita es sacudida una y otra vez por los terremotos, amenazada por relámpagos y truenos, por la viruela y sepultada al final por la lava y los escombros. Tenía que ser borrada de la faz de la Tierra y volver a ser repoblada por gente que tenga caridad y amor hacia sus semejantes.

Detrás de toda esta lucha entre el bien y el mal, Asturias ve un enorme desbalance entre lo que es la verdadera religión y lo que es la religión tomada como medio para buscar beneficios personales. En otras palabras, Asturias encuentra oposición entre lo sagrado y lo profano. Tanto critica a la religión primitiva como a la cristiana. La religión cristiana está adulterada y así acabó por adulterar la religión del indio.

Cuando entra Cadanga, diablo cristiano, se mezcla con los diablos anteriores formando una mezcolanza que es común entre los indios de Guatemala. Fue como meterse en la misma ropa con lo que quedaba de la religión primitiva.

> ...Juntas, muy juntas, igual que hermanas que hubieran nacido pegadas, así me completas el brazo que me falta, la pierna que no tengo, la oreja, el ojo, el labio. Tú sacarás tu cara, yo sacaré una pierna y un brazo y mi mano, que es todo lo que me queda [15].

> ...braserío que más enciende cuando lo quiere apagar aquélla con sus soplidotes de celosa, al darse cuenta que aquél goza de mí en su persona, pensándome, creándome con su pensamiento, como parte de su memoria, por algo fui su esposa, y parte de su sueño, por algo era la amante imagen que se le metió por las fontanales del alma, antes de osificársele con pasta de eternidad la cáscara del cráneo [16].

En un acceso de rabia dice el padre cristiano:

> ...Los demonios y estos indios idólatras, refractarios a la verdadera religión, pues siempre, aunque vengan a arrodillar-

---

[15] *Ibid.*, p. 208.
[16] *Ibid.*, p. 235.

se y a prender candelas, hacen armas al bando de **Cashtoc**, diablo de tierra, hecho de esta tierra, fuego de esta tierra. Todo esto hay que reedificarlo *a fundamentis* [17].

Encontramos que la Mulata de Tal representa o es el símbolo de esta mentalidad híbrida de los indios de Guatemala. No tiene nombre, es una mulata de tal por cual, híbrida ella misma, pasional, pero de género neutro, porque tiene los dos y no tiene ninguno. No tiene personalidad propia y actúa de acuerdo con las fases de la Luna. Degenerada como todo lo que no es puro. Quiere sentir, sentir, y su sensibilidad está estropeada. No puede ser poseída por nadie, porque ni ella se posee a sí misma. Ni el diablo cristiano pudo poseerla y los diablos de tierra la desposeyeron de todo y fue arrastrada por las chimanes verdes. Con la venida del diablo Cadanga quedó mutilada para siempre como el ser del indio:

¡Soy la mitad de lo que era! ¡La mitad de la Mulata de Tal! ¡Una de cualquier modo vive! ¿Quién me puso esta corona de espina de puercoespín? ¡Qué más reina quieren! ¡Sea! ¡Me dejaron el corazón entero! ¡Seguiré metiendo al diablo y a Dios en todas las cosas! ¿Porqué me dejaron el corazón entero? [18]

Asturias nos deja ver claro que la religión indígena y la cristiana forman una, pero a la vez se desplaza una a la otra. Vemos a primera vista cómo una quiere meterse dentro del vestido de la otra para complementarse. Sin embargo, leyendo con cuidado, nos percatamos que en el fondo hay un gran choque de diablos indios y el diablo cristiano. El puercoespín se enfrenta a la araña de los once mil brazos. El campo de batalla es el alma del indio. Su mentalidad, todo su ser es como la mulata que se debate entre fuerzas antagónicas que no puede vencer. La religión es elemental, sencilla, sin ribetes y sin complicaciones teológicas. Es religión colectiva que los une a todos en la comunidad. Es pri-

[17] *Ibid.*, p. 199.
[18] *Ibid.*, p. 199.

mitiva que apela a los sentidos, pues es manifiesta en toda
la naturaleza: en las rocas, río, cerros, plantas, animales, en
la lluvia, en el viento, el relámpago, truenos y volcanes; en
las enfermedades; en el nacimiento y en la muerte. El indio
ve una fuerza sobrenatural insuflando un alma en las cosas.
De ahí sus ritos: ora, prende candelas, quema copal, se unta
con sangre de aves, bebe y riega aguardiente, emplea la música, la danza y los cohetes. La religión india es materialista
hasta su concepción trascendente de la vida. Por eso la necesidad de Yumí y Catarina de hacerse brujos y así poder
dominar las fuerzas de la naturaleza, a sus vecinos y proveer un medio para proporcionarse su alimento cotidiano.
Los indios resumen emotivamente todos sus actos y actividades como resultado de la necesidad de resolver los problemas de su subsistencia en un mundo inhóspito y cruel en
donde las fuerzas materiales se imponen a todo lo demás.

> ...No se es cristiano porque sí, se es cristiano porque ello
> implica amar más, amar más es darse más, es abarcar, en la
> dádiva, a cuanto nos rodea, plantel de dichas en que se cum-
> ple con el todo, sin el grito diabólico de la exigencia despierta,
> de la llama carnal que no engendra sino cenizas. Hijos de ce-
> niza son los que no nacen del amor, sino de una maquinaria
> en movimiento, y como cada vez son más éstos que aquéllos,
> la tierra se va cubriendo de cenizas, y de ahí que nos oponga-
> mos, no a la multiplicación de la especie humana en Tierra-
> paulita, sino a la industrialización de la especie bajo el man-
> dato de aquel grito satánico [19]

Pero el cristianismo verdadero ha sido deformado en su
totalidad. Nos dice Asturias en su *Mulata de Tal* cómo los
indios mezclan hasta a sus nahuales con los santos para que
la protección sea efectiva. El cura al ver que los indios cam-
biaron las cabezas de los santos por las de animales se queda atónito.

> ¡San José con cabeza de danta! ¡San Luis Gonzaga con ca-
> beza de cerdito, trompudito! ¡María Magdalena con cabeza de
> iguana! ¡San Sebastián con cabeza de ciervo herido! ¡San Fran-
> cisco con cabeza de coyote manso! ¡Santo Domingo con cabe-

---

[19] *Ibid.*, p. 226.

za de oveja! ¡San Pascual Bailón con cabeza de mono! Y la Apocalíptica, la Concebida, con cabeza de paloma[20].

Así podríamos seguir ejemplificando la metamorfosis que ha sufrido la religión católica entre los indígenas de Guatemala y así en toda la América, pues en la obra encontramos que el problema que plantea Asturias es uno de carácter ético basado en la lucha religiosa del bien y del mal entre los conquistadores y los conquistados. Este es el tema esencial de la novela *Mulata de Tal*.

Hay otros temas subordinados al ético-religioso. El tema del progreso está presente en casi todas las novelas de Asturias. En *Mulata de tal* se encuentra que el hombre moderno —el hombre de la máquina— se ha convertido a sí mismo en máquina. Ha dejado de ser hombre porque «están pegados con engrudo los nuevos seres». Hombres que no sienten porque no tienen alma «¡y ay de los que en ella (el alma) busquen apoyo, porque es como quererse recostar de la lluvia!» Cadanga al expresarse del hombre moderno exclama:

> ...Acabé con los espíritus malignos, mugrienta y analfabeta burocracia, sustituidos por robots con calefacción propia a base de carnes incandescentes, radar como los murciélagos, polvo atómico para lavarse los dientes de fuego que consume todos los metales, hasta el titanio...
>
> ¿Y qué es la vida moderna, el progreso, la civilización, sino mi yo en polvo de palabras?[21]

Aboga Asturias por un incendio total que arrase con el mundo de hoy.

> ¡Ni armisticio ni tratado de paz! Aniquilización total del hombre y reaparecimiento sobre el haz del planeta de mis mejores épocas, las de la infancia humana que evoco con tristeza...[22]

---

[20] *Ibid.*, p. 160.
[21] *Ibid.*, p. 213.
[22] *Ibid.*, p. 215.

Estilo de «Mulata de Tal»

En *Mulata de Tal* es muy importante el tema ético-religioso, así como otros temas que se subordinan al principal.
Sin embargo, más que en ninguna otra novela de Asturias
hay que recalcar su estilo. El autor se propuso y ha logrado
efectivamente dar al español de América una nueva perspectiva estética. Su lengua es ambivaiente como nuestros
pueblos pueblos americanos que se pierden entre la realidad. Asturias es demasiado estético y demasiado humano.
Así es América, tanto en su naturaleza como en todas las
fases de la vida del hombre. La extraordinaria vitalidad, los
contrastes, los absurdos, realidades y angustias del nuevo
continente están recogidos magistralmente por el autor de
esta novela. Van los orígenes de la teogonía y de la cosmogonía maya-quiché revitalizando, restaurando y recreando
por medio de la palabra todas las tradiciones que duermen
a flor de tierra entre los indios de Guatemala. En *Mulata de
Tal* no se puede buscar una lógica cartesiana, porque aunque se basa en leyendas y mitos bien conocidos por el pueblo guatemalteco, éstos están concebido recreados de
acuerdo a normas propias del autor. Él va tejiendo y re-
tejiendo sueños para sostenernos entre el mundo maya-
quiché y la Guatemala de hoy. Todo esto lo logra Asturias por medio de la palabra que esgrime magistralmente
con sus paralelismos, onomatopeya, repetición de palabras,
frases y letras, perífrasis, símbolos, refranes y sentencias.
Sus juegos de palabras como todo lo anterior mencionado
nos hace obviar el sentido del mensaje, nos hace perder en
un laberinto infranqueable. Asturias no resulta un narrador
fácil. Hay que leer siempre con cautela por el trastrueque de
sentidos e ideas, creación y combinación de palabras y más
que nada por ese tener suspendido al lector entre la realidad y la fantasía. El aparente desconcierto en los mitos y
pesadillas de *Mulata de Tal* nos saca de quicio al tener que
retroceder en la lectura incontables veces para poder seguir el hilo de su ficción. Y todo esto a pesar de una notable
pretensión de facilidad, pues emplea la lengua popular con
todos sus modismos y guatemaltequismos. No podemos decir que su lenguaje es rebuscado, ni fuera de lo común, pero
sí se puede ver una marcada y consciente fijación mental de

darle una tercera dimensión al español, escrito o literario. Asturias ha estilizado esa manera tan peculiar con que hablan el español nuestros pueblos americanos. Faltaba esta gran renovación en la lengua para que ésta se transformara en un efectivo medio de comunicación registrando la auténtica realidad americana.

Miguel Ángel Asturias:
Novelista americano

Manuel Maldonado Denis

Entre las moscas sanguinarias
la Frutera desembarca
arrasando el café y las frutas,
en sus barcos que deslizaron
como bandejas el tesoro
de nuestras tierras sumergidas.

Mientras tanto, por los abismos
azucarados de los puertos,
caían indios sepultados
en el vapor de la mañana:
un cuerpo rueda, una cosa
sin nombre, un número caído,
un racimo de fruta muerta
derramada en el pudridero.

PABLO NERUDA, *Canto General*

De Miguel Ángel Asturias ha escrito su compatriota Raúl
Leiva: «Pensamos que, así como cuando se habla de México
no se puede olvidar a la figura señera y ejemplar de Alfonso Reyes, cuando se trate de Guatemala no se podrá pasar
por alto, impunemente, a la figura literaria de Miguel Ángel
Asturias» [1]. Al ubicar a Asturias junto a la figura cimera de
las letras americanas que fue don Alfonso Reyes, Leiva sitúa a Asturias en el lugar que le corresponde al lado del
gran escritor mexicano: forzoso es ver a ambos desde una
perspectiva amplia, capaz de abarcar sus respectivas contribuciones a la literatura de la América nuestra.

Miguel Ángel Asturias es —¡quién podría escamoteárse-
lo!— uno de los hijos primicerios de las letras guatemaltecas. Pero su novela trae un mensaje que trasciende las fronteras de su patria para expresar los problemas y los anhelos
de Iberoamérica. Sobre todo porque su novela es novela de

---

[1] Raúl Leiva: «Miguel Ángel Asturias», *Casa de las Américas,* año II, número 8, septiembre-octubre, 1961, p. 69.

contenido social; Asturias es un buen ejemplo del escritor «comprometido» que tan bien ha descrito Sartre.

En sus novelas logramos vislumbrar las múltiples facetas de la vida americana: el indio, viviendo al margen de la sociedad, sumido en ese silencio profundo que es voz —a veces sumisa, a veces airada—, de protesta contra sus opresores; el dictador cruel e inhumano, el «señor Presidente», bestezuela que se ceba en los débiles y sabe arrimarse a la sombra de los fuertes; la fauna completa de los que sirven a éste, seres despreciables que sólo conocen del servilismo como táctica y de la traición como norma; el poderoso consorcio extranjero, capitaneado por el hombre que, cual el Papa romano, puede morir en la certeza de que otro vestirá su hábito; el revolucionario que ansía la libertad de su patria y que arriesga su vida para que aquélla pueda darse; la intervención extranjera sostenida por todas las fuerzas retrógadas que, escudándose tras el «anticomunismo», en realidad traicionan al país y venden la patria al oro extranjero. Todos estos aspectos —nada halagadores—, de la vida cotidiana de nuestra América, son presentados por Asturias con ese estilo peculiarísimo suyo, capaz de evocar en la mente del lector una profusión de imágenes que son a manera de pinturas, investidas con una gran fuerza, que nos estremecen hasta lo más hondo. Porque este «poema-narrador» como le llamó Paul Valéry en su introducción a la edición francesa de las *Leyendas de Guatemala* (el primer libro de Asturias), nos hace reír, o llorar, o rabiar mientras leemos sus novelas, mientras él nos da a tomar del mágico filtro de su caudalosa imaginación.

Tomemos, por ejemplos, a *Hombres de maíz* (1949) y a *El señor Presidente* (1946), donde se tratan dos de los temas que apuntamos arriba: el indio americano y la dictadura hispanoamericana. En estas dos novelas, Asturias recurre al folklore guatemalteco (según una antigua leyenda, los hombres fueron hechos por los dioses de maíz) y a su experiencia personal de la dictadura de Estrada Cabrera. Sin embargo, los problemas que él trata imaginativamente en estas dos obras podrían aplicarse igualmente a la experiencia de todos aquellos pueblos nuestros que experimentan experiencias históricas y sociales análogas. El indio que nos describe el novelista no es únicamente el guatemalteco: puede ser también el mexicano, el peruano o el boliviano: el predicamento del indio de las Américas —las diferencias geográficas a un lado— se debe a su relación de subordinación frente al hombre blanco. Porque éste ha pretendido no sólo arrebatarle sus tierras, sino reducirlo incluso al nivel de la animalidad, condenándolo a la enclaustración artificial de los que viven en los márgenes de la sociedad civilizada. En cuanto a *El señor Presidente*, ¿cuántos tiranuelos no podrían calzarse sus botas y sus insignias? No es Estrada Cabrera, o Ubico; es Trujillo, Somoza o Stroessner; es, en fin, el retrato a lápiz de esa plaga que aún sobrevive, como un triste recordatorio para todos nosotros, de que el señor Presidente permanece en la trastienda, dispuesto siempre a montar en sus doce caballos de fuerza, debidamente blindados, guardadas sus espaldas por hombres con ametralladoras en mano, y decidido a emprender la cruzada pro «civilización occidental y cristiana», haciendo rodar unas cuantas cabezas y tiñendo de rojo las calles con la sangre de inocentes.

Hay, sin embargo, formas menos abiertas de dominación que la ejercida por *El señor Presidente*. Son formas de dominación y explotación que, lejos de ser una cosa del pasado, hoy mantienen a nuestra América en el estado misérrimo en que se encuentra. Este es el tema de la famosa «trilogía bananera», compuesta por *Viento fuerte*, *El Papa Verde* y *Los ojos de los enterrados*.

Porque Guatemala, como nos recuerda Cardoza y Aragón en su libro *la revolución guatemalteca*, es una de las *banana republics* de Centroamérica. Así las han calificado sus vecinos del norte: «repúblicas bananeras», porque de ellas extrae la riqueza montante a millones de dólares ese poderoso consorcio —¿será necesario mencionar su nombre?— que Miguel Ángel Asturias llama, en su trilogía, la Tropical Platanera, S. A. La Tropical Platanera, S. A., tiene como accionista principal a Geo Maker Thompson. Es él el Papa Verde, poderoso personaje que, desde su oficina en Chicago, puede determinar la vida de millares de campesinos centroamericanos Geo Maker Thompson no es tampoco un inocente espectador del juego político: su enorme poderío económico sirve para mover los resortes de la política exterior de Washington, así como la política doméstica de

los países donde se asienta su emporio. Cuando el indio
Chipo Chipó es sorprendido escuchando la conversación entre doña Flora, el comandante y Maker Thompson, el comandante pega a Chipó en la cara. Jinger Kind, que acompaña en ese momento al Papa Verde, quiere intervenir en
favor del indio, pero Maker Thompson se interpone. Kind,
inquietado por las palabras de Thompson: «¡Usted me ha
dicho que es partidario de la no intervención!», le contesta
a éste, un poco sorprendido: «¡Pero le está pegando!» La
respuesta del Papa Verde no se hace esperar: «!Con mayor
razón, pues si hemos de intervenir siempre será en favor de
los que pegan!»

Y hay maneras y maneras de pegar: con la mano cerra-
da, con el látigo, o... con el dólar. Eso lo sabe muy bien el
Papa Verde. En realidad, las palabras no le interesan mucho a este hombre poseído por un ansia inagotable de poder. En su conversación con Jinger Kind, éste insinúa el
papel de «emporialistas», más bien que el de «imperialistas», en América. Maker Thompson exclama: «¡Emporialistas en vez de imperialistas!», y Kind replica: «Las dos cosas.
Emporialistas con los que nos secunden en nuestro papel de
civilizadores, y con los que no muerdan el anzuelo dorado,
sencillamente imperialistas.» *Week-end en Guatemala* será
la obra donde la frase profética de Kind cobrará realidad:
hubo quienes no quisieron morder «el anzuelo dorado» y
había que hacérselo tragar sin miramientos. ¡Emporio o imperio! Lo mismo da al fin y a la postre...

¿Y quiénes son los que se oponen al emporio bananero?
Pues los pequeños agricultores que pretenden salvar sus tierras; el norteamericano Lester Mead y su mujer, Leland
Foster, que intentan oponerse a La Tropical Platanera en
favor de los pequeños agricultores, sólo para sucumbir ante
los embates del *Viento fuerte;* Tabío San, revolucionario por
vocación, discípulo de Marat, que logra hacer cristalizar el
sentimiento revolucionario del pueblo frente al poderío extranjero; los negros que se levantan ante el grito de «chos,
chos, moyón con» («manos extrañas nos están pegando»);
el indio que lleva en sus espaldas siglos de sufrimiento y de
vejación. Todas estas fuerzas cobran, según Attilio Jorge
Castelpoggi, un sesgo dialéctico en la trilogía bananera: si en
Viento fuerte encontramos el surgimiento de los plantado-

res independientes y de su ingente organización, ayudados por Lester Mead, en *El Papa Verde* y *Los ojos de los enterrados* encontramos la organización de las fuerzas populares que llevarán a la revolución. Ni la filantropía de Lester Mead, ni la acción errática y desorganizada de los plantadores independientes pueden oponerse con posibilidades de éxito al poderoso consorcio bananero y a su pontífice verde. Forzoso es que surjan otras fuerzas populares, plenamente conscientes de los problemas que les aquejan, para que la chispa de la insurrección pueda en verdad encenderse.

Verde es, pues, el Papa de la Frutera, y verde las hojas del banano, y verde es también... el dólar. Por eso exclama uno de los personajes del Papa Verde: ¡«Qué lindo es Dios cuando se vuelve dólar!» Sí, ¡qué lindo es Dios cuando se vuelve dólar! ¡Qué oración preñada de sugerencias sobre la realidad latinoamericana! ¿Cuántos han sucumbido ante su magia, cuántos los gobernantes de nuestra América que han respondido a su llamado? ¿Será necesario enumerarlos? Ante él se postran, su mágico poder invocan, desfilan ante su altar dispuestos a sacrificarlo todo ante su signo: una «S» atravesada por dos líneas verticales, paralelas la una de la otra, pero ambas proyectándose cual flechas hacia el norte y hacia el sur. Geo Maker Thompson sabe que su Dios, una vez convertido en dólar, puede adoptar, cual Proteo, múltiples formas. Una de ellas es «el progreso». En *El Papa Verde*, el comandante asiente cuando Jinger Kind le habla del trueque, del simple trueque de «riqueza por civilización»; «Si ustedes lo que necesitan es progresar, nosotros les damos el progreso a cambio de los productos de su suelo». Siempre, cuando se hace este trueque, el país más adelantado administra la riqueza del de menos desarollo, hasta que éste alcanza su mayoría de edad. A cambio de riqueza, progreso... El comandante, como «militar que se respeta», está dispuesto a aliarse con los que le brindan el progreso. Y como él, otros muchos: la sombra del señor Presidente no se aparta de esta «trilogía bananera» —al lector le parece verlo vestido de negro, dispuesto también a «aliarse» para el progreso. También están algunos de los plantadores que heredaron de Lester Mead, renegados de su patria que terminan por cambiar hasta sus nombres. Son, en fin, los innumerables que sucumben ante «el anzuelo dorado», algunos sin percatarse de ello, pero otros plenamente conscientes de que la mano postiza de Jinger Kind. Porque esa es la mano que pide Geo Maker Thompson, no la de carne y hueso que Kind pretende darle: «¡Ésta, ésa!, la mano del progreso falso, del progreso que les vamos a dar a ellos, porque la verdadera mano derecha la guardaremos para la llave de la caja y el gatillo de la pistola.»

Asturias pone en boca de Lester Mead en *Viento fuerte* su visión —que alcanza un simbolismo extraordinario en el momento actual—, de cómo acontenció este proceso de la deificación del dólar, de la entrega total al «Gran Tentador».

—Esta vez —empezó Lester Mead su explicación— subieron a la montaña los hombres de una raza fuerte, hijos de puritanos; en la frente llevaba, cada uno de ellos, la ciudad del bien; a sus ojos iban a dar largos caminos de estrellas, reflejos de luces en el agua; en sus carnes de raíces, las intemperies no mordieron: eran demasiados duros para ser débiles, y buenos como niños, para ser malos. Todos dormían bajo las estrellas. Una gran oscuridad de brillos minerales y parpadeantes luces abajo, donde la ciudad empezaba. El demonio verde se acercó a aquellos hombres; llevaba en su tiniebla escondido el color de la esperanza más real que es la del dinero en su expresión más tentadora: el verde-papel-moneda-oro. «¿Queréis riquezas?», les preguntó, sin mostrar bien el rostro, hipnotizándolos con sus ojos de bovino. Aquéllos respondieron que toda riqueza costaba mucho trabajo y que se contentaban con lo que tenían, para no trabajar más. «¿Trabajo?», se les rió en la cara el Tentador. «¿Mucho trabajo?» Una baba de culebras molidas le salió por la boca. «A vosotros no os costará ningún trabajo esta riqueza fabulosa: abrid los ojos, ved aquí abajo, buscad entre dos mares esas tierras azules, montañosas, y yo os daré las semillas que se convertirán en plantas de color del dinero verde, plantas que serán por sus frutos, como si sus hojas, todas sus hojas, todos sus follajes, fueran cambiables en el banco, cortadas en mil pedazos, por monedas de oro y por barras de oro...»

—Y aquella raza de hombres fuertes —siguió Lester—, hijos de puritanos, aceptó. Los millones multiplicados por los bananales los hacían dueños del mundo, señores de la creación. Hubo necesidad de un jefe y en junta de accionistas que estaban sentados sobre barras de oro, se eligió el Papa Verde. Nada más fantástico que aquel demoníaco multiplicarse de la riqueza, a base del color de la esperanza de los hombres, dada a una raza llamada a más alto destino, para perderla de su camino recto; y ese fue Anderson, el Tentador, el que les ofreció aquellas tierras y en esas tierras la riqueza sin traba jarla ellos, porque eran otros hombres los que iban a trabajarla, porque eran legiones de hombres sudorosos, de hombres pringosos, de hombres empapados en fiebres, de hombres ciegos por la miseria fisiológica, de hombres cuyo destino era ese: trabajar para la raza fuerte del Tentador...

¿Y esos hombres cuyo destino es «trabajar para la raza fuerte del Tentador»? Esos hombres, destrozados por el peso de sus fardos inhumanos; deshumanizados, embrutecidos, sudorosos, son los que se pierden entre el verdor de los bananos, como si fuesen tragados por ese verde que pueden sentir en su carne, pero jamás gozar en su vida, y que puede abrir y cerrar ojos, poner y quitar gobiernos, arruinar o enriquecer hombres. En *El Papa Verde*, Asturias se eleva a un nivel poético difícilmente superable cuando nos hace sentir, en toda su crudeza, la explotación inmisericorde que padecen los obreros de la bananera:

> El mar celeste pálido, del dolor de los ojos del honorable visitante, Charles Peifer, cuyo cuerpo envuelto en la bandera de las estrellas y las barras fue llevado a bordo por la oficialidad, dando un breve descanso a las recuas de hombres desnudos, quebrados de la nuca, cimbrándose de los riñones a los pies bajo el peso de los racimos de bananos que transportaban en los vagones del ferrocarril estacionados no lejos del barco hasta sus bodegas, desde antes que amaneciera, a la luz de los reflectores y lámparas de luz de porcelana muerta. Mestizos, negros, zambos, mulatos, blancos de brazos tatuados. El peso de la fruta los trituraba. Al final de la jornada bochornosa quedaban como seres atropellados, sobre los que hubieran pasado trenes de banano.

Mas no todo es desesperanza, miseria, desilusión, en la novela de Asturias. La explotación llega a un punto en que el pueblo se levanta para romper sus cadenas, guiado por hombres que sólo ven un camino expedito para ponerle fin: la revolución. De entre el pueblo mismo emerge, en *Los ojos de los enterrados*, Octavio Sansur, alias Tabío San, revolucionario por convicción y por vocación, hombre que se juega el todo por el todo frente a las poderosas fuerzas que pretenden destruirle. Ni la acción errática y desorganizada de los productores independientes que buscan protección frente a la compañía frutera; ni la rebeldía culminante en el suicidio de Chipo Chipó y Mayarí; ni siquiera los efectos destructores del *Viento fuerte*, logran estremecer los cimientos del enorme poderío de la «Tropicaltanera». «Tenemos que organizar el Apocalipsis», dice uno de los personajes de *L'Espoir* de Malraux, y esa es la tarea de Octavio Sansur, discípulo de Marat y de Robespierre. *Los ojos de los enterrados* concluye con la nota esperanzadora de que el pueblo se ha levantado y que ha triunfado la revolución:

> Empezó a limpiarse el cielo y apareció el sol chapoteando en las tierras anegadizas, como un corcel de muchas patas con cascos de herraduras luminosas. Y la noticia del triunfo se regó como la luz. La poderosa empresa aceptaba las condiciones. Tabío San, seguido de Rámila, abandonó el edificio de la Compañía, en la capital. Acababan de firmarse los nuevos convenios de trabajo. Malena le esperaba a la puerta, un fusil al hombro, el cabello apenas recogido en un moño, todos los días de su lucha callejera pintados en su trigueña palidez, y fue hacia él a besarlo y abrazarlo entre las voces y el aplauso de amigos y conocidos que se habían estacionado allí cerca en busca de las últimas noticias. A las horas se levantaría la huelga general. Sí, sí también en Bananera y Tiquisate. La Dictadura y la Frutera caían al mismo tiempo y ya podían cerrar los ojos los enterrados que esperaban el día de la justicia. No, todavía no, pues sólo estaban en el umbral esperanzado de ese gran día. La esperanza no empieza en las cosas hechas, sino en las cosas dichas y si dicho fue «otras mujeres y otros hombres cantarán en el futuro», ya estaban cantando, pero no eran otros, eran los mismos, era el pueblo, eran los... Tabío San, Malena Tabay, Cayetano Duende, Popoluca, el Loro Rámila, Andrés Medina, Florindo Key, Cárcamo y Salomé, los capitanes, los ceniceros, los maestros, los estudiantes, los tipógrafos, Judasita, los comerciantes, los peones, los artesanos, don Nepo Rojas, los Gambusos, los Samueles, Juambo el Sambito, sus padres, la Toba, la Anastasia, el gangoso, el borracho, el Padre Fejú, Mayarí, Chipo Chipó, Hermenegildo Puac, Rito Perraj... unos vivos, otros muertos, otros, ya estaban cantando...

Pero el novelista, en un momento de lucidez, se percata de que el triunfo todavía es precario. Todavía no... Todavía no... Todavía no podrán cerrar los ojos los enterrados, porque el día de la justicia no ha llegado. Sólo están en «el umbral esperanzado de ese gran día». Sí, se encuentran en el umbral, pero nada más que en el umbral. Pronto se aliarán nuevamente las fuerzas oscuras, polarizándose de nuevo la nefasta alianza del dólar, la cruz y la espada para echar por el suelo, destrozándolo, todo lo que se había logrado durante la revolución. *Week-end en Guatemala* es la narración, mediante un apretado haz de cuentos cortos, de este proceso de reversión al antiguo estado de cosas.

Dice Attilio Jorge Castelpoggi —con justicia—, al referirse a la trilogía bananera, que «mejor que en cualquier tratado de sociología, de historia o de política, en esta trilogía está condensado el drama de los pueblos pequeños, económicamente débiles, sujetos a la ambición desmedida del imperialismo y sus agentes» [2]. Su juicio no es menos aplicable a *Week-end en Guatemala*. Este es el documento de la invasión de 1954; es el relato en forma de novela de lo que aconteció en el país natal de Asturias cuando se produjo el golpe para derrocar al gobierno legalmente constituido.

El lector, al leer *Week-end en Guatemala*, reacciona con la misma incredulidad con que reacciona el sargento Harkins, el primero de los personajes que aparece en escena, cuando el «Ambassador» le dice que su país está en guerra:

> —¿En guerra?... —desorbité los ojos...— ¿En guerra con Rusia?... —pregunté.
> —¡No, sargento Harkins, no se haga el imbécil, estamos en guerra con este país, y usted está borracho!
> —Sí, Ambassador, estoy borracho...
> —Hace un momento decía que no...
> —Pero ahora digo que sí. Si usted afirma que nuestro país, el más poderoso del mundo, está en guerra con esta república en miniatura, estoy borracho, totalmente borracho.

La reacción de incredulidad —¡no puede ser! debo estar borracho; el mundo anda con los pies para arriba y la cabeza hacia abajo!— esa es también nuestra actitud cuando leemos, más adelante, las versiones de la prensa internacional sobre lo que está pasando en Guatemala. Acontece la matanza de los campesinos por «comunistas». A los pocos días, sus tumbas son profanadas y se les desentierra. Los fotógrafos hacen su agosto. Al día siguiente, titulares en los diarios con las fotografías: «Campesinos asesinados por los comunistas»...

La mentira sistemática, «la gran mentira» convierte a la

[2] *Miguel Ángel Asturias* (Buenos Aires, Editorial La Mandrágora, 1961), página 116.

realidad en fantasía, con tal de que se sigan las instruccio-
nes de sus inventores: «repítase incesantemente, incesantemente...» Para eso están ahí los medios de comunicación de
masas, para convertir la mentira en verdad y la verdad en
mentira. *Week-en en Guatemala* ilustra cómo puede lograrse
esta distorsión premeditada del acontecer histórico: ¡es cosa
de tener los medios para hacerlo!

En sus novelas, Asturias levanta el velo para que veamos
las llagas que se esconden tras la retórica de los que mantienen a Iberoamérica en su estado actual de atraso económico. Su extraordinario dominio de la lengua castellana, su
fecunda imaginación, su profundo sentido del sufrimiento
y de la degradación humana cobran, en su obra literaria, un
cariz que rompe con todos los lugares comunes con todas
las evasiones conscientes o inconscientes que practicamos
a diario frente a los problemas más urgentes de nuestra
América.

En esta su capacidad de estremecer nuestra conciencia
social, el arte de Miguel Ángel Asturias llega a su culminación como vehículo de expresión de la realidad latinoamericana. Pocos hay que puedan superar su capacidad para cru-
zarnos el rostro con lo que pretendemos soslayar, su habilidad para enfrentarnos con el reflejo de nuestra propia imagen. Cuando esto último ocurre, cuando queremos practicar
—en una sutil inversión de la contemplación narcista— un
apartamiento de la faz que reflejamos, hay quienes quieren
romper el espejo para no contemplar ese terrible recordatorio de nuestra desgarrada imagen. Miguel Ángel Asturias,
implacable, novelista americano por antonomasia, nos fuerza a que miremos, fascinados, atraídos por esta cabeza de
Medusa, a ese cuadro pintado con la sangre, el sudor y las
lágrimas de los hombres olvidados de la América nuestra.

*Lenguaje, mito y realidad
en Miguel Ángel Asturias*

Jorge Campos

El mundo maya

Es, o será tópico, pero es la verdad. Hasta la narrativa de Asturias llega, revivificado, el viejo mundo maya. No queremos decir reconstruido con la meticulosidad y erudición del novelista histórico —lo que no excluye pasión ni comprensión—, sino mostrado como puede mostrarse algo propio, que se lleva dentro, y de lo que se tiene conciencia.

Es conocida la anécdota del estudiante guatemalteco al que la persecución política ha alejado de su país y que encuentra, primero en Londres y luego en París, al viejo mundo indígena que desde las vitrinas de los museos le impone una presencia que los siglos no han podido borrar. En la Sorbona, los cursos de George Reynaud le llevan a las páginas del *Popol-Vuh*, el texto maya que de la nebulosa del hermetismo y la difícil traducción deja escapar sorprendentes brillos poéticos y la magia de una barroca cosmogonía.

El joven estudiante es poeta. En su pugna creadora surgen voces distintas que probablemente no le parecieron conciliables en algún momento: unas actuales, haciéndole sentir que forma parte de ese conjunto de movimientos que tratan de abrir nuevas vías a la literatura y otras que le impulsan a tomar como tema los motivos aborígenes soterrados bajo siglos.

Es el mometo de las «historias-poemas-sueños», como Paul Valéry calificó aquellas «Leyendas». Ciudades y leyendas viejas, reúnen la inspiración salida de los viejos libros con la narración oída contar a los hombres viejos. Lo popular encaja a veces con los huecos de la teogonía destruida. Y entre sus vacilaciones aprende Asturias que ahí tiene su camino: buscar en lo propio, en ese pueblo que le hace clamar por él con nostalgia. Sacar su propia inspiración y su

propio estilo del intento de lograr una obra propia, en la
que no se desdeñe lo que encuentre de más adecuado en los
autores preferidos, de ayer o del momento.

En España, en 1930, aparecieron las *Leyendas de Guatemala*. ¿Se ha fijado la atención en el número de libros de
autores de la América Hispana, alguno verdaderamente importante, que se publicaron en España en este tiempo? Recordemos *Doña Bárbara, Huasipungo, Las lanzas coloradas*,
junto a otros títulos de César Vallejo, Martín Luis Guzmán,
Alejo Carpentier... Aquel libro —pudo no advertirse tan claramente entonces— llevaba dentro una cargazón mágica. El
realismo que dominaba el cuento y la novela no le parecía
el instrumento más adecuado para calar en un pueblo que
tuvo que retirarse y agazapar su sentir ante la imposición
de una cultura que le era extraña. Si surge en él ese sentido
evocador de las viejas ciudades que en otros escritores y
otros tiempos llevaban a las «tradiciones», le salvan de la
simple estampa arqueológica esos árboles «que hechizan la
ciudad entera», y esas «sombras perdidas y fantasmas con
ojos vacíos» que vagan por palacios y chozas deshabitadas.
¿No son hermanos de aquellos hidalgos de La Española
—espectros de hidalgos— que Las Casas nos pinta en largas filas, caminando en silencio y saludándose ceremonio-
sos, quitándose la cabeza en lugar del sombrero?

También hay que apuntar en el haber de Asturias su
pronta concepción de que le era necesario modificar lo necesario sus instrumentos de trabajo: el lenguaje, la sintaxis,
el estilo. Está sin apurar la investigación que nos diga la relación del novelista guatemalteco y las más avanzadas in-
novaciones de la literatura, especialmente en la Francia de
su estancia en París, y aún más especialmente el surrealismo.

El hecho es que encontramos ya en estas leyendas muchas de las que son son características y que acentuará en
libros posteriores: cuidado de la palabra, buscando la precisión y la sonoridad dentro de la frase; el gusto por la enumeración, el juego con los vocablos, con las sílabas. O sea,
resumiendo y simplificando, la participación decisiva del
lenguaje en su creación literaria.

«El alhajadito»

Por aquel mismo tiempo inició otro libro, que no concluirá hasta pasados veinte años, *El alhajadito*. Ya hablamos de él en el momento de su publicación. Su terminación, años después, cuando ya han abundado superaciones y experiencias, nos le ofrece como un puente que traza una continuidad. Cargado de poesía y de magia, el relato está henchido de sensaciones que el lenguaje se apresta a comunicar al lector. Recordemos el comienzo:

> «Bigotes de miel de caña de azúcar. Por las comisuras le bajaban como puntas de bigotes chinos, tostaditos, cosquillosos, dulces al lamerlos con lengua de gato...»

Es la segunda vez que repetimos este párrafo en estas columnas. La anterior hablamos también de colorismo, de magia, de lirismo, de surrealismo. Y también, como consideración importante, del cañamazo indígena dejándose ver una y otra vez, con su ternura hacia la infancia, su sentido de la fugacidad de lo terreno, su autoctonismo, su pintar hechos, ambientes y seres como facetas de ese hecho que los manuales de Geografía llaman Guatemala.

«El señor Presidente»

El paso siguiente es un hito en su obra: *El señor Presidente*, de 1932, sobre un cuento anterior, prolongado y probablemente reescrito. En él se juntan las dos posibles direcciones que podría tomar su obra: lo mágico y lo realista denuncia del estado en que vive su pueblo. Asturias acababa de vivir en su propia vida lo que estaba viviendo todo su país: la imposibilidad de atender a cualquier otra cosa que no fuera a la dictadura que padecía. Se encontraba con algo más inmediato e ineludible que la busca del viejo fondo indio latente en los campesinos, porque también en las conversaciones y preocupaciones de éstos había algo más urgente.

La denuncia social y política viene hecha con lenguaje literario. Asturias elige entre las herramientas que ha perfilado y modificado, las que cree más eficaces. Y va a la pin-

tura de una realidad con los mismos procedimientos que ha
ido consiguiendo: el juego con los sonidos, con las palabras,
las repeticiones, las aliteraciones, la onomatopeya... Recordemos, por ejemplo,

> «Cara de Ángel abandonó la cabeza en el respaldo. Seguía
> la tierra baja, plana, caliente, inalterable de la costa con los
> ojos perdidos de sueño y la sensación confusa de ir en el tren,
> de no ir en el tren, de irse quedando atrás el tren, cada vez más
> atrás del tren, más atrás del tren, más atrás del tren, más atrás
> del tren, cada vez más atrás, cada vez más atrás, cada vez más
> atrás, más y más cada vez, cada vez cada vez, cada vez cada
> vez, cada ver cada ver cada ver cada ver, cada ver cada ver
> cada ver cada ver, cada ver...»

¿Hasta qué punto entró el conocimiento de *Tirano Banderas* en el estirón que dio el cuento primitivo para convertirse en la novela? Asturias nunca ha negado ese cierto dis-
cipulado —no tan servil como ha llegado a decirse—, que
consiste en el modo de cómo entrarle a un tema más que
en afiliarse a un estilo. Ni inventó a Estrada Cabrera ni tuvo
que forzar la pluma para mostrar tipos, luces, secuencias, la
similitud con la gesta de Santos Banderas es de óptica.

Y no deja de ser curioso que esa óptica nos lleve a México por vías de Díaz Mirón, y a la esperpéntica realidad
histórica de Lope de Aguirre, el Marañón.

Se ha señalado una visión cubista de la escena de la cárcel; se ha hablado del surrealismo, pero lo que más pesa en
la construcción del personal ambiente que vive en la novela
es ese mismo hechizo que envolvía sus libros anteriores y
que aquí se adapta a época y tema.

El pueblo

Hombres de maíz, 1948. Afán de penetrar algo más allá
que en la historia de una dictadura cruel. En maíz estuvo en
la base de las culturas mesoamericanas. Pasó a su mitología
y a poesía. Los hombres, en cosmogónico mundo maya, no
fueron hechos de barro, sino de maíz. Y el maíz, como la
sangre, estaba en la suprema ofrenda a los dioses.

Y el maíz sigue siendo fundamental en la vida de los campesinos. No sólo por básico en su alimentación; también por

ser fuente de un conflicto entre los que rozan y roturan para un cultivo amplio y los que se conforman con la plantación del maíz necesario para el sustento. Quiso Asturias en esta novela llegar a la honda realidad del pueblo en que había nacido, de un modo deliberado, pretendiendo ajustar estilo y palabra al funcionalismo de la intención.

Más allá de *El señor Presidente*, decíamos. Si el propósito, en parte esteticista y puramente literario de Valle-Inclán, era el de lograr una síntesis del español en América, aprovechando, precisamente, sus diferencias, Asturias trata de lograr un «idioma americano» buceando en la lengua del pueblo y dejando correr sobre ella capacidad creadora e intuición.

Para muchos, es su mejor obra. El parecido con la arquitectura verbal valleinclaniana ha desaparecido. Tiran del relato las palabras y las cosas usuales en los campesinos. «Hay momentos en que el lenguaje no es sólo un lenguaje, sino que adquiere lo que podríamos llamar una dimensión biológica», ha dicho Asturias. Y en otro lugar, y hablando precisamente de esta novela, teoriza que las palabras tienen un papel profundo, por lo que hay que explorar sus dimensiones ocultas, su resonancia, sus matices, su fragancia.

Denuncia

La vida de Guatemala en los años que siguieron orientó en gran parte la narrativa de Asturias. *Viento fuerte* (1950) surge de observar un hecho social en cuanto se superpone al indígena individual y a su mundo anímico: el hecho de que la vida de gran parte de la población campesina condiciona su existencia a la producción de plátanos y al hecho de que monopolice su comercio la ya famosa United Fruit Company. Literatura de denuncia y compromiso, al servicio del pueblo guatemalteco, que se continúa en *El Papa Verde* (1954), los cuentos de *Week-end en Guatemala* (1955), *Los ojos de los enterrados* (1960).

Es el Asturias más combativo, al servicio de una actualidad, que no debe considerarse una etapa, sino una constante aflorando de modo preferente. El ciclo narrativo no se ha concluido. Trabaja hace algún tiempo en un nuevo

episodio, *El bastardo.* Por lo que ha dicho se conjuntan en
la novela la denuncia de los monopolios y la realidad campesina con un tipo de política inseparable de *El señor Presidente* en época y métodos. Y no dudamos de que no fal-
tará esa presencia de de lo mágico que hay en toda su obra.
Podría ser, ésta su próxima novela, una culminación de tema
y estilo.

Otra vez la magia

En *Mulata de Tal* seguimos por el camino de *Hombres
de maíz,* pero el camino nos lleva a un paisaje con algunas
variaciones. Es una superación de aquellas *Leyendas de
Guatemala* de tema indígena. Oigámosle a él mismo:

> «Creo que mi lenguaje en *Mulata de Tal* tiene una nueva
> dimensión. En *Hombres de maíz* está todavía sobrecargado
> de terminología religiosa y mítica. *Mulata,* en cambio, está
> escrita en el lenguaje popular, como una especie de picaresca
> verbal, con el ingenio y la fantasía que tiene la gente sencilla
> para hilar frases y jugar con las ideas.»

En el fondo, lo que ocurre con esta novela es que Miguel
Ángel Asturias juega un poco con sus herramientas de trabajo. Con el lenguaje, al que deja escapar, correr, abarro-
carse, deshumanizarse un tanto, para volver a atraillarlo a
la realidad. Con el modo de ser y sentir de su pueblo, al que
también caricaturiza y abarroca para hacerle más presente
en su esencia sencilla y humana. Con chafarrinón y caricatura también se pinta el ser de un pueblo. El ha hablado de
picaresca verbal y Luis Marss, en *Los nuestros,* alude a su
humor travieso y burlón.

Eso hace recordar que a propósito de Asturias se ha traído a colocación más de una vez a Quevedo. Se hizo ya con
motivo de *El señor Presidente.* Y no sólo por lo que del
gran caricaturista pudieran traer las visiones esperpénticas
de Valle-Inclán, sino por enlace directo. En el recién citado
libro de Harss puede leerse, tras unas frases críticas en las
que opina lo que considera vejez de algunos aspectos de la
obra: «Sin embargo, siguen fascinándonos los horrores gó-
ticos de una visión endiablada que nos posee con fuerza hip-

nótica, haciendo sonar alarmas en la memoria a medida que vamos recorriendo una galería de grotescos que recuerda los «Caprichos» de Goya y los «Sueños» de Quevedo.» Él mismo ha señalado en alguna reciente entrevista su afición hacia el autor de *El gran tacaño.*

Lo que no hay que olvidar es que Quevedo, entre otros caracteres, tiene el de ser un gran jugador con el lenguaje, tanto como con el concepto y ahí dejó como prueba nombres, neologismos o palabras compuestas, personificaciones de modismos o dictados tópicos, o esa intrincada narración lúdica que es el *Cuento de cuentos.*

Nuevos mitos

De 1963 y 1964 es *Claravigilia primaveral,* segundo intento de una empresa que antes se llamó *Leyendas de Guatemala.* Entre ésta y aquélla el escritor ha madurado. La presencia del mundo indígena ha tomado otra dirección en las novelas de denuncia, para surgir profundizando aquel mismo camino en *Hombres de maíz, El alhajadito, Mulata de Tal.* Más aún, abandonando la creación propia se ha inclinado sobre la poesía salvada de la vieja lírica azteca o mayoide para preparar una antología. La lectura obligada —una vez más— de la vieja poesía revuelve en él el sentir que comparte y el proyecto de volver sobre su poesía, que es propia, y es la misma de aquellos antepasados poetas. Es sueño esa claravigilia —o vigilia lúcida—, no hay duda de que es poema, pero también es historia. La de los artistas creados por los dioses mayas y a los que fuerzas enemigas destruirán, dejándonos sólo esos restos que recoge la arqueología y cuya belleza viva sólo saben ver unos pocos. El *Popol-Vuh* cuenta que los dioses antes de crear a los guerreros crearon a los flautistas, cantores, danzantes y pintores.

Poeta de su pueblo

El valor de Asturias está en haberse compenetrado con el trasmundo de su pueblo. Al impregnarse de lo que los códices han salvado del antiguo sentir espiritual y haberlo reforzado con la asimilación de lo popular ha preparado bien el terreno para que brotara la cosecha de su obra. Como el milpero, ha sabido eliminar la literatura gastada —la «tradición» seudohistórica, el relato realista y localista, los provincianismos— para buscar el suelo virgen. Luego ha elegido y pulido sus herramientas. Como pertenecen al habla castellana ha elegido en ésta sus preferencias y modelos. De ellos brotará, pronto, casi en su adolescencia, un lenguaje propio. No sería difícil hallar, junto a los citados Quevedo y Valle-Inclán, el gusto por Rubén Darío, la afinidad con algún poeta español de la generación del veintisiete. Y a su lado las aportaciones que en él hizo la gran inquietud literaria de la Francia de su juventud.

Todo este asedio de circunstancias ambientales viene a explicar y a hacer más válida su capacidad para no imitar ni glosar, sino para volver a crear el mito. Asturias ha trabajado sobre la difícil traducción del *Popol-Vuh*, ha leído una y otra vez esos maravillosos restos de la lírica aborigen mesoamericana. Ha soñado con los viejos mitos, brillantes unas veces y brumosos otras. Y lo que ha hecho es crear otros nuevos, como si en vez de vivir en este tiempo lo hubiese hecho muchos años antes de que grandes casas flotantes llegasen hasta la tierra del quetzal y el maíz. Ya tras la primer lectura de *Mulata de Tal* indicamos que podría haber servido de mixtificación —en cuanto a lo imaginado, no a la expresión— de uno de esos largos poemas entre la teogonía y el nacimiento de la narrativa, donde brujos, semidioses, enanos, epopeya, farsa y metamorfosis dan origen a una saga cargada de acontecimientos como en un horror a dejar un hueco en cualquier momento de la acción.

El mito indígena, la palabra florida del antiquísimo poeta, ha encontrado la nueva lengua en que expresarse y la voz capaz de hacerse oír en este mundo nuestro y alcanzar ese reconocimiento universal que concede el premio que otorga la Academia Sueca.

Las nuevas leyendas
de Miguel Ángel Asturias

Jorge Campos

Llega ahora el último libro de Miguel Ángel Asturias, aparecido casi al tiempo en que le era otorgado el Premio Nobel —publicado un mes antes en México, aunque creo que editado en francés algo antes [1]—. Su examen, como el de todo libro de un autor cuya trayectoria se viene siguiendo tiempo atrás, se inicia con la preocupación de si se hallará en él un Asturias nuevo o en cuál de las posibles direcciones de su obra ha de colocársele. El inicio de la lectura parece darnos una pronta respuesta. Y adelantar en ella viene a confirmar la visión amplia dada en el pasado número de *Ínsula* [2]. Confirmación de lo que Asturias es para sus conocedores. Posible muestra de lo que puede dar de sí y de su configuración de novelista para quienes no le conocieran.

Pórtico

El libro recoge nueve relatos y un pórtico. Naturalmente, es con este último con lo primero que nos enfrentamos. Pórtico que, apenas sin retoque, podría ponerse al frente del conjunto de su obra. Comienza así:

> «Y esto ocurre en un país de paisajes dormidos. Luz de encantamiento y esplendor. País verde. País de los árboles verdes. Valles, colinas, selvas, volcanes, lagos verdes, verdes, bajo el cielo azul sin una mancha. Y todas las combinaciones de los colores florales, frutales y pajareros en el enjambre de las anilinas. Memoria del temblor de la luz...»

Así es. Toda la obra de Miguel Angel Asturias se refiere a un país. Ese país que la historia política ha limitado, sec-

[1] Miguel Ángel Asturias: *El espejo de Lida Sal*. México-Argentina-España. Siglo XXI (La Creación Literaria), 1967.
[2] Número 253, correspondiente a diciembre de 1967.

cionando su vieja unidad, y al que el tiempo y los hombres han arrebatado su propio desarrollo, insertándole, cada vez más, en lo planetario. Uno de los aspectos que también cada vez vemos más claros en Asturias es su afán por llegar a la esencia de ese país, a lo que era más abajo de conquistas y superposiciones, a lo que queda de él en aquellos lugares donde la superposición de la cultura europea y el desarrollo posterior no han podido llegar. Por eso recurre al paisaje, a lo que se conserva —o se supone pueda conservarse— en eso que los románticos llamaban el alma popular y que hoy puede llamarse de otras maneras, y que existe en cuentos, relatos, dichos populares, como también a los viejos códices, guardianes de lo maya, aunque puedan estar inficionados de un mestizaje cultural.

Color

No creo que deba dejarse a la casualidad, ni procurar esconderla por pensar que corresponde a conceptos pasados, la calidad colorista que contornea la narrativa de Asturias. El párrafo copiado de este *Pórtico* tan reciente lo atestigua. Colorismo que si procede de lo literario, y si se le puede buscar una paternidad en el modernismo, no hay que olvidar se hallaba presente y enceguecedor en la poesía que se cultivaba en aquel país antes de la llegada de Europa. Por acudir a un solo ejemplo, vale recordar el crepúsculo que vio así un ignorado poeta del Anahuac:

> Ya nuestro padre el Sol
> se hunde, ataviado de ricas plumas,
> en una urna de piedras preciosas,
> como ceñido con collares de turquesas,
> entre polícromas flores que sin cesar llueven...

Sin embargo, decir sólo colorismo no es decir gran cosa. Colorismo, decíamos, hay en el modernismo [3], como puede hallarse ya antes en algunos románticos. El colorismo que pueda tomar Asturias del instrumento literario es apenas óptica al enfrentarse con las tonalidades reales de su trópico o de algún aspecto de la vida en él. ¡Con qué júbilo describe

---

[3] Recordemos que Juan Ramón llamaba coloristas y no modernistas a un grupo de poetas: Manuel Reina, Salvador Rueda, Villaespesa...

el disfraz de los comparsas o asistentes disfrazados a una procesión! Colorines, abalorios, cristales luminosos, lentejuelas, destellos...

Colores, sobre todo, en el paisaje, que no lo son todo, pero son mucho y que le lleva a decir:

> «Mientras tanto, gozad, gocemos de esta Guatemala de colores, verde universo verde, herido por el primer sílice caído de los astros.»

Alegría de escribir

Es una de las cualidades advertible en Asturias, advertible, al menos en alguna de sus páginas: el gozo al escribir, el dejar correr plumas y palabras que se vienen a ella, el dominar algo que a veces se resiste como un ser vivo: el lenguaje. Lo hemos visto en anteriores intentos de calar en su obra. Y se ve en muchos momentos, antes de toda preocupación estilística: ¿No se halla en el ritmo rápido de este trozo de prosa que describe un baile, la vieja danza aborigen?

> «Lluvia de pies y pies y pies... Seguían danzando... danzar o morir... pies y pies y pies... las cabezas en vaivén... pies y pies y pies... en vaivén las ajorcas de gusanos de luz... en vaivén las quetzalpicaduras que guardaban sus sienes sudorosas... en vaivén la tierra que cuereaban cada vez más duro... pies y pies y pies... en vaivén el cielo que golpeaban con sus manos de tempestades empuñadas...»

Alegría de escribir que revienta en el neologismo, en la palabra recién acuñada, recién creada en el juego jubiloso de la escritura: quetzalpicadura, oropendientes...

Tacto, sonidos, silencio

Apenas Asturias, en su *Pórtico*, se ha dejado ganar por la belleza del color y del juego de colores, cuando escribe: «Pero rompamos ya este espacio de colores de fuego, tratando de alcanzar al tacto la dulzura de la piedra tierna que se corta para edificar ciudades, torres, monstruos...»

No son sólo los ojos quienes gozan. También esos dedos que palpan «navegaciones que rodean la redondez de cada poma». Con la luz no desaparece el placer sensorial. Él nos dice que «lo real, visible, palpable», puede trasladarse a «la región del oler y el gustar». Nota de interés: las sensaciones olfativas, tan poco frecuentes en la literatura europea. ¿Y el olvido del sonido? Nos ha hablado de paisajes dormidos. ¿Prefiere el silencio?

Cierto es que el primero de los relatos, el que da título al volumen, *El espejo de Lida Sal*, comienza con un silencio total, digno de una era cosmogónica, como la que abre el *Popol-Vuh*, antes de la creación de los hombres («...todo estaba en suspenso, todo en calma, en silencio; todo inmóvil, callado... Solamente había inmovilidad y silencio...»). También que hay ocasiones en que el silencio es la nota que elije para la descripción; así esos patios del presidio —«inmensos golfos de sol y silencio»—. Pero también notas de sonido sirven para trazar los pasos de un amanecer: trinos de pájaros, los golpes de un leñador. Gusta el silencio a Miguel Ángel Asturias. Un silencio que puede estallar en algarabía de sonidos hermana del juego de colores.

Encontrar al hombre

Al adelantar el tacto en busca de la piedra tierna ha hallado en ella la que se deja trabajar para construir las ciudades, la dureza de la obsidiana y «el verde perfecto de las jadeítas». Ha tropezado —y prefiere callarlo— con la suavidad y la belleza del mundo maya: ahí está la piedra que dejó grabar estelas y frisos de templos, la durísima obsidiana de las armas y los sacrificios, el jade cantado por los poetas y tallado por los artífices.

Un mundo desaparecido y presente. Se le puede descubrir en las ruinas de templos y ciudades. En el paso de esos indios que dice inmortales en el sentido de que uno sustituye a otro. Gentes que no viven en sus ciudades ni en su mundo.

Asturias ha ido a buscar ese mundo a otras ruinas y otros testimonios: los que guarda la lengua de los desposeídos del fuego verde, la leyenda. En la leyenda está el mundo mítico y la posibilidad de verter una sensibilidad artística, pero también el hombre. Para él se escribe la leyenda y él es quien es víctima o protagonista de la aventura a que le lleva la propia creencia.

Creador de leyendas

Asturias no se ha quedado en el amoroso y agotador trabajo del folklorista, sino que, traicionándole en cierta manera y sirviéndole en otra, se ha adelantado a la creación de leyendas [4]. ¿Hasta dónde llega lo recogido y lo imaginado en su abundante obra de escritor de leyendas guatemaltecas?

«No hace falta leer los jeroglíficos. Se leen las estrellas», escribe este escritor a quien tanto preocupó eso tan parecido a los jeroglíficos que son las frases de los pocos códices salvados.

La leyenda se mantiene a lo largo de siglos, ahilándose, deformándose, admitiendo contaminaciones y enriqueciéndose. Lo que Miguel Ángel Asturias ha hecho es ir por ella, llegar a su encuentro y restituirle brillantez y vida original. Y hay que repetir: no con el remiendo del restaurador ni la purpurina que sustituye al oro perdido, sino haciéndola brotar de nuevo, buscando poner los pies donde los ponía el viejo cantor, queriendo hacer oír la voz como él hacía oír la suya, soñando con los ojos abiertos, dejándose llevar por la intuición de estar acertando, entrando en la magia que hace sentir próximos y naturales a los Matachines, a Juan Hun Batz, a seres que no sabemos si son del ayer entrevisto o encubren calladas existencias de hoy.

Amor a lo popular

Como esos pintores de nuestro siglo de oro que en medio del gran cuadro cortesano encuentran ocasión para pintar morosamente una escena, un tipo o un cacharro popular, descubre Asturias su amor por el pueblo en menudos

---

[4] Sobre esta consideración de Asturias como trazador de leyendas se insistía en el anterior número de *Ínsula*.

pasajes insertos en la composición fantástica o el colorido
descriptivo de sus leyendas. Un caso: la estampa popular de
doña Petronila Petrángela, encinta de meses que «hace como
que no hace nada para que su marido no la regañe por hacer cosas en el estado en que está, y con ese como no hacer
nada mantiene la casa en orden, todas las cosas derechas».

Esa especie de humildad en expresar lo que se ha sabido
captar a la realidad, y que muchas veces se aprovecha del
diminutivo, es uno de los resultados del encuentro de Asturias con su pueblo. En medio de la leyenda que tiende a la
fantasía y a la multicolor pirotecnia verbal hallamos tipos
que no quieren brillar en el relato, que caminan como indi-
tos silenciosos. Gentes muy sencillas, muy humildes, pero a
quienes les envuelve lo mágico. Eso es lo que el narrador
descubre —o en lo que se refugia— para buscar su identidad, para hacerlos salir de un mundo callado y desvaído,
para tratar de darles algo de todo lo que han perdido. Así
son los hombres y mujeres que se mueven en torno a Lida
Sal, nueva Ofelia, víctima de un encadenamiento de lo que
torpemente llamamos supersticiones. La mulata fregatriz
de «La comedería» se transforma gracias a ellas en un ser
milagroso, vestido de fuego y rocío.

La revancha

El pueblo perdido, arrancado de su cultura, silencioso,
puede soñar en una revancha. De momento, cantar. Hacer
surgir algo de ese mundo sepultado. Tarea que llega desde
aquellas primeras *Leyendas de Guatemala* a estos relatos, a
los que no estorba igual título.

Por lo pronto, el mundo perdido no lo está del todo, porque no se resigna a irse. No es suficiente con que las viejas
pirámides, las divinidades olvidadas y los jeroglíficos no en-
tendidos hagan oír su voz, no descifrada, pero sonora. Ni
que sorprenda en una vitrina de museo el brillo o la forma
de una vasija impar. Ni que aparezcan, ahogados bajo la
selva, los colores suaves de los frescos de Bonampak. O que
un viejo pergamino conserve tres o cuatro versos sorprendentes en su poesía. Lo que es necesario es que se mueva,
dance, cante, nos haga ver sus colores, oigamos sus sonidos,

sintamos tactos y olores. Y que en el fondo lleguemos a ver lo que hay del hombre de ayer, que es también el hombre de hoy.

Mirada a los relatos

Ya hemos hablado de Lida Sal, anécdota de suceso periodístico, romántica historia con la sencillez de una tradición a lo Palma, pero superada de todos estos previsibles estados anteriores gracias a la intrusión de lo mágico y al gozoso contar. *Juanantes el encadenado* tiene de común con el anterior cuento el ascenso de lo real a lo fantástico y la cadena de misterios que enlaza los hechizos. En los otros cuentos, lo maya se va haciendo más presente y más fuerte. Van apareciendo seres que podrían hallarse muy bien en las páginas del *Popol-Vuh*, si es que ya no lo están, aunque gracias a Asturias realizan el prodigio de intervenir en la vida actual y beneficiar con su magia a los mortales, como *Juan Girador* —título de otro relato—, que roba y comete travesuras de duende para socorrer a los necesitados. *Quincajú*, totalmente en el panteón mitológico maya-quiché, el que se lleva a los muertos, en lucha contra su propio ser. La *Leyenda de las tablillas que cantan* se halla inserta en la misma temática de donde saliera *Claravigilia primaveral*: el enfrentamiento entre el poeta y los dueños de la fuerza. En la *Leyenda de la máscara de cristal* encontramos otro eco del *Popol-Vuh*: el ataque de los enseres, paralelo a la destrucción del hombre en aquél. *Leyenda de matachines* tiene el ritmo de una de esas danzas que fingen una lucha a muerte.

Tema algo distinto hay en la *Leyenda de la campana difunta*. Asturias —y no es la primera vez que lo hace— se asoma al mundo colonial. Un mundo colonial visto en poco más de dos dimensiones, con tintas planas, casi como lo podía transmitir un indio que lo recogiera en sus pictografías. También una tradición a lo Palma transmutada por virtud de la calidad del escritor: Una ciudad colonial joven, tan joven que aún no tiene acabada su iglesia, y apenas concluida ésta necesita una campana. Llegan hombres de Asturias para fundirla. Las monjas de Santa Clara de las Clarisas Celestes —que así quiere llamar el creador de leyendas a la

Orden— y la Iglesia aportan metales preciosos para lograr
un sonido argentino o de timbre de oro. Y aquí entra lo indio. En una monja pobre, sor Clarinera de Indias, nacida de
indígenas y así llamada «por su piel de tueste azulenco, su
cabello, nocturna seda de hilos dormidos, y sus pupilas ama-
rillas color de oro». Estas joyas, sus ojos, arrancados, son
las que la monja arroja al crisol.

Un libro representativo

Por evitar repeticiones con número de *Ínsula* tan próxi-
mo como es el anterior no entro en más amplio examen de
estos relatos. Lo que equivale a decir que podríamos consi-
derarlos una parte muy representativa de la obra de su autor. De las *Leyendas* de su primer libro a éstas de hoy
—más ricas, más recargadas, con más dominio del idioma—
toda una insistencia en escarbar y ahondar en lo propio.
Queda —no fuera de esta línea, pero sí como una parte de
ella— ese otro aspecto de actualidad, denuncia y compromiso que marca también su obra. Y en ella, se nos dice, trabaja
en este momento.

*Mito y realismo social
en Miguel Ángel Asturias*

Luis Leal

El año 1899 fue pródigo para las letras hispánicas. Vio el nacimiento de tres hombres tan diferentes entre sí como sus lugares de nacimiento: Federico García Lorca nació en Granada (España); Jorge Luis Borges, en Buenos Aires, y Miguel Ángel Asturias, en la ciudad de Guatemala. Los tres han hecho contribuciones originales a las letras hispánicas, y los tres, en diferentes grados, tuvieron que enfrentar la ira de las fuerzas políticas. Lorca pagó con su vida su oposición al régimen surgido; Borges fue sumarialmente despedido de su posición por el hombre fuerte, Juan Perón, y Asturias ha tenido que vivir en el exilio la mayor parte de su vida por oponerse a los gobiernos de las juntas militares o a los hombres fuertes de su país. Al recibir el Premio Nobel de Literatura de 1967, representó a estos tres escritores, cada uno merecedor del Premio por derecho propio.

Con la caída del dictador Manuel Estrada Cabrera en 1920, un régimen de temor finalizó. Pero no pasó mucho tiempo antes que Guatemala estuviera nuevamente en manos militares. En 1923, el año en que Asturias recibió su título de Leyes, un grupo de estudiantes universitarios publicó algunos folletos insultantes en contra de la Junta. Como consecuencia, Asturias, que estaba involucrado en el asunto, tuvo que abandonar el país. En París, donde iba a permanecer diez años, tuvo la fortuna de caer bajo la influencia del profesor George Raynaud, el cual estaba en ese tiempo dando clases en La Soborna sobre antiguas religiones americanas, y preparando una traducción francesa de el *Popol-Vuh*, el libro sagrado de los indios quiché de Guatemala [1]. Astu-

---

[1] El manuscrito original del *Popol-Vuh* está actualmente en la Biblioteca de Newberry, de Chicago. Para más detalles sobre su descubrimiento, lean mi artículo «El *Popol-Vuh*, Libro Sagrado de los Quichés», Universidad de Emory Quarterly, XIV (1958), pp. 48-53.

rias ayudó al profesor Reynaud en la traducción, que
apareció en 1925, la segunda hecha en francés. El manuscrito del *Popol-Vuh* fue descubierto en Santo Tomás Chichicastenango (Guatemala) por el padre Francisco Ximénez,
durante la primera parte del siglo xviii. Él copió el texto
original del quiché y lo tradujo al español. Desgraciadamente, el manuscrito de Ximénez se perdió y no fue descubierto
hasta 1854 por el doctor Karl von Scherzer. Un año más tarde, el americanista Abad Charles Etienne Brasseur de Bourbourg, al visitar Guatemala, también lo descubrió. La traducción francesa de Bourbourg fue publicada en París en 1816,
junto con el texto del quiché, una introducción y profusas
notas Su traducción, sin embargo, sufrió de alguna fantasía aue el abad introdujo, atribuyéndole a la antigua gente
quiché muchas ideas y conceptos europeos. Era para corregir esos errores que el profesor Raynaud realizó su traducción directamente del quiché.

Con la colaboración de José María González de Mendoza
(1893-1967), Asturias logró ua nueva traducción española del
Popol-Vuh, basada en la traducción francesa del profesor
Raynaud. Esta nueva traducción española era necesaria, ya
que las dos que habían eran defectuosas. Una del padre Ximénez, publicada primero en Viena en 1857 por el doctor
Scherzer, contenía numerosas erratas, atribuidas a los errores de copia y a la ignorancia del idioma español. La segunda, publicada por Justo Gavarrete en la revista *El Educacio-
nista* (Ciudad de Guatemala, 1894-1896) y más tarde editado
por Santiago I. Barberena (San Salvador, 1905) estaba basada en la traducción francesa de Bourbourg y, por tanto,
incorrecta. La nueva traducción de Asturias, *Los dioses, los
héroes y los hombres de Guatemala antigua o el libro del
Consejo Popol-Vuh de los indios quiché*, con una introducción y un glosario de los Nombres Sagrados que aparecieron en el trabajo del profesor Raynaud, fue un gran avance
sobre los precedentes. Fue completado en 1926 y publicado
en París en 1927, un año que marcó un nuevo período en los
estudios de las culturas precolombinas [2].

---

[2] La traducción de Asturias ha sido seguida por otras, entre ellas la de
Adrián Recinos, publicada en México por el Fondo de Cultura Económica
en 1947. Una traducción inglesa apareció en 1950. *Popol-Vuh* significa *Libro del
Conse*ʲ*o*.

Como resultado de su interés en el *Popol-Vuh,* Asturias escribió sus *Leyendas de Guatemala* (Madrid, 1930), que fue traducido al francés por Francis de Miomandre y publicado en 1932, con un prólogo de Paul Valéry, una carta al traductor, en la cual él llama a los cuentos «poemas de sueños». El libro fue galardonado con el premio Sylla Monsegur, como el mejor libro del año de un autor latinoamericano. Con sus *Leyendas,* Asturias llegó a ser uno de los primeros escritores —el otro era el cubano Alejo Carpentier— en tomar como inspiración los elementos culturales de origen nativo que el continente americano tiene para ofrecer, siendo el *Popol-Vuh* una de las mejores fuentes. Esto dio a la literatura latinoamericana una nueva dimensión, ya que proporciona al «realismo» un nuevo elemento derivado de la naturaleza mágica del pensamiento primitivo americano. El resultado es una nueva actitud frente a la realidad —una actitud que puede ser llamada «realismo mágico» [3].

Por ejemplo, la cosmogónica *Leyenda del volcán,* de Asturias, inspirada en el *Popol-Vuh,* comienza con estas palabras: «Tres hombres habitan los bosques de la tierra; los tres que vinieron en el viento y los tres que vinieron en el agua, pero sólo tres pudieron ser vistos.» [4] De la misma forma, la transformación del hombre en animal o planta; esto es, la práctica del nahualismo tan común en el *Popol-Vuh* aparece muy seguido en los trabajos de Asturias. En la *Leyenda del cadejo* (el cadejo viene a ser un animal que corre a través de las calles, por la noche, persiguiendo a personas perdidas), el tema es la transformación de un hombre en una amapola de opio. Y en la *Leyendas de la Tatuana,* Asturias usa un motivo popular del folklore hispanoamericano. La Tatuana, una mujer a la que la gente atribuye poderes sobrenaturales, escapa de la prisión en un bote que ella ha pintado en la muralla de su celda. En estas y en las otras colecciones de leyendas (*El sombrerón, Leyenda del lugar florido, Los brujos de la tormenta primaveral*), tanto como en la obra dramática *Cuculcán,* Asturias puede recrear al primer mundo americano, un mundo visto a través de la

---

[3] Ver mi artículo «El realismo mágico en la literatura hispanoamericana», *Cuadernos Americanos,* XXVI (1967), pp. 230-235.

[4] Miguel Ángel Asturias: *Leyendas de Guatemala,* en «Obras Escogidas» (Madrid, Aguilar, 1955), I, p. 29. Mi traducción, como son las que siguen.

psicología de sus habitantes aborígenes. Aquí y en sus otras obras que tratan de temas similares, el uso del idioma español en lugar del quiché, no tuvo trascendencia, ya que Asturias ha forjado una estructura de gran parecido a aquella del lenguaje original. El uso hábil de la estilística como recurso para dar expresión a los temas nativos, es una de las grandes contribuciones de Asturias a la literatura latinoamericana y un factor decisivo en sus éxitos posteriores.

No fue hasta 1933 que Asturias regresó de París a su país natal, excepto un pequeño viaje en 1928 en el que dio una serie de conferencias en la Universidad Nacional. La situación política de 1933 no había mejorado. Guatemala estaba regida por el dictador Jorge Ubico, menos sanguinario, es verdad, que Estrada Cabrera, pero no menos dictatorial. Después de la caída de Ubico en 1944, el nuevo gobierno nombró a Asturias agregado cultural en la Ciudad de México, donde él, finalmente, publicó su primera novela, *El señor Presidente*, en 1946, una obra que había escrito en París entre 1925 y 1932. En 1948, Asturias fue trasladado a Buenos Aires, donde publicó su segunda novela, *Hombres de maíz* (1949). Estas dos primeras novelas representan la mejor contribución de Asturias a la ficción hispanoamericana al mezclar los elementos míticos y sociales, mientras que sus trabajos posteriores sufren de una preocupación por el realismo social.

Asturias justificó sus novelas de preocupación social, diciendo que la novela latinoamericana, debería reflejar las condiciones sociales, políticas y económicas del continente. La literatura latinoamericana, ha dicho, ha sido siempre una literatura de protesta. Bernal Díaz del Castillo, en el siglo XVI, escribió su famosa *Historia verdadera de la conquista de México*, para reclamar al Rey que después de todos sus actos de servicio a la Corona, había sido olvidado. Y Sarmiento, en el siglo XIX, escribió su *Facundo*, para reclamar y denunciar la muerte de Quiroga por instigación del dictador Rosas, el prototipo de todos los hombres fuertes de Latinoamérica. La propia novela de Asturias, *El señor Presidente*, pertenece a la tradición de *Facundo;* es una protesta contra uno de los más grandes males que plagan Latinoamérica: esto es, la presencia de dictadores.

El señor Presidente tiene su origen en un cuento corto,

Los mendigos políticos («Political Beggars»), que Asturias
escribió en 1922 y que posteriormente expandió en la novela
completa. Los sufrimientos que pasó su familia en manos del
dictador Manuel Estrada Cabrera, dejaron en la mente de
Asturias una huella indeleble. Asturias conoció entonces a
Estrada Cabrera, cuando el dictador, caído del poder, estaba siendo juzgado por los crímenes cometidos. En ese
tiempo, Asturias servía como secretario del Tribunal y veía
todos los días, y podría probar —ha dicho él— que los hombres del tipo de Cabrera tienen un poder especial sobre el
pueblo: «No dirán éste no es el verdadero Estrada Cabrera. El verdadero Estrada Cabrera ha escapado. Éste debe
ser un pobre hombre anciano que ellos han apresado para
hacernos tontos.» [5] Y esta es la forma en que Asturias presenta a Estrada Cabrera en su novela: como un hombre que
se convirtió en mito.

Su dictador es distinto al de don Ramón del Valle-Inclán,
cuya novela *Tirano Banderas* (1926) presenta a un tirano
grotesco, un verdadero «esperpento». No es su dictador
como el retratado por el guatemalteco Rafael Arévalo Martínez, el primero en convertir a Estrada Cabrera en un personaje en su trabajo de ficción. En el cuento corto de Arévalo *Las fieras del trópico*, un trabajo terminado en enero
de 1915, pero por razones obvias no publicado hasta 1922,
el dictador José de Vargas es un tigre feroz, más que un ser
humano.

El impacto social del cuento está muy diluido, haciendo
a don José gobernador de un país imaginario: «Orolandia».
Esto, naturalmente, fue necesario por razones políticas, pero
destruye el sentido emocional que es tan efectivo en *El señor Presidente*. Es verdad que en las novelas de Asturias el
nombre de Guatemala no se menciona nunca, pero no hay
duda que las novelas se sitúan en ese país, un factor que
puede ser determinado por un estudio de los motivos reales,
tanto como por el diálogo de los protagonistas.

Para fortalecer el mito de *El señor Presidente*, Asturias
asocia la figura del dictador con la del dios Tohil [6], la principal divinidad de los quiché y de otras tribus de Centro-

---

[5] Como cita Luis Harss en *Los nuestros* (Buenos Aires, Editorial Sudamericana, 1966), p. 92.
[6] Traducido por Rainaud, «Pluvioso».

américa. En la traducción de Asturias del *Popol-Vuh*
(p. 84.786), Tohil había dado fuego a su gente. Pero ese primer fuego sagrado desapareció como resultado de una gran
lluvia, y nuevamente Tohil tuvo que proveerlo, pero esta vez
frotando sus sandalias una con otra... Como pago, exigió
sacrificios humanos. En la novela de Asturias hay un capítulo llamado «La danza de Tohil», en el que el señor Presidente, en una recepción en su palacio, le pide a Cara de
Ángel, el protagonista, que vaya a Washington como su representante personal. Cara de Ángel acepta (tuvo que aceptar, nadie osaría contradecir al Presidente), pero antes de
dejar el baile tiene una visión: «Cerca y lejos se oían las do-
loridas voces de los hombres de la tribu, abandonados en el
bosque..., pidiendo a Tohil, el Dador del Fuego, que les
devolviera el madero ardiente... Tohil exigía sacrificios humanos. Los hombres de la tribu le traían los mejores cazadores, aquéllos con la cervatana preparada, aquéllos con las
hondas cargadas. Y estos hombres, ¿qué van a cazar? ¿Van
a cazar hombres?, preguntó Tohil... 'Lo que tú pidas, con-
testaron los hombres de la tribu, siempre que nos devuelvas
el fuego, tú, el dador del fuego, para que nuestra carne no
se enfríe'» [7]. Esta visión profética, simboliza el sacrificio de
Cara de Ángel. Antes de llegar al puerto para tomar el barco a Washington, es encerrado por orden del señor Presidente. De este modo, los motivos mitológicos indios están
hábilmente integrados en la novela, por medio de sueños y
visiones. Ellos están, a su vez, subordinados a un arquetipo
de estructura general, la de la caída de Lucifer del Paraíso.
Cara de Ángel, «bello y diabólico como Satán», se vuelve en
contra del Presidente y, por tanto, es castigado. El propósito de Asturias, muy bien logrado, es retratar las condiciones degradantes que la gente que viven en los países latinoamericanos regidos por dictadores tienen que soportar.

Aunque *El señor Presidente* es una novela de protesta
social, Asturias puede dar a su mensaje una forma artística.
El libro es leído, no solamente como el mejor ejemplo de la
vida bajo una dictadura, sino también por su valor estético,
Francisco Ayala tuvo que decir sobre el libro de Asturias lo
siguiente: «Una novela, con su empuje fuerte y agresivo,

[7] Asturias: *El señor Presidente* (Buenos Aires, Editorial Losada, S. A.,
1959), pp. 271-272.

como es por derecho propio *El señor Presidente* de Asturias, es, además de un alegato apasionado contra la dictadura y sus efectos degradantes, un trabajo que tiene una alta calidad poética, cuya intensidad le da un valor permanente que nos parece ser un caso excepcional. Nos encontramos ante la presencia de un artista que es capaz de triunfar sobre las condiciones adversas.» [8]

¿Qué valor permanente pudo Ayala encontrar en su novela? Sin duda tenía en mente su estructura, su estilo y su impacto psicológico. La novela tiene una estructura original; está dividida en tres partes, la primera de las cuales tiene lugar en tres días, la segunda en cuatro días y la última en semanas, meses, años o una eternidad. El epílogo es una escena que nos sugiere que todo la horrorosa historia se repitirá una y otra vez. El tema de la traición (la traición de Cara de Ángel) está muy bien expresado a través de imágenes que dan la sensación de frialdad. Dante ubicó a Satán en el último círculo del infierno, congelándose en hielo. Asturias hace unos de esta imagen de origen europeo, pero la mezcla con la encontrada en el nuevo mundo. En el *Popol-Vuh,* Tohil hace que los hombres de la tribu consientan en ofrecerle sacrificios humanos, permitiendo que el fuego se marche y dejando a la tribu muriéndose de frío. Asturias, en su novela, recrea esta escena·mítica, usando imágenes de frialdad al expresar el castigo de Cara de Ángel. El miedo, el segundo tema importante de la novela, se expresa a través del uso del lenguaje onomatopéyico. Con esta técnica, Asturias da vida a personajes que, a través de su miedo al dictador, actúan como si fueran caminando en sueños. La constante repetición de frases, palabras y sílabas onomatopéyicas, refleja un mundo en el cual la gente se mueve y se comporta mecánicamente. Pero ese aspecto artístico de *El señor Presidente* no debe ser exagerado y disminuir el valor de su mensaje. El autor mismo no lo ha hecho así. «Para mí, escribió en 1950, el valor de esta novela, si tiene alguno, se encuentra en la lección que contiene para los países de Latinoamérica, mostrando lo que le pasa a la gente que sitúa en

---

[8] Francisco Ayala: *Nueva divagación sobre la novela,* en «Revista de Occidente» (Madrid), V (septiembre 1967), p. 303.

un pedestal a un hombre que controla todas las fuerzas sociales.» [9].

Se podría decir que Asturias será recordado como el autor de *El señor Presidente*. Esto, quizá, es una injusticia. No menos importancia tiene *Hombres de maíz*, que pertenece al mismo período, los días que el autor pasó en París. Representa un gran esfuerzo estilístico de parte de Asturias, ya que aquí puede crear un modo de expresión que puede llamarse verdaderamente latinoamericano. Él no está satisfecho como lo están la mayoría de los escritores llamados «criollistas», con el uso de un peculiar vocabulario, el español del Nuevo Mundo. Por el contrario, trata de forjar un estilo literario, usando el idioma de la gente común y dándole un todo poético. En *Hombres de maíz*, ha dicho Asturias, «la palabra hablada tiene un significado religioso. Los personajes en la obra no están nunca solos, sino siempre rodeados por grandes voces de la naturaleza, las voces de los ríos, de las montañas» [10]. Y de este modo Asturias crea un mundo mágico:

> La palabra de la tierra se convirtió en una llama solar que estaba a punto de quemar las ardillescas orejas de los conejos amarillos en el cielo, de los conejos amarillos en la maleza, de los conejos amarillos en el agua. Pero Gaspar comenzó a volverse tierra, la tierra que cae de donde la tierra cae; es decir, en un sueño que no encuentra sombras para soñar con el país de Ilóm y la llama solar no pudo hacer nada a la voz eludida por el conejo amarillo que comenzó a mamar de un arboleda de papayas, convirtiéndose en papaya silvestre, colgando del cielo, cambiándose en estrella y desapareciendo en el agua como reflejos con oídos [11].

Aun cuando la cita pueda sonar obstrusa, Asturias ha dicho: «Yo he tratado, poco a poco, de extender mi lenguaje para situar al alcance de un gran número de personas. El juego de palabras técnicas usadas en libros, como *El señor Presidente*, *El alhajadito* y *Leyendas de Guatemala*, fueron un intento inicial preparatorio a la tarea que me he impues-

---

[9] Según reportaje de Salvador Cañas, *Homenaje a Miguel Ángel Asturias*, en «Repertorio Americano» (San José de Costa Rica), XXX (marzo 1950), página 83.

[10] Según cita Harss, *Los nuestros*, p. 104.

[11] Asturias: *Hombres de maíz* (Buenos Aires, Losada, 1953), p. 10.

to en *Hombres de maíz,* donde la narración toma el carácter de un poema épico. En *Hombres de maíz* exploro las recónditas dimensiones de las palabras: su resonancia, su significado sombrío, su fragancia» [12]. Asturias, desde luego, está pensando no sólo en sus propias novelas, sino en los problemas que enfrentan los escritores latinoamericanos en general.

«Porque nuestro problema, dijo, consiste en la creación de una literatura que no puede hablar de asfalto, vidrio o cemento. Debe hablar de la frialdad de la tierra, de la semilla, del árbol. Nuestra literatura debe dar un nuevo perfume, un nuevo color y una nueva vibración.» [13]

Hombres de maíz es un libro que refleja la palabra mítica encontrada en el *Popol-Vuh.* Una novela sin artificios retóricos rebuscados y sin un argumento bien definido, da expresión al mundo mágico de los indios guatemaltecos que tienen que luchar para defender sus tradiciones, sus creencias, su modo de vida. Gaspar Ilóm es un símbolo del indio que es sacrificado por los dioses, porque no ha sido capaz de luchar contra el mestizo que usa el maíz como un producto comercial y no como sustento de vida. Para el quiché, el maíz es sagrado; lo produce la tierra y, cuando es explotado por aquellos que quieren lograr un beneficio con él, la tierra sufre y transmite ese sufrimiento a los hombres. La novela comienza con estas palabras del brujo: «Gaspar Ilóm permite que la tierra sea despojada de los sueños de sus ojos. Gaspar Ilóm permite que los párpados de la tierra de Ilóm sean incubados. Gaspar Ilóm permite que a la tierra de Ilóm le sean chamuscadas sus pestañas con los fuegos que pintan a la Luna del color de una vieja hormiga.» [14] De acuerdo con la mitología maya-quiché, los dioses primero hicieron al hombre de arcilla y fracasaron; luego de madera y fracasaron; pero, finalmente, lo hicieron de maíz y tuvieron éxito. En la novela, un viejo brujo, un hombre con las manos tan negras como el maíz, dice: «El maíz cuesta a la tierra un gran sacrificio; la tierra es también humana; ojalá pudiera cargarte con un campo de maíz a tu espalda, como a la pobre tierra. Es más bárbaro

---

[12] Según cita Harss, *Los nuestros,* p. 107.
[13] Según cita Harss, *Los nuestros,* p. 107.
[14] Asturias: *Hombres de maíz,* en «Obras Escogidas», I, p. 535.

lo que ellos hacen: plantan el maíz para venderlo. Por esto son castigados.» [15]

En oposición a este mundo telúrico está el otro, el mundo civilizado representado por el sargento Chalo Godoy, al servicio de las fuerzas del gobierno, el cual, finalmente, destruye la comunidad india, y por el padre español Valentín Urdáñez, no muy lejos de ser expulsado de los misioneros que vinieron al Nuevo Mundo con los primeros conquistadores. Y por el alemán Deféric, testarudamente defendiendo su teoría de que los indios se sacrifican a sí mismos para alimentar sus propias leyendas. Y, finalmente, por el nórdico O'Neill, enamorado de una niña de la comunidad, cuya tumba es ahora una atracción turística. Pero es Gaspar Ilóm, el jefe indio, quien es el verdadero héroe, aunque aparece sólo al principio de la novela. A pesar de que muere al final del primer capítulo, vive en la mente mítica de la gente, tal como Estrada Cabrera. Es por esta técnica que Asturias puede mantener un aire mítico a través de la novela.

Asturias permaneció en Buenos Aires hasta 1950, pero en diciembre de 1949, mientras visitaba Guatemala, escribió la primera novela de una trilogía, que trataba de problemas de las compañías de plátanos en Centroamérica. *Viento fuerte* apareció en 1950; la segunda parte, *El Papa Verde*, apareció cuatro años más tarde, y la tercera, *Los ojos de los enterrados*, en 1960. Asturias había visitado los pueblos de Tiquisate y Bananera, y había visto de primera mano las condiciones bajo las cuales tenían que trabajar los obreros de las plantaciones. A la vez había leído un artículo en el periódico sobre estas condiciones, escrito por dos periodistas norteamericanos. Este documento apareció en *Viento fuerte*. Asturias muestra cierta originalidad al no seguir el arquetipo de novela antiimperialista, en la que los personajes están pintados en blanco y negro. En efecto, tanto en *Viento fuerte* como en *El Papa Verde*, el protagonista es un norteamericano que desea que las compañías de plátanos traten a sus empleados más humanitariamente. Desde el punto de vista estético, no obstante, la trilogía está debilitada por su mezcla de escenas de terror y sobria

---

[15] Asturias: *Hombres de maíz*, en «Obras Escogidas», I, p. 775.

documentación lógica. El lector no está preparado para reaccionar con corazón y mente a la vez. Estas novelas, de tono antiimperialistas, lo mismo que las colecciones de cuentos cortos *Week-end en Guatemala* (1956), no alcanzan la perfección artística de los primeros trabajos de Asturias. Cuando Asturias abandona el mito y da énfasis al realismo social, su arte sufre.

Un libro paralelo a las *Leyendas de Guatemala* es el volumen *El Alhajadito*, que fue escrito en París durante los años de La Sorbona, pero no publicado hasta 1961 en Buenos Aires, habiendo sido tomado del manuscrito, como dice el colofón, de 1960. Este libro, más que una novela, es una serie de leyendas, una serie dividida en tres partes, pero unificadas por la presencia de un narrador central, el aire del realismo mágico, los personajes folklóricos y el estilo popular. Poco más tarde las mismas características reaparecen en *Mulata de Tal* (1963), aunque aquí los elementos están mejor integrados en una estructura orgánica, una estructura que tiene como base la leyenda popular guatemalteca del pobre hombre que vende su esposa al Demonio —en este caso a Tazol, el mismo nombre dado a la mazorca— para enriquecerse. En otro nivel, la novela recrea el mito quiché del sol y la luna. Asturias, muy hábilmente, integra estos dos elementos, el mítico y el picaresco. No menos importante que la fábula es el estilo que está caracterizado por una simplicidad bien adaptada a la naturaleza de los personajes. «Yo creo —ha dicho Asturias— que en *Mulata de Tal* mi expresión lingüística tiene una nueva dimensión. En *Hombres de maíz* está todavía sobrecargada de terminología mítica y religiosa. *Mulata*, por otro lado, está escrita en un estilo popular, una especie de picaresca verbal con la ingenuidad y fantasía características que el pueblo tiene para hilvanar frases y jugar con ideas.»

La influencia del *Popol-Vuh* puede ser detectada en el estilo de *Mulata*, aunque no tanto en el uso de palabras religiosas como en el paralelismo al contar un cuento. El paralelismo estilístico puede ser también detectado en la poesía de Asturias [17]. En su última colección bilingüe por Gal-

---

[16] Según cita Harss, *Los nuestros*, p. 123.
[17] Otros libros de poesía de Asturias son *Rayito de Estrella* (1925), *Sone-*

limard, en 1966, esta influencia es notoria en algunos de sus
diez cantos:

> «La tierra alimenta sobre senderos de maíz que da luz
> a un sencillo grano y a todo el sol radiante;
> desde las alas de un quetzal que cambian el color del cielo
> un sencillo quetzal y todo el cielo verde;
> desde arroyos de lluvia, desde arroyos de sangre
> la tierra alimenta con sangre...»

En su último libro, *El espejo de Lida Sal* (Ciudad de
México, 1967), Asturias regresa a la leyenda como la forma
mejor adaptada para dar expresión a los elementos indios
mitológicos que él usó con tan excelente resultado en *El
señor Presidente*. Parece ser la forma mejor adaptada a su
temperamento de escritor prosista. Sus mejores trabajos
son aquellos en que mezcla motivos y elementos que vienen
de los dos mundo que él mejor conoce: el indio y el criollo, desde las dos mentalidades, la mítica y la faustiana, que
durante cuatrocientos años han luchado entre sí en Guatemala y deben considerarse como las características que dis-
tinguen a la literatura latinoamericana. El interés que Asturias ha demostrado en ese otro mundo, en aquella mente
mágica de los indios, es lo que da a sus obras un carácter
distintivo, sin dejar de considerar las razones por las que
fue galardonado con el Premio Nobel de Literatura.

---

tos (1936), *Sien de alondra* (1949), *Ejercicios poéticos de sonetos sobre temas
de Horacio* (1951) y *Bolívar* (1955). Hay también dos obras dramáticas: *So-
luna* (1955) y *La audiencia de los confines* (1957).

La psiconeurosis regresiva en los personajes de la novela «El señor Presidente», de M. Á. Asturias

Helmy F. Giacoman

La novela *El señor Presidente*, de Miguel Angel Asturias, tiene tantos insignes comentaristas y críticos destacados que parecería ocioso ofrecerle al lector un estudio más. Creo que nuestra perspectiva, sin embargo, ha sido mencionada de paso, sin haber profundizado en el tema de la psiconeurosis regresiva que poseen la mayoría de los personajes de esa novela. Veamos, pues, qué queremos implicar por dichos términos, en quiénes se manifiesta de un modo especial y qué características tiene en su visión imaginaria.

Por psiconeurosis entendemos una neurosis extremada que afecta las funciones psíquicas de tal modo que el ser total del individuo se disocia parcial o completamente. Por ejemplo, la unidad del «yo» se disocia de las del inconsciente; las funciones del pensamiento de las de la afectividad; la actividad moral se disocia del «super-yo». O bien, en el caso opuesto, si estas funciones se mezclan sin regulación psíquica, entran en conflictos que disocian la personalidad normal del hombre. Todo ser psiconeurótico sufre una especie de caída de ciertas constantes y una situación caótica en lo que se relaciona con sus acciones: sus procesos inconscientes —que constituyen la base de su personalidad— modifican su existencia y acciones de tal modo que ya no obedecen a sus represiones originales, y alteran, de una manera profunda, su vida instintiva y afectiva. Ahora bien: lo que mejor manifiesta esta irregularidad del ser es que una parte de su «yo» muestra una estructura mental y emotiva de carácter regresivo. Los caracteres de sus actividades, las modalidades de su conducta revelan una naturaleza infantil, esto es en el sentido genético del vocablo Esta característica regresiva tiene lugar al hecho de que el individuo vuelve a ponerse en peligroso contacto con su inconsciente. Con el fin de demostrar esa regresión al estado infantil, daremos, dentro de breves líneas, ejemplos de la novela que nos interesa. En este cuadro que hemos mencionado existen tres grados funcionales que concurren en los personajes de *El señor Presidente:*

a) Entre el inconsciente y el yo: esta relación puede existir entre una influencia del primero sobre el segundo. En otras palabras, la actividad del yo es invadida y dominada por una pulsión reprimida que cae bajo el dominio del inconsciente. Un excelente ejemplo de este trauma tenemos en la reacción del Pelele al matar al coronel José Parrales Sonriente:

> «Arrancado del suelo por el grito, el Pelele se le fue encima y, sin darle tiempo a que hiciera uso de sus armas, le enterró los dedos en los ojos, le hizo pedazos la nariz a dentelladas y le golpeó las partes con las rodillas hasta dejarlo inerte.» [1]

Nuestro novelista llama a esa reacción «una fuerza ciega». En efecto, ha sido un acceso súbito de agresividad instintiva contra un sujeto que tiene función de autoridad para poder desatar fuerzas del inconsciente.

b) El segundo grado funcional que ocurre cuando se presenta un conflicto entre el inconsciente y la zona neurótica del yo: un conflicto entre lo reprimido y el super-yo. Tenemos en la novela varios casos de esta situación, pero queremos mencionar dos en especial: en primer lugar, la resistencia de Camila a irse con Cara de Ángel, en los comienzos, y su trágico cambio al aferrarse entrañablemente al amor del favorito al sentirse desamparada de toda otra relación. En segundo lugar tenemos la resistencia de la Masacuata a los avances de Lucio Vázquez; resistencia que desaparece cuando se enamora de él.

c) Entre la zona regresiva y el campo del yo, en otras palabras de la relación intrayoica. Ahora bien: en esta tercera relación —la que nos interesa para los propósitos de este estudio— tenemos la neurosis de

---

[1] En nuestras citas hemos seguido la edición de la Editorial Losada, 1967. Es la sexta edición.

abandono, que veremos con detalles muy pronto, el estudio de los sueños y las relaciones que llamaremos de «adualismo» [2], y del realismo cognitivo.

El adualismo

Este término psicogenético significa la confusión de sí mismo con otro, o de los datos subjetivos del yo con los datos objetivos de lo real: confusión del yo con el no yo, y viceversa. Podemos decir que no hay nada más estrictamente individual que el sentirse uno mismo diferente a los demás. Ese fenómeno ha sido observado y estudiado por Jean Piaget en su libro *La représentation du monde chez l'enfant* (Editorial Alcan, 1932, pp. 4, 155 y 450):

> «Durante los estadios primitivos, no teniendo el niño conciencia de su subjetividad, todo lo real se encuentra extendido sobre un plano único, por confusión de los aportes externos e internos... Sobre este plano, las relaciones reales y las emanaciones inconscientes del espíritu son irremediablemente confundidas.»

Ahora bien, lo que interesa a nuestro estudio es la idéntica situación que existe entre esa descripción del psicólogo francés y la que hallamos en nuestra novela: la creencia espontánea de que todo sucede fuera del espíritu y haciendo que éste sólo registre los fenómenos exteriores. El ejemplo más destacado de este fenómeno es el del Pelele cuando éste, en su huida, confunde todo su ser con el medio y cree que los árboles son personas, etc., animando todo de proyecciones suyas. Lo que Asturias ha hecho en esa descripción es describir todo fenómeno interno, como externo:

> «El Pelele huyó por *las calles intestinales...*, sin turbar con sus gritos desaforados *la respiración del cielo*... Medio en la realidad, medio en el sueño, corría el Pelele perseguido por

---

[2] Este fenómeno, como el que señalamos con la nota número 3 ha sido explicado, en gran detalle, por Jean Piaget. Especialmente en el libro mencionado en nuestro estudio y en *El juicio y el razonamiento en el niño*. Ed. Delachaux. Allí estudia tres formas de *adualismo*. Para nuestra interpretación hemos seguido la segunda y tercera forma.

los perros y por *los clavos* de una lluvia fina... la lengua fuera, *enflecada de mocos*... A sus costados *pasaban puertas y
puertas y puertas... defendiéndose de los postes de telégra-
fos...* como el que escapa de una prisión cuyos muros de niebla a más correr, más se alejan.» (Pp. 17-18 de la sexta edición
de Ed. Losada, 1967.)

A la creencia que hemos expresado arriba se añade la
incapacidad para discriminar entre la información que viene de afuera hacia adentro y las características que, vinien-
do de nuestras represiones, damos al medio ambiente que
nos rodea. Creo que hemos explicado ese caso con claridad.
Los ejemplos se podrían multiplicar: el sueño de Cara de
Ángel —impulsado por la excitación del suelo frío que experimenta—, el caso de Fedina Rodas, que al morir su hijo
se cree tumba; el titiritero que, llevado de la constante re-
presión de su esposa —forma metafórica que duplica, exactamente y en el plano más restricto de una familia, lo que
sucede en una nación, al principio y al final de la novela—,
se identifica con sus títeres finalmente, etc. Toda esta fenomenología obedece al estado represivo, que hace que los
personajes muestren la regresión a etapas infantiles. Creemos que esa regresión a un infantilismo es el crimen al
que otros críticos han llamado un mundo de persecutores
y perseguidos: un mundo infantil, en donde no existen las
normas sociales del adulto. Es esa capacidad nula que re-
flejan los personajes de *El señor Presidente* la que hemos
descrito como el adualismo. En ese estadio, las víctimas
de ese gobierno dictatorial violan sus principios regulado-
res: hacen una entidad de la conciencia y de la realidad exterior, sin poder separar sus facultades epistemológicas y
sus emociones del medio que los rodea, todo ello por medio del miedo —como reacción principal— y de la desesperación, etapa anterior al dualismo completo. Tal como en
el caso de un niño, no diferencian sus estados de conciencias
de sus contenidos, ni las percepciones y sensaciones de que
son objeto, ya que ignorar la función del yo equivale a la
imposibilidad de sentir las funciones propias del yo.

Ahora bien: ese mecanismo de exteriorización se manifiesta como proyección. Un caso típico es el ya mencionado
del Pelele. Otro tanto ocurre con Cara de Ángel cuando
proyecta su visión personal del dictador como la figura del

dios Tohil. Si se observa con cuidado, ese dios se presenta únicamente como forma externa de un presentimiento interno. La causa ha sido el miedo experimentado por el favorito:

> «Una palpitación subterránea de reloj subterráneo que marca horas fatales empezaba para Cara de Ángel... Tohil llegó cabalgando un río hecho de pechos de paloma que se deslizaba como leche... Cara de Ángel se despidió del Presidente después de aquella visión inexplicable...» (Pp. 241-242.)

El lector perdonará que no le demos toda la cita, pero fuera de ser muy extensa, hemos aclarado lo que queremos decir. Toda esa visión es proyectada fuera de Cara de Ángel, y él no es capaz de desligar el contenido de su conciencia de la visión exterior. La novela tiene muchos casos igual que éste, pero no nos proponemos describirlos, sino indicar su fenomenología, ya que todos responden al mismo fenómeno de exteriorización.

Con el nombre de introyección denominamos el fenómeno opuesto, o sea, el introducir en el yo elementos exógenos. Una vez introducidos éstos en la conciencia del personaje éste trata de reivindicarlos en su propiedad. Como ejemplo destacado tenemos el ya mencionado caso de Fedina Rodas: se siente tumba —forma exterior ya mencionada—, pero, al mismo tiempo, la forma tumba, exterior a ella, pasa a existir en cuerpo, identificándose con él. El mismo caso existiría en el caso del titiritero, que, como ya dijimos, se proyecta exteriormente —por medio de su conducta final— en uno de sus títeres, pero, al mismo tiempo, introduce en su conciencia la conducta de sus creaciones, y se comporta como ellas. Citemos, para concluir con este fenómeno, el caso de Camila, quien, por medio del proceso de imitación —etapa primaria de la introyección—, se identifica con su etapa infantil al actuar como si jugara con sus muñecas, o con el juego de las escondidas. El mismo fenómeno ocurre a la Chabelona, la criada de Camila, ya que ambas despiertan de su realidad anterior a su desgracia para encontrar que no estaban soñando.

Ligado a los fenómenos ya descritos como proyección e introyección, y dependientes de ellos, tenemos las neurosis regresivas de autoridad y las de abandono. La primera

se caracteriza, en la novela, por el miedo, la mentira, la
absurdidad y la desesperación, en tanto que la neurosis de
abandono se caracteriza por la enajenación, en la cual el
personaje ha perdido su conciencia propia. Veremos casos
específicos de cada categoría regresiva. El miedo es la primera reacción infantil, ya que depende de nuestro estado
de desamparo, de inseguridad. Un ejemplo patético es el
ofrecido por Juan Canales cuando intenta ganarse las sim-
patías de Cara de Ángel:

> «Don Juan perdió control sobre sus nervios al oír que sus
> palabras caían en el vacío.» (Pp. 94.)

> «Ya la voz de don Juan era insegura. Su esposa seguía la
> visita detrás de una mampara y creyó prudente salir en auxi-
> lio de su marido.» (P. 95.)

Otro ejemplo tenemos en el caso del licenciado Abel
Carvajal, al ser informado de su sentencia de muerte:

> «La palabra se le deshizo en la boca como pan mojado.»
> (P. 192.)

> «...la idea del padecimiento, de lo mecánico de la muerte,
> el choque de las balas con los huesos... devolvió el vaso con
> miedo... desasido del pálido cemento de su cara.» (p. 192.)

Un último caso tenemos en la persona de Cara de Ángel, caso que ya explicamos al hablar de su visión del dios
Tohil.

El segundo caso de regresión infantil está radicado en
la mentira, grave caso de amoralidad adulta y común en
el período prelógico de los niños. Esta actitud falsa ya ha
sido mencionada por otros críticos, especialmente en su
versión social: la mentira del gobierno, del dictador, pero
la que nos interesa a nosotros es aquella que se nutre en
la inseguridad regresiva de algunos personajes. Ya hemos
señalado el caso de Juan Canales, que, poseído de un miedo atroz, miente para poder salvarse:

> «...estábamos distanciados desde hacía mucho tiempo con
> mi hermano, que éramos como enemigos..., sí, como enemi-
> gos a muerte...» (P. 96.)

El otro caso que queremos mencionar es el del doctor Luis Barreño. Encuentra que el laxante usado en el hospital era causante de la muerte de algunos. Al declarar su denuncia es rechazado, para encontrar en su esposa la infiel cónyuge que lo engañaba con Parrales. Esa mentira que ha mantenido dentro de sí arruina su vida conyugal. La absurdidad es el tercer caso de regresión que hemos mencionado. Fuera de la aludida en el plan de evasión del general Canales, el cual no implica absurdidad personal, queremos mencionar la muerte del general Canales al enterarse, por medio de la Prensa, del matrimonio de su hija con Cara de Ángel, siendo padrino de ese matrimonio el dictador. No es capaz Canales de soportar el caos en su vida, y muere de un ataque al corazón. Otro tanto le sucede al favorito, al morir «sin encontrarse»:

> «Una telaraña de polvo húmedo había caído al suelo.»
> (P. 263.)

Por otra parte, tenemos la dialéctica de la realidad versus las apariencias en la sección dedicada al leñador que confunde a Cara de Ángel con un verdadero ángel. Para terminar, citemos el intento de redimirse, por parte de Cara de Ángel, ante Dios al ayudar al mayor Farfán.

Llegamos, de este modo, a la última etapa de neurosis regresiva de autoridad: la desesperación. Presa de esta etapa vemos al Pelele deseando huir de la ciudad, medio que le atormenta sin cesar, «pero el tren volvía al punto de partida como un juguete preso de un hilo». La misma figura del tren como medio de escape se nos presenta en el viaje de Cara de Ángel hacia el puerto. En ese viaje «de repente abría los ojos —el sueño sin postura del que huye, la zozobra del que sabe que hasta el aire que respira es colador de peligros—, y se encontraba en su asiento, como si hubiera saltado al tren por un hueco invisible, con la nuca adolorida, la cara en sudor y una nube de moscas en la frente» (p. 246). Es muy intenso el paralelo entre estos personajes y sus proyecciones exteriores. Otro caso de desesperación es el que encontramos en la señora de Carvajal al no poder correr con más prisa para salvar a su marido:

«Sentía que todo se soldaba sobre su pena... el aire...
Todo... En cada lágrima un sistema planetario... Se le iba
parando la sangre...» (Pp. 202-204.)

Tal vez sea el caso de Fedina Rodas el más impresionante. Ruega que se le de permiso para dar de mamar a
su hijo, pero cuando lo consigue es imposible que lo haga.
En cuanto a la neurosis de abandono y a su consecuencia, la enajenación, tenemos varios casos en la novela. Uno
de ellos es la actitud que sigue la Chabelona después de
haber sido golpeada por la Policía. Completamente enaje-
nada, vaga por la casa, creyendo que juega con Camila.
Otro ejemplo de enajenación total es el de Fedina Rodas:
una vez muerto su hijo, vive en un estado de insensibilidad
total. Finalmente, tenemos el caso del titiritero, que, enajenado, se cree un juguete de los que fabrica.

Resumiendo nuestras líneas, podemos asegurar al lector que lo que Miguel Ángel Asturias ha hecho en su novela es mostrar, de una manera trágica y muy verdadera,
la fenomenología humana de unos seres que, viviendo una
vida normal, son brutalmente forzados por la dictadura a
una vida represiva y regresiva a la vez. Ese mundo envenenado es un mundo primigenio, en el cual sus moradores
viven una conducta infantil abominable. Creemos que esa
característica hace de la novela una obra universal y de
valor en toda circunstancia social, de dictadura o no.